CLASSIQUES & CIE LYCÉE

Michel de Montaigne

Essais (1595)

et autres textes sur la question de l'homme

Préface de **Tanguy Viel**

Essais suivis d'un dossier critique
pour la préparation du bac de français

Collection dirigée par
Johan Faerber

Édition établie, annotée et commentée par
Nancy Oddo
Maître de conférences en littérature française
à l'université Paris III-Sorbonne nouvelle

Traduction en français moderne de
Guy de Pernon

Hatier

Essais

Anthologie
sur la question de l'homme

© Hatier Paris 2012 - ISBN 978-2-218-93802-3

REPÈRES CLÉS

POUR SITUER L'ŒUVRE

FICHES DE LECTURE

POUR APPROFONDIR SA LECTURE

OBJECTIF BAC

POUR S'ENTRAÎNER

| SUJETS D'ÉCRIT |

| SUJETS D'ORAL |

Tous les livres sont des anthologies

par Tanguy Viel

Ceci est une anthologie. Ce n'est pas un défaut, peut-être même une qualité. On pourrait, à ce titre, s'amuser à supposer que l'intégralité des *Essais* ne sont déjà qu'une anthologie de la pensée de Montaigne, une sélection faite par lui dans la multiplicité de son âme et de ses jugements. On pourrait s'amuser à supposer que tous les livres du monde, même l'*Encyclopédie*, même la Bible, ne sont que des anthologies, si on imagine que tous les livres du monde ne sont que la part élue, écrite et visible du cerveau de leurs auteurs. Tout écrivain rêve même de parvenir à cela : choisir assez d'éléments dans le chaos de son âme pour faire une « anthologie » de ses sentiments, de ses rêves ou de ses pensées, en trouvant en sus le moyen de les organiser. Quand il y parvient, on appelle cela une œuvre.

Certains voudraient faire entrer cette matière mouvante dans de toutes petites boîtes (les poètes ?), d'autres les raconter en fables et fictions (les romanciers ?), d'autres enfin épouser au plus près les pensées elles-mêmes, toutes pleines de fluctuations, d'images ou de chevilles inattendues. Ainsi donc de la forme vagabonde des *Essais*, hétérogène au dernier degré, Montaigne organisant ses chapitres au gré de ses humeurs, nous invitant à suivre le chemin fragmentaire, kaléidoscopique, d'une pensée labile, reptilienne et inconstante. De quoi parlent les *Essais* ? De tout, et dans tous les sens. Mais pour autant qu'il parle « à sauts et à gambades », il lui faut quand même se donner des règles : des sujets, des thèmes qui seront comme des embrayeurs de pensée. Car « si on n'occupe les esprits à certain sujet, qui les bride et contraigne, ils se jettent déréglés, par-ci par-là, dans le vague champ des imaginations » et « l'âme qui n'a point de but établi, elle se perd ». Il faut « mettre en rolle » les pensées si on ne veut pas qu'elles nous assaillent et débordent. « La plupart des esprits ont besoin de matière étrangère pour se dégourdir et exercer ; le mien en a besoin pour se rasseoir et séjourner » : Montaigne cherche un refuge, un abri pour sa pensée, et sa « librairie » ne lui suffit pas. Il lui faut donc écrire sur autant de choses qui le travaillent ou lui traversent l'esprit : la mort, l'amitié, la vieillesse, les enfants, les lois, le rire, le sommeil ou les Cannibales. Montaigne n'a pas cherché à être exhaustif mais il l'est presque devenu. Et il est devenu ce livre, un livre aussi étrange que le cœur d'un homme.

Ce n'est pas la conscience qui manque à Montaigne de son propre projet, tout de « marqueterie mal jointe », où « les noms des chapitres n'embrassent pas toujours la matière », où les transitions font dériver les propos, où « les matières se tiennent toutes enchaînées les unes aux autres ». Ainsi chaque essai est comme traversé par d'autres sujets que celui dont il traite, par la possibilité même de tous les sujets, celle de glisser vers d'autres pensées et de les associer infiniment. Montaigne invente, avec trois cents ans d'avance, la méthode de la psychanalyse qui est que, pour se connaître et s'analyser, il faut se laisser aller à l'association libre. Et, de même encore qu'en psychanalyse, le but ou l'effet de cette parole à bâtons rompus est de finir par se constituer soi-même, car « il n'est personne, s'il s'écoute, qui ne découvre en soi une forme sienne, une forme maîtresse ».

Un demi-siècle après la parution des *Essais*, tandis que le livre avait pris place dans toutes les bibliothèques du monde, le philosophe français Nicolas Malebranche, qui n'aimait pas beaucoup Montaigne, disait de lui que «ses idées sont fausses mais belles». Mais je ne sais pas si on peut dire que ses idées sont fausses, pour la simple raison que Montaigne n'a pas d'«idées». Montaigne a des opinions, des croyances, des jugements, des pensées, mais pas des idées. Et une opinion, une croyance, n'a pas à être vraie ou fausse, elle est, c'est tout, puisque la chose qui nous intéresse en elle, ce n'est pas tant ce qu'elle dit que le mouvement qu'elle dessine pour nous faire participer à son aventure. Pour Montaigne, oui, la pensée est une aventure, pleine d'obstacles et de détours, tortueuse et «informe, qui ne peut tomber en production ouvragère». C'est pourquoi chaque essai vient se perdre dans le dédale des exemples et des citations qui sont autant de détours et de digressions, étant à l'essayiste ce que les épreuves d'un héros seraient au romancier. Le héros, ici, c'est la pensée elle-même, décrite dans le drame de son mouvement, les récits qu'elle draine, les doutes qu'elle soulève et, enfin, le risque de son verdict. «Il est vrai qu'on ne doit pas regarder Montaigne dans ses *Essais* comme un homme qui raisonne, mais comme un homme qui se divertit, qui tâche de plaire et qui ne pense point à enseigner», concède cyniquement le même Malebranche.

Mais Malebranche a tort. Car les pensées de Montaigne, pour ne pas être érigées en système ou en «idées», n'en sont pas moins nobles et dignes d'enseignement. En replaçant l'homme parmi les plantes et les animaux, en apprivoisant notre finitude, en mesurant nos conduites à l'aune de notre mort, en s'enquérant de toute coutume dans l'histoire et la géographie du monde, en se réjouissant de la diversité, en variant incessamment la focale du plus intime au plus archaïque, Montaigne nous laisse à la fin comme son livre lui-même, «trouble et chancelant, d'une ivresse naturelle». Les *Essais* sont capables de décentrer le jugement du plus obtus des hommes à force d'ouvrir au multiple, à la bienveillance, à la tempérance, et cela, d'une manière si solitaire en son temps (Montaigne sera l'un des seuls à dénoncer les conditions de la conquête espagnole en Amérique).

Cette anthologie fait ici la part belle à ce Montaigne lumineux, dont l'humanisme n'a pas encore l'arrogance de la raison, mais prend seulement la mesure bémolisée de « l'humaine condition ». Car de l'humaine condition, Montaigne a l'expérience réelle, lui dont la retraite est finalement un mythe, tour à tour magistrat, diplomate, voyageur, maire, conciliateur, et qui n'aura jamais cessé de faire dialoguer son livre avec la vie elle-même. D'ailleurs, si les *Essais* se gardent bien de devenir une autobiographie, c'est peut-être parce qu'à l'exact opposé, « le vrai miroir de nos discours est le cours de nos vies ».

Le texte original de Montaigne figure en page de droite et la traduction en français moderne de Guy de Pernon est en page de gauche.

En ce qui concerne le texte original, nous avons suivi l'édition posthume des *Essais,* publiée en 1595 par Marie de Gournay à partir de l'exemplaire de Bordeaux annoté par Montaigne avant sa mort. Pour faciliter la lecture, nous avons modernisé l'orthographe et la ponctuation, suivi les paragraphes (absents de l'original) de la traduction et supprimé les indications, traditionnellement adoptées, des trois strates de textes, [A] pour l'édition de 1580, [B] pour celle de 1588 et [C] pour les additifs de l'édition de 1595. Il faudra donc se souvenir à la lecture de ces *Essais* qu'ils ne sont pas un discours lisse et fixé une fois pour toutes, mais que Montaigne n'a cessé de les travailler jusqu'à sa mort par ses fameux « allongeails », ses fort nombreuses additions.

ESSAIS

Livre I

Au lecteur

Voici un livre de bonne foi, lecteur. Il t'avertit dès le début que je ne m'y suis fixé aucun autre but que personnel et privé ; je ne m'y suis pas soucié, ni de te rendre service, ni de ma propre gloire : mes forces ne sont pas à la hauteur d'un tel

5 dessein. Je l'ai dévolu à l'usage particulier de mes parents et de mes amis pour que, m'ayant perdu (ce qui se produira bientôt), ils puissent y retrouver les traits de mon comportement et de mon caractère, et que grâce à lui ils entretiennent de façon plus vivante et plus complète la connaissance qu'ils ont eue

10 de moi. S'il s'était agi de rechercher la faveur du monde, je me serais paré de beautés empruntées. Je veux, au contraire, que l'on m'y voie dans toute ma simplicité, mon naturel et mon comportement ordinaire, sans recherche ni artifice, car c'est moi que je peins. Mes défauts s'y verront sur le vif, mes imper-

15 fections et ma façon d'être naturellement, autant que le respect du public me l'a permis. Si j'avais vécu dans un de ces peuples que l'on dit vivre encore selon la douce liberté des premières

Livre I

Au lecteur

Contrairement à la tendance de l'époque, l'avis au lecteur des Essais *est très bref. Il annonce un mode d'expression privé et souligne l'importance du lien entre autoportrait et sincérité.*

C'est ici un livre de bonne foi, Lecteur[1]. Il t'avertit dès l'entrée, que je ne m'y suis proposé aucune fin, que domestique et privée ; je n'y ai eu nulle considération de ton service, ni de ma gloire : mes forces ne sont pas capables d'un tel dessein. Je l'ai voué à la commodité particulière de mes parents et amis : à ce que m'ayant perdu (ce qu'ils ont à faire bientôt) ils y puissent retrouver aucuns traits de mes conditions et humeurs, et que par ce moyen ils nourrissent plus entière et plus vive la connaissance qu'ils ont eue de moi. Si c'eût été pour rechercher la faveur du monde, je me fusse paré de beautés empruntées. Je veux qu'on m'y voie en ma façon simple, naturelle et ordinaire, sans étude et artifice : car c'est moi que je peins. Mes défauts s'y liront au vif, mes imperfections et ma forme naïve[2], autant que la révérence publique me l'a permis. Que si j'eusse été entre ces nations qu'on dit vivre encore sous la douce liberté des premières

---

1. Le critique Michel Simonin a noté que les *Essais* s'ouvrent sur un alexandrin et une prosopopée, puisque c'est le livre lui-même qui s'adresse au lecteur. La « bonne foi » renvoie au vocabulaire juridique (la *bona fides*) et permet d'établir un véritable contrat entre l'auteur et son lecteur. Enfin, notons que Montaigne souligne ici les deux caractéristiques essentielles qui constituent son livre : la forme de la lettre qui annonce le ton « domestique et privé » des *Essais*, et le lien des thèmes de l'autoportrait et de la sincérité.

2. Naïve : issu du latin *nativus*, le terme signifie étymologiquement « native, naturelle ».

lois de la nature, je t'assure que je m'y serais très volontiers peint tout entier et tout nu.

20   Ainsi, lecteur, je suis moi-même la matière de mon livre : il n'est donc pas raisonnable d'occuper tes loisirs à un sujet si frivole et si vain. Adieu donc.

De Montaigne, ce 12 Juin 1588.

lois de nature[1], je t'assure que je m'y fusse très volontiers peint tout entier, et tout nu.

Ainsi, Lecteur, je suis moi-même la matière de mon livre : ce n'est pas raison que tu emploies ton loisir en un sujet si frivole et si vain[2]. Adieu, donc.

De Montaigne[3], ce 12 de Juin 1588.

---

1. Allusion aux peuples du Nouveau Monde, les Indiens du Brésil, que Montaigne décrit dans le chapitre XXX du livre I.

2. Cette attitude désinvolte à l'égard du lecteur est fréquente depuis l'Antiquité.

3. Montaigne désigne ici le château et la terre noble qu'il a reçus en héritage à la mort de son père. Il est le premier à en avoir adopté le nom.

De l'oisiveté

On voit que des terres en friche, quand elles sont grasses et fertiles, foisonnent d'herbes sauvages et inutiles, et que pour les maintenir en bon état à notre usage, il faut les travailler et les ensemencer. On voit que des femmes produisent d'elles-
5 mêmes des morceaux et des amas de chair informes, mais que pour obtenir une bonne génération naturelle, il faut les engrosser d'une semence extérieure.

Il en est de même de nos esprits : si on ne les occupe pas avec quelque chose qui les bride et les contraigne, ils se jettent sans
10 retenue par-ci, par-là, dans le terrain vague de l'imagination.

> *Comme dans un vase d'airain, la surface de l'eau*
> *Réfléchit en tremblant le soleil ou la lune rayonnante,*
> *La lumière voltige partout, s'élève dans les airs*
> *Et frappe tout en haut les lambris du plafond.*
> Virgile, *Énéide*, VIII, 22-26.

15 Et il n'est folie ni délire qu'ils ne produisent en cette agitation.

> *Ils se forgent des chimères,*
> *Qui sont comme des songes malades.*
> Horace, *Art poétique*, VII.

De l'oisiveté

*Montaigne se retire de la vie publique en 1571 pour l'*otium cum
litteris, *le loisir lettré de l'Antiquité, mais il en donne une image
négative à travers des comparaisons : mauvaises herbes, fibrome, cheval échappé, monstres et chimères. L'*otium *lui permet de tenir le
registre de ses « imaginations » qui constitueront les* Essais.

Comme nous voyons des terres oisives, si elles sont grasses et
fertiles, foisonner en cent mille sortes d'herbes sauvages et inutiles, et que, pour les tenir en office, il les faut assujettir et employer à certaines semences, pour notre service[1]. Et comme nous
voyons que les femmes produisent bien toutes seules des amas
et pièces de chair informes[2], mais que pour faire une génération
bonne et naturelle, il les faut embesogner d'une autre semence.

Ainsi est-il des esprits : si on ne les occupe à certain sujet
qui les bride et contraigne, ils se jettent déréglés, par-ci par-
là, dans le vague champ des imaginations[3].

> *Sicut aquæ tremulum labris ubi lumen ahenis*
> *Sole repercussum, aut radiantis imagine Lunæ,*
> *Omnia pervolitat late loca, jamque sub auras*
> *Erigitur, summique ferit laquearia tecti*[4].

Et n'est folie ni rêverie, qu'ils ne produisent en cette agitation,

> *velut ægri somnia, vanæ*
> *Finguntur species*[5].

---

1. Service : intérêt.

2. Allusion aux môles, croissances anormales du placenta en forme de grappes,
sorte de fibromes, qui intéressaient beaucoup les médecins de la Renaissance.

3. Imaginations : pensées, rationnelles ou non.

4. Virgile, *Énéide*, VIII, 22-26

5. Horace, *Art poétique*, VII.

L'esprit qui n'a point de but se disperse car, comme on dit,
20 *c'est n'être nulle part que d'être partout.*

Dernièrement, je me suis retiré chez moi, décidé autant
que je le pourrais à ne rien faire d'autre que de passer en me
reposant, à l'écart, le peu de temps qui me reste à vivre. Il me
semblait que je ne pouvais faire une plus grande faveur à mon
25 esprit que de le laisser en pleine oisiveté, à s'entretenir lui-
même, s'arrêter et se retirer en lui-même. J'espérais qu'il pourrait le faire désormais plus facilement, étant devenu, avec le
temps, plus pondéré et plus mûr.

Mais je découvre que

30 *l'oisiveté dissipe toujours l'esprit en tout sens,*
Lucain, IV, 704,

et que, au contraire, comme un cheval échappé, il se donne
cent fois plus de mal pour lui-même qu'il n'en prenait pour
les autres. Et il me fabrique tant de chimères et de monstres
extraordinaires les uns sur les autres, sans ordre et sans raison,
35 que pour en examiner à mon aise l'ineptie et l'étrangeté, j'ai
commencé à mettre cela par écrit, espérant, avec le temps, lui
en faire honte à lui-même.

L'âme qui n'a point de but établi, elle se perd : car, comme on dit, c'est n'être en aucun lieu, que d'être partout. *Quis-quis ubique habitat, Maxime, nusquam habitat*[1].

Dernièrement que je me retirai chez moi, délibéré autant que je pourrais, ne me mêler d'autre chose que de passer en repos et à part ce peu qui me reste de vie, il me semblait ne pouvoir faire plus grande faveur à mon esprit, que de le laisser en pleine oisiveté, s'entretenir soi-même, et s'arrêter et rasseoir en soi[2] : ce que j'espérais qu'il pût meshui faire plus aisément, devenu avec le temps plus pesant, et plus mûr. Mais je trouve,

variam semper dant otia mentem[3],

qu'au rebours, faisant le cheval échappé, il se donne cent fois plus de carrière à soi-même qu'il n'en prenait pour autrui ; et m'enfante tant de chimères et monstres fantasques les uns sur les autres, sans ordre et sans propos, que, pour en contempler à mon aise l'ineptie[4] et l'étrangeté, j'ai commencé de les mettre en rôle[5], espérant avec le temps lui en faire honte à lui-même.

1. Martial, *Épigrammes*, VII, 73.

2. Montaigne fait allusion à sa retraite de la vie publique en 1571, à l'âge de 38 ans, alors qu'il est conseiller au Parlement de Bordeaux.

3. Lucain, *La Pharsale*, IV, 704.

4. Ineptie : ici, défaut de cohérence.

5. **Les mettre en rôle** : écrire sous la forme du texte que l'on est en train de lire. C'est le premier élément indiquant l'origine des *Essais,* entre un souhait de correction (faire honte à son esprit) et un désir affiché d'en contempler les chimères. Ce dédoublement entre l'esprit et celui qui dit « je » est le signe du procès intérieur sans fin qui fonde l'essai montaignien.

Chapitre XXIV
Du pédantisme

J'ai souvent été irrité, dans mon enfance, de voir que dans les comédies italiennes, un *pedante*, ou précepteur, tenait toujours le rôle du sot, et que le surnom de « magister » n'avait guère parmi nous de signification plus honorable.

5 Puisque j'étais sous leur garde et leur direction, pouvais-je faire moins que d'être soucieux de leur réputation ? Je cherchais à les excuser par la différence naturelle qu'il y a entre les gens vulgaires et les rares personnes dont le jugement et le savoir sont excellents : ce qui fait qu'ils vont les uns et

10 les autres dans des sens tout à fait opposés. Mais j'y perdais mon latin, car les hommes les plus distingués étaient justement ceux qui les méprisaient le plus, comme en témoigne notre bon Du Bellay :

> Je hais par-dessus tout un savoir pédantesque
> Du Bellay, *Les Regrets*, 68.

15 Et cette habitude est ancienne, car Plutarque dit que *grec* et *écolier* étaient des mots péjoratifs et méprisants chez les Romains. Depuis, avec l'âge, j'ai trouvé qu'on avait tout à fait raison, et que « les plus grands savants ne sont pas les plus sages ».

Du pédantisme

Ce chapitre forme un diptyque avec le suivant sur l'idéal de l'homme. Montaigne y oppose le savoir scolaire (y compris le savoir humaniste, caricaturé par le pédant) et la sagesse du véritable gentilhomme, soulignant la nécessité de la force d'âme, fondatrice d'une vraie culture.

Je me suis souvent dépité, en mon enfance, de voir ès comédies Italiennes toujours un pédant[1] pour badin[2], et le surnom de magister[3] n'avoir guère plus honorable signification parmi nous. Car, leur étant donné en gouvernement[4] et en garde, que pouvais-je moins faire que d'être jaloux de leur réputation ? Je cherchais bien de les excuser par la disconvenance naturelle qu'il y a entre le vulgaire[5] et les personnes rares et excellentes en jugement et en savoir ; d'autant qu'ils vont un train entièrement contraire les uns des autres. Mais en ceci perdrais-je mon latin, que les plus galants hommes c'étaient ceux qui les avaient le plus à mépris, témoin notre bon du Bellay :

> *Mais je hais par sur tout un savoir pédantesque*[6].

Et est cette coutume ancienne ; car Plutarque dit que Grec et Écolier étaient mots de reproche entre les Romains, et de mépris. Depuis, avec l'âge, j'ai trouvé qu'on avait une grandissime raison, et que *magis magnos clericos, non sunt magis magnos sapientes*[7].

---

1. Pédant : maître d'école. C'est un personnage des comédies italiennes, incarnant le professeur prétentieux et le sot qui croit tout savoir.

2. Badin : personnage de farce représentant le simple d'esprit, le bouffon.

3. Magister : maître (en latin).

4. En gouvernement : pour élève.

5. Le vulgaire : le commun des hommes.

6. Du Bellay, Les Regrets, 68.

7. Rabelais, au chapitre XXXIX de *Gargantua,* met ce dicton en mauvais latin dans la bouche de frère Jean des Entommeures.

Mais j'en suis encore à me demander comment il se fait qu'un esprit riche de la connaissance de tant de choses n'en devienne pas plus vif et plus éveillé, et qu'un esprit grossier et vulgaire puisse faire siens, sans en être amélioré, les discours et les jugements des meilleurs esprits que le monde ait porté. Comme me le disait une jeune fille, la première de nos princesses, en parlant de quelqu'un : à s'imprégner de tant de cerveaux étrangers, si forts et si grands, il faut bien que le sien se rétracte, se resserre, et rapetisse, pour faire de la place aux autres...

Je dirais volontiers que le travail de l'esprit s'étouffe par trop d'étude et de connaissances, comme les plantes qui ont trop d'humidité et les lampes trop d'huile ; et que, encombré et prisonnier d'une trop grande diversité de choses, il ne parvient plus à s'en dépêtrer, et demeure courbé et accroupi sous ce fardeau. Mais il en va pourtant autrement : car notre esprit s'élargit au fur et à mesure qu'il se remplit. Et l'on voit bien, par les exemples des Anciens, que tout au contraire, des hommes très capables dans la conduite des affaires publiques, de grands capitaines et de grands conseillers pour les affaires de l'État, ont été en même temps des hommes très savants.

Quant aux philosophes, à l'écart de toute occupation publique, ils ont été aussi parfois méprisés, c'est vrai, par les auteurs comiques de leur temps, parce que leurs opinions et leurs façons les rendaient ridicules. Voulez-vous les faire juges de la régularité d'un procès, des actions d'un homme ? Ils y sont vraiment bien préparés, en effet ! Ils cherchent encore si la vie et le mouvement existent, et si l'homme est autre chose qu'un bœuf ; ce que c'est qu'agir et souffrir, et quelle sorte de bêtes sont les lois et la justice.

Mais d'où il puisse advenir qu'une âme riche de la connaissance de tant de choses n'en devienne pas plus vive et plus éveillée, et qu'un esprit grossier et vulgaire puisse loger en soi, sans s'amender, les discours et les jugements des plus excellents esprits que le monde ait portés, j'en suis encore en doute. À recevoir tant de cervelles étrangères, et si fortes, et si grandes, il est nécessaire (me disait une fille, la première de nos Princesses[1], parlant de quelqu'un), que la sienne se foule, se contraigne et rapetisse, pour faire place aux autres.

Je dirais volontiers que, comme les plantes s'étouffent de trop d'humeur, et les lampes de trop d'huile, aussi fait l'action de l'esprit par trop d'étude et de matière ; lequel occupé et embarrassé d'une grande diversité de choses, perde le moyen de se démêler, et que cette charge le tienne courbe et croupi. Mais il en va autrement ; car notre âme s'élargit d'autant plus qu'elle se remplit. Et aux exemples des vieux temps, il se voit, tout au rebours, des suffisants hommes aux maniements des choses publiques, des grands capitaines, et grands conseillers aux affaires d'État avoir été ensemble très savants.

Et, quant aux Philosophes retirés de toute occupation publique, ils ont été aussi quelquefois, à la vérité, méprisés par la liberté Comique[2] de leur temps, leurs opinions et façons les rendant ridicules. Les voulez-vous faire juges des droits d'un procès, des actions d'un homme ? Ils en sont bien prêts ! Ils cherchent encore s'il y a vie, s'il y a mouvement, si l'homme est autre chose qu'un bœuf ; que c'est qu'agir et souffrir, quelles bêtes ce sont que lois et justice[3].

---

1. Il s'agit peut-être de l'épouse d'Henri de Navarre, Marguerite de Valois (1553-1615), la fameuse reine Margot, à qui Montaigne dédie l'« Apologie de Raymond Sebond », le plus long chapitre des *Essais* (II, XII).

2. Comique : des auteurs comiques, comme Aristophane qui se moque de Socrate dans *Les Nuées* (423 av. J.-C.).

3. Montaigne ridiculise souvent dans ses *Essais* la démarche intellectuelle des philosophes.

Parlent-ils d'un magistrat ou lui parlent-ils ? C'est avec une liberté irrévérencieuse ou incivile. Entendent-ils chanter la
50 louange d'un prince ou d'un roi ? Ce n'est pour eux qu'une sorte de pâtre, un pâtre occupé à tondre ses bêtes – mais bien plus brutalement ! Avez-vous plus d'estime pour quelqu'un parce qu'il a deux mille arpents de terre ? Eux s'en moquent bien, habitués qu'ils sont à considérer le monde entier comme leur bien.
55 Vous vantez-vous de votre noblesse, parce que vous en comptez sept parmi vos aïeux qui furent riches ? Ils font pourtant peu de cas de vous, parce que vous ne concevez pas la nature comme universelle, et que vous ne voyez pas que chacun d'entre nous a eu parmi ses prédécesseurs des riches, des pauvres, des rois, des
60 valets, des Grecs et des Barbares. Et quand bien même vous seriez le cinquantième descendant d'Hercule, ils vous trouveraient bien sot de vous targuer de ce qui n'est que le fait du hasard.

Le commun des mortels les dédaignait donc, considérant qu'ils ignoraient les choses essentielles et ordinaires, et parce
65 qu'ils se montraient présomptueux et insolents. Mais cette façon toute platonicienne de présenter les philosophes est bien éloignée de celle qui leur convient. On les enviait, en fait, de se tenir au-dessus de la façon d'être commune, de mépriser les activités publiques, d'avoir fait de leur vie quelque chose de particulier
70 et d'inimitable, obéissant à des principes élevés, et en dehors de l'usage. Nos pédants, au contraire, on les dédaigne, parce qu'ils se tiennent en dessous de la façon d'être commune, qu'ils sont incapables d'assumer des charges publiques, et mènent, suivant en cela le peuple, une vie et des mœurs basses et viles.

75   *Je hais les hommes lâches dans l'action, philosophes en paroles seulement.*

Grands par leur science, les philosophes étaient encore plus grands par leurs actions. On dit de ce Géomètre de Syracuse, qui s'était détourné de ses réflexions pour mettre quelque

Parlent-ils du magistrat, ou parlent-ils à lui ? C'est d'une liberté irrévérente et incivile. Oient-ils louer un Prince ou un Roi ? C'est un pâtre pour eux, oisif comme un pâtre[1], occupé à pressurer et tondre ses bêtes, mais bien plus rudement. En estimez-vous quelqu'un plus grand, pour posséder deux mille arpents de terre ? Eux s'en moquent, accoutumés d'embrasser tout le monde comme leur possession. Vous vantez-vous de votre noblesse, pour compter sept aïeux riches ? Ils vous estiment de peu, ne concevant l'image universelle de nature, et combien chacun de nous a eu de prédécesseurs, riches, pauvres, Rois, valets, Grecs, Barbares. Et quand vous seriez cinquantième descendant d'Hercule, ils vous trouvent vain de faire valoir ce présent de la fortune.

Ainsi les dédaignait le vulgaire, comme ignorants les premières choses et communes, et comme présomptueux et insolents. Mais cette peinture Platonique est bien éloignée de celle qu'il faut à nos hommes. On enviait ceux-là[2] comme étant au-dessus de la commune façon, comme méprisant les actions publiques, comme ayant dressé une vie particulière et inimitable, réglée à certains discours hautains[3] et hors d'usage. Ceux-ci on les dédaigne, comme étant au-dessous de la commune façon, comme incapables des charges publiques, comme traînant une vie et des mœurs basses et viles après le vulgaire.

Odi homines ignava opera, philosopha sententia[4].

Quant à ces Philosophes, dis-je, comme ils étaient grands en science, ils étaient encore plus grands en toute action. Et tout ainsi qu'on dit de ce Géomètre de Syracuse[5], lequel ayant été

---

1. Pâtre : berger.

2. Ceux-là : les philosophes chez Platon.

3. Hautains n'a pas de connotation négative.

4. Pris dans Juste Lipse, *Politiques*, I, x.

5. Ce géomètre de Syracuse : Archimède (vers 287-212 av. J.-C.) était mathématicien et physicien.

80 chose en pratique au service de son pays, qu'il conçut des engins épouvantables avec des effets dépassant tout ce que l'on peut croire, mais qu'il méprisait tout ce qu'il avait réalisé, car il estimait avoir corrompu par cela la dignité de son art, dont les ouvrages qu'il tirait n'étaient pour lui que des travaux d'appren-
85 tissage et de simples jouets.

Mis à l'épreuve de l'action, les philosophes en ont parfois acquis une telle hauteur de vues, qu'il semblait bien que leur cœur et leur âme se soient étonnamment nourris et enrichis par la compréhension intime des choses. Mais certains d'entre
90 eux, voyant le gouvernement politique occupé par des inca-pables, s'en sont éloignés. À qui lui demandait jusqu'à quand il faudrait philosopher, Cratès répondit : «Jusqu'au moment où ce ne seront plus des âniers qui conduiront nos armées.» Héraclite abandonna la royauté à son frère, et aux Éphésiens
95 qui lui reprochaient de passer son temps à jouer avec les enfants devant le temple, il dit : «N'est-ce pas mieux que de gouverner en votre compagnie?»

D'autres, ayant placé leur esprit au-dessus des contingences et de la société, trouvèrent bas et vils les sièges de la justice et les
100 trônes des rois eux-mêmes. Ainsi Empédocle refusa-t-il la royauté que les gens d'Agrigente lui offraient. Comme Thalès critiquait

détourné de sa contemplation pour en mettre quelque chose en pratique à la défense de son pays, qu'il mit soudain en train des engins épouvantables et des effets surpassant toute créance humaine ; dédaignant toutefois lui-même toute cette sienne manufacture[1], et pensant en cela avoir corrompu la dignité de son art, de laquelle ses ouvrages n'étaient que l'apprentissage et le jouet.

Aussi eux[2], si quelquefois on les a mis à la preuve de l'action, on les a vus voler d'une aile si haute, qu'il paraissait bien leur cœur et leur âme s'être merveilleusement grossie et enrichie par l'intelligence des choses. Mais aucuns voyant la place du gouvernement politique saisie par hommes incapables, s'en sont reculés. Et celui qui demanda à Cratès[3] jusqu'à quand il faudrait philosopher, en reçut cette réponse : « Jusqu'à tant que ce ne soient plus des âniers qui conduisent nos armées. » Héraclite[4] résigna la Royauté à son frère ; et aux Éphésiens qui lui reprochaient qu'il passait son temps à jouer avec les enfants devant le temple : « Vaut-il pas mieux faire ceci, que gouverner les affaires en votre compagnie ? »

D'autres, ayant leur imagination logée au-dessus de la fortune et du monde, trouvèrent les sièges de la justice et les trônes mêmes des Rois, bas et vils. Et refusa Empédocle[5] la royauté, que les Agrigentins lui offrirent. Thalès[6] accusant

---

1. Manufacture : fabrication manuelle. Archimède mit son savoir au service de la fabrication d'engins de guerre pour la défense de sa ville lors du siège de Syracuse (214-212 av. J.-C.).

2. Eux : les philosophes évoqués par Platon.

3. Cratès de Thèbes (365-285 av. J.-C.) : philosophe cynique, disciple de Diogène.

4. Héraclite (VIe-Ve av. J.-C.) : philosophe né dans la cité grecque d'Éphèse. La légende le fait se démettre de ses fonctions religieuses héréditaires.

5. Empédocle (vers 490-430 av. J.-C.) : philosophe grec né à Agrigente, en Sicile.

6. Thalès de Milet (vers 625-547 av. J.-C.) : célèbre pour son théorème de la théorie du triangle et pour l'opération de génie commercial évoquée ici : prévoyant une récolte d'olives abondante, il aurait monopolisé les pressoirs pour mieux monnayer leurs services. Capable de faire fortune comme de la mépriser au profit de la contemplation, Thalès est l'un des grands sages de l'Antiquité.

parfois le souci apporté à gérer des biens et à s'enrichir, on lui dit qu'il faisait comme le renard de la fable, et qu'il critiquait ce qu'il ne pouvait parvenir à faire. Il eut envie, pour se distraire, d'en faire
105 l'expérience au grand jour, et ayant pour la circonstance ravalé son savoir au service du profit et du gain, mit sur pied un commerce qui, en un an, rapporta tellement que c'est à peine si, en toute leur vie, les plus expérimentés en la matière pouvaient en faire autant.

110 Aristote dit que certains appelaient Thalès, Anaxagore, et leurs semblables, sages mais imprudents, parce qu'ils n'apportaient pas assez de soins aux choses les plus utiles; mais outre que je ne saisis pas bien la différence entre ces deux mots, cela ne suffirait pas, de toutes façons, à excuser les pédants dont je
115 parlais, et à voir la condition basse et nécessiteuse dont ils se contentent, ce serait plutôt l'occasion de dire d'eux qu'ils ne sont ni sages, ni prudents.

Mais laissons de côté cette première explication. Je crois qu'il vaut mieux dire que ce mal leur vient de leur mauvaise
120 façon d'aborder les sciences; car si l'on considère la façon dont nous sommes instruits, il n'est pas étonnant que ni les écoliers ni les maîtres ne deviennent pas plus intelligents, bien qu'ils deviennent plus savants. En vérité, le souci de nos pères pour notre éducation et les dépenses qu'ils y consacrent ne visent
125 qu'à nous remplir la tête de science, mais sans qu'il soit question de jugement ni de vertu. Dites de quelqu'un : « Oh qu'il est savant ! » et d'un autre : « Oh le brave homme ! ». La foule ne manquera pas de diriger son regard et son respect vers le premier. Il faudrait ajouter ici : « Oh la grosse tête ! » Nous de-
130 mandons volontiers de quelqu'un : « Sait-il du grec ou du latin ? Écrit-il en vers ou en prose ? » Mais qu'il soit devenu meilleur ou mieux avisé, c'est là l'essentiel, et c'est ce qu'on laisse de

quelquefois le soin du ménage et de s'enrichir, on lui reprocha que c'était à la mode du renard[1], pour n'y pouvoir advenir. Il lui prit envie par passe-temps d'en montrer l'expérience, et ayant pour ce coup ravalé[2] son savoir au service du profit et du gain, dressa un trafic, qui dans un an rapporta telles richesses, qu'à peine en toute leur vie les plus expérimentés de ce métier-là en pouvaient faire de pareilles.

Ce qu'Aristote récite d'aucuns qui appelaient et celui-là et Anaxagoras et leurs semblables, sages et non prudents[3], pour n'avoir assez de soin des choses plus utiles ; outre ce que je ne digère pas bien cette différence de mots, cela ne sert point d'excuse à mes gens, et à voir la basse et nécessiteuse fortune de quoi ils se payent, nous aurions plutôt occasion de prononcer tous les deux[4], qu'ils sont et non sages, et non prudents.

Je quitte cette première raison, et crois qu'il vaut mieux dire que ce mal vienne de leur mauvaise façon de se prendre aux sciences ; et qu'à la mode de quoi nous sommes instruits, il n'est pas merveille si ni les écoliers, ni les maîtres n'en deviennent pas plus habiles, quoiqu'ils s'y fassent plus doctes. De vrai le soin et la dépense de nos pères ne vise qu'à nous meubler la tête de science : du jugement et de la vertu, peu de nouvelles. Criez d'un passant à notre peuple : « Ô le savant homme ! » Et d'un autre : « Ô le bon homme ! » Il ne faudra pas à détourner les yeux et son respect vers le premier. Il y faudrait un tiers crieur : « Ô les lourdes têtes ! » Nous nous enquérons volontiers : « Sait-il du Grec ou du Latin ? écrit-il en vers ou en prose ? » Mais, s'il est devenu meilleur ou plus avisé, c'était le principal, et c'est ce qui demeure

---

1. À la mode du renard : allusion à la fable d'Ésope, *Le Renard et les raisins*, dans laquelle un renard convoite des raisins placés trop haut pour lui.

2. Ravalé : rabaissé.

3. Au XVIᵉ siècle, « sage » et « prudent » sont de sens proche.

4. Tous les deux : à la fois.

côté. Il eût fallu s'enquérir du mieux savant, et non du plus savant.

135 Nous ne cherchons qu'à remplir la mémoire, et laissons l'intelligence et la conscience vides. De même que les oiseaux vont parfois chercher du grain, et le portent en leur bec sans même y toucher, pour en donner la becquée à leurs petits, ainsi nos pédants vont grappillant leur science dans les livres,

140 et ne la prennent que du bout des lèvres, pour la régurgiter et la livrer au vent.

Il est étonnant de voir comment cette sottise trouve sa place chez moi. N'est-ce pas faire comme les autres, en effet, ce que je fais la plupart du temps dans cet ouvrage ? Je grappille

145 par-ci, par-là dans les livres les sentences qui me plaisent ; non pour les conserver, car je n'ai pas de mémoire où les conserver, mais pour les transporter en celui-ci, où elles ne sont, à vrai dire, pas plus les miennes qu'en leur place d'origine.

Nous ne sommes, je crois, savants que de la science du pré-

150 sent ; non de celle du passé, aussi peu que de celle du futur. Mais le pire, c'est que les élèves et leurs petits ensuite ne s'en nourrissent et alimentent pas non plus : elle ne fait que passer de main en main, à la seule fin d'être montrée, d'en faire part à autrui, d'en tenir le compte, comme une monnaie sans valeur

155 et inutile à autre chose qu'à servir de jetons pour calculer.

derrière. Il fallait s'enquérir qui est mieux savant, non qui est plus savant.

Nous ne travaillons qu'à remplir la mémoire, et laissons l'entendement et la conscience vide. Tout ainsi que les oiseaux vont quelquefois à la quête du grain et le portent au bec sans le tâter, pour en faire becquée à leurs petits, ainsi nos pédants vont pillotant[1] la science dans les livres, et ne la logent qu'au bout de leurs lèvres, pour la dégorger seulement et mettre au vent.

C'est merveille combien proprement la sottise se loge sur mon exemple[2]. Est-ce pas faire de même, ce que je fais en la plupart de cette composition ? Je m'en vais écorniflant par-ci par-là des livres les sentences qui me plaisent, non pour les garder (car je n'ai point de gardoires[3]) mais pour les transporter en cettui-ci[4], où, à vrai dire, elles ne sont non plus miennes, qu'en leur première place.

Nous ne sommes, ce crois-je, savants que de la science présente : non de la passée, aussi peu que de la future. Mais qui pis est, leurs écoliers et leurs petits ne s'en nourrissent et alimentent non plus ; ainsi elle[5] passe de main en main, pour cette seule fin d'en faire parade, d'en entretenir autrui, et d'en faire des contes, comme une vaine monnaie inutile à tout autre usage et emploi qu'à compter et jeter[6].

---

1. **Pillotant** : pillant, grappillant ça et là. Le terme est fabriqué sur le verbe *piller*.

2. Montaigne commence l'autocritique de ses *Essais*, fondés sur une dialectique entre le discours d'autrui et l'expression de soi : comment, en effet, faire coexister l'intertexte (le texte d'emprunt, impersonnel et antérieur au moi) et le projet autobiographique des *Essais* ? Une formule célèbre y répond : « Je ne dis les autres, sinon pour d'autant plus me dire » (I, XXVI).

3. **Gardoires** : lieux pour garder, armoires ou, au sens figuré, mémoire.

4. **En cettui-ci** : dans ce livre-ci.

5. **Leurs écoliers et leurs petits** : « leurs » renvoie à « nos pédants » ; elle renvoie à la science.

6. **Compter et jeter** : calculer avec des jetons sans valeur.

> *Ils ont appris à parler aux autres, et non pas à eux-mêmes.*
> Cicéron, *Tusculanes*, V, XXXVI.

> *Il ne s'agit pas de parler, mais de gouverner.*
> Sénèque, *Lettres à Lucilius*, CVIII.

La nature, pour montrer qu'il n'y a rien de sauvage en ce qu'elle dirige, fait naître souvent chez les nations les moins portées vers les arts, des œuvres de l'esprit qui rivalisent avec celles qui sont les plus conformes aux règles de l'art. Et pour illustrer mon propos, je citerai ce proverbe gascon, tiré d'une chansonnette qu'on accompagne à la flûte, et si délicieux : *Brouha prou brouha, mas a remuda lous dits qu'em.* (Souffler, souffler beaucoup, mais aussi remuer les doigts !)

Nous savons dire : « Cicéron a dit cela ; voilà les mœurs de Platon ; ce sont les mots mêmes d'Aristote. » Mais nous, que disons-nous, nous-mêmes ? Que pensons-nous ? Un perroquet en ferait bien autant. Cela me rappelle ce riche Romain, qui avait pris soin, en y dépensant beaucoup d'argent, de s'attacher des hommes très savants en toutes sortes de sciences, afin que, lorsqu'il se trouvait avec des amis, et que l'occasion s'en présentait, ils puissent le suppléer, et être prêts à lui fournir, qui un discours, qui un vers d'Homère, chacun selon sa spécialité ; et il croyait que ce savoir était le sien, parce qu'il se trouvait dans la tête de ses gens. Comme font ceux dont la science réside en leurs somptueuses bibliothèques.

Je connais quelqu'un qui, quand je lui demande ce qu'il sait, me demande un livre pour me le montrer ; et il n'oserait pas me dire qu'il a la gale au derrière sans aller chercher dans son dictionnaire ce que c'est que la gale et ce qu'est le derrière !...

Apud alios loqui didicerunt, non ipsi secum[1].
Non est loquendum, sed gubernandum[2].

Nature, pour montrer qu'il n'y a rien de sauvage en ce qu'elle est conduit, fait naître souvent ès nations moins cultivées par art des productions d'esprit, qui luttent les plus artistes productions. Comme sur mon propos, le proverbe Gascon tiré d'une chalemie[3] est-il délicat : *Bouha prou bouha, mas a remuda lous dits qu'em* ; souffler prou[4], souffler, mais à remuer les doigts, nous en sommes là.

Nous savons dire : « Cicéron dit ainsi, voilà les mœurs de Platon, ce sont les mots mêmes d'Aristote. » Mais nous, que disons-nous nous-mêmes ? Que faisons-nous ? Que jugeons-nous ? Autant en dirait bien un perroquet. Cette façon me fait souvenir de ce riche Romain, qui avait été soigneux, à fort grande dépense, de recouvrer des hommes suffisants en tout genre de sciences, qu'il tenait continuellement autour de lui, afin que, quand il échéait entre ses amis quelque occasion de parler d'une chose ou d'autre, ils suppléassent sa place et fussent tous prêts à lui fournir, qui d'un discours, qui d'un vers d'Homère, chacun selon son gibier ; et pensait ce savoir être sien parce qu'il était en la tête de ses gens. Et comme font aussi ceux desquels la suffisance loge en leurs somptueuses librairies.

J'en connais à qui, quand je demande ce qu'il sait, il me demande un livre pour le montrer ; et n'oserait me dire qu'il a le derrière galeux, s'il ne va sur-le-champ étudier en son lexicon, que c'est que galeux, et que c'est que derrière.

---

1. Cicéron, *Tusculanes*, V, XXXVI.

2. Sénèque, *Lettres à Lucilius*, CVIII.

3. Chalemie : chanson accompagnée d'une flûte que l'on appelait *chalumeau*. Après tant de doctes sources antiques, Montaigne s'amuse, par effet de contraste, à se référer à la langue de sa région natale, la Gascogne. Le sens exact de ce dicton reste obscur. Pierre Villey propose de comprendre : « Souffler dans une flûte, c'est facile ; la difficulté est de bien placer les doigts. »

4. Prou : beaucoup.

Nous prenons en dépôt les opinions et le savoir des autres, et c'est tout – alors qu'il faudrait qu'ils deviennent les nôtres. Nous ressemblons en fait à celui qui, ayant besoin de feu, irait

185 en demander chez son voisin, et trouvant qu'il y en a là un bien beau et bien grand, s'y arrêterait pour se chauffer, sans plus se souvenir qu'il voulait en ramener chez lui. À quoi bon avoir le ventre plein de viande, si elle ne se digère et ne se transforme en nous ? Si elle ne nous fait grandir et ne nous fortifie ?

190 Pensons-nous que Lucullus, auquel suffirent ses lectures, sans même le secours de l'expérience, pour devenir un grand capitaine, eût pu y parvenir s'il eût étudié à notre façon ?

Nous nous reposons si bien sur autrui que nous laissons dépérir nos propres forces. Ai-je le désir de m'armer contre

195 la crainte de la mort ? C'est aux dépens de Sénèque que je le fais. Ai-je besoin de consolation pour moi-même ou pour un autre ? J'emprunte cela à Cicéron. Je l'aurais pris en moi-même, si on m'y eût exercé. Je n'aime pas cette capacité de seconde main et fruit de la mendicité.

200 Quand bien même nous pourrions devenir savants par le savoir d'autrui, nous ne pouvons devenir sages que par notre propre sagesse.

> *Je hais le sage qui n'est pas sage pour lui-même.*
> *Ennius dit : « Le sage ne sait rien s'il ne peut être utile*
205 > *à lui-même. »*
> Cicéron, *Des devoirs*, I, 1.

> *S'il est cupide et vain, s'il est plus lâche qu'une agnelle*
> *d'Euganée.*
> Juvénal, *Satires*, VIII, 14.

> *Car il ne sous suffit pas d'acquérir la sagesse, il faut en*
> *profiter.*
> Cicéron, *Des fins*, I, 2.

Nous prenons en garde les opinions et le savoir d'autrui, et puis c'est tout : il les faut faire nôtres. Nous semblons proprement celui qui, ayant besoin de feu, en irait quérir chez son voisin, et, y en ayant trouvé un beau et grand, s'arrêterait là à se chauffer, sans plus se souvenir d'en rapporter chez soi. Que nous sert-il d'avoir la panse pleine de viande [1], si elle ne se digère, si elle ne se transforme en nous ? Si elle ne nous augmente et fortifie ? Pensons-nous que Lucullus [2], que les lettres rendirent et formèrent si grand capitaine sans expérience, les eût prises à notre mode ?

Nous nous laissons si fort aller sur les bras d'autrui, que nous anéantissons nos forces. Me veux-je armer contre la crainte de la mort ? C'est aux dépens de Sénèque. Veux-je tirer de la consolation pour moi, ou pour un autre ? Je l'emprunte de Cicéron. Je l'eusse prise en moi-même, si on m'y eût exercé. Je n'aime point cette suffisance relative et mendiée.

Quand bien nous pourrions être savants du savoir d'autrui, au moins sages ne pouvons-nous être que de notre propre sagesse.

Μίσω σοφιστήύ, όστις όύχ αύτω σοφός [3].

Ex quo Ennius : « Nequicquam sapere sapientem, qui ipse sibi prodesse non quiret [4]. »

*Si cupidus, si
Vanus et Euganea quamtumvis vilior agna [5].*

Non enim paranda nobis solum, sed fruenda sapientia est [6].

---

1. Viande : nourriture en général.

2. Lucullus (118-56 av. J.-C.) : Cicéron raconte que ce grand commandant militaire aurait appris son métier dans les livres et par des entretiens.

3. Vers d'Euripide (485-406 av. J.-C.), auteur grec de tragédies, traduit par Montaigne.

4. Cicéron, *Des devoirs*, I, 1.

5. Juvénal, *Satires*, VIII, 14.

6. Cicéron, *Des fins*, I, 2.

210   Denys se moquait des grammairiens qui s'emploient à connaître les maladies d'Ulysse, et ignorent les leurs ; des musiciens qui accordent leurs flûtes et n'accordent pas leurs mœurs ; des orateurs qui étudient comment il faut parler de la justice, et non comment il faut la rendre.

215   Si son esprit ne s'en trouve pas mieux, si son jugement n'en est pas meilleur, j'aurais autant aimé que mon étudiant eût passé son temps à jouer à la balle, au moins son corps en eût-il été plus allègre. Voyez comment il revient de ces quinze ou seize ans passés à l'école : il est incapable de rien faire, le seul

220   avantage qu'on puisse lui trouver, c'est que son latin et son grec l'ont rendu plus sot et plus présomptueux que lorsqu'il est parti de chez lui. Il devait en revenir avec l'âme pleine, il ne la rapporte que bouffie, il l'a seulement fait enfler au lieu de la faire grossir.

[...]

Dionysius[1] se moquait des Grammairiens qui ont soin de s'enquérir des maux d'Ulysse, et ignorent les propres[2]; des musiciens qui accordent leurs flûtes et n'accordent pas leurs mœurs; des orateurs qui étudient à dire justice, non à la faire.

Si notre âme n'en va un meilleur branle[3], si nous n'en avons le jugement plus sain, j'aimerais aussi cher que mon écolier eut passé le temps à jouer à la paume[4]; au moins le corps en serait plus allègre. Voyez-le revenir de là, après quinze ou seize ans employés: il n'est rien si malpropre à mettre en besogne[5], tout ce que vous y reconnaissez d'avantage, c'est que son Latin et son Grec l'ont rendu plus sot et présomptueux qu'il n'était parti de la maison. Il en devait rapporter l'âme pleine, il ne l'en rapporte que bouffie; et l'a seulement enflée au lieu de la grossir.

[…]

---

1. Chez Diogène Laërce, où Montaigne puise cet exemple, c'est le philosophe Diogène, et non Denys, le tyran de Syracuse, qui fait une place aux mathématiciens entre les musiciens et les orateurs.

2. Les propres : les leurs.

3. Branle : mouvement.

4. Le jeu de paume est l'ancêtre du tennis.

5. En besogne : au travail.

Sur l'éducation des enfants

[…]

Madame, c'est une grande ressource que la science, et un outil de la plus grande utilité, notamment pour les personnes que le destin a placées à un rang aussi élevé que le vôtre. En vérité elle n'est pas faite pour être mise entre des mains viles
5 et basses. Elle est bien plus fière d'offrir ses moyens pour la conduite d'une guerre, pour diriger un peuple, pour gagner l'amitié d'un prince ou d'une nation étrangère, qu'à mettre au point un argument dialectique, à plaider en appel, ou prescrire une quantité de pilules. Ainsi Madame, vous qui en avez
10 savouré la douceur et qui êtes d'une famille lettrée (car nous possédons encore les écrits de ces anciens comtes de Foix, dont vous descendez, monsieur le comte votre mari et vous ; et monsieur François de Candale, votre oncle, en fait naître de nouveaux tous les jours, qui étendront sur plusieurs siècles la
15 reconnaissance de cette qualité pour votre famille) – je crois que vous n'oublierez pas cela dans l'éducation de vos enfants, et c'est pourquoi je vous dirai sur ce sujet la seule idée qui m'est propre, opposée à l'usage habituel. Et c'est là tout ce que je pourrai apporter comme contribution à ce sujet.

De l'institution des enfants

Ce chapitre, le plus long du livre I, est dédié à la comtesse Diane de Foix, alors enceinte. Montaigne y réfléchit sur le meilleur moyen d'éduquer un enfant de la noblesse pour en faire le modèle du gentilhomme français.

[…]

Madame, c'est un grand ornement que la science, et un outil de merveilleux service, notamment aux personnes élevées en tel degré de fortune, comme vous êtes. À la vérité, elle n'a point son vrai usage en mains viles et basses. Elle est bien plus fière de prêter ses moyens à conduire une guerre, à commander un peuple, à pratiquer l'amitié d'un prince ou d'une nation étrangère, qu'à dresser un argument dialectique, ou à plaider un appel, ou ordonner une masse de pilules. Ainsi, Madame, parce que je crois que vous n'oublierez pas cette partie [1] en l'institution des vôtres, vous qui en avez savouré la douceur, et qui êtes d'une race lettrée (car nous avons encore les écrits de ces anciens Comtes de Foix [2], d'où monsieur le Comte votre mari et vous, êtes descendus ; et François, monsieur de Candale [3], votre oncle, en fait naître tous les jours d'autres, qui étendront la connaissance de cette qualité de votre famille à plusieurs siècles), je vous veux dire là-dessus une seule fantaisie, que j'ai contraire au commun usage. C'est tout ce que je puis conférer à votre service en cela.

---

1. C'est-à-dire le savoir.

2. Allusion aux auteurs de la famille, dont un troubadour au XIIIᵉ siècle et surtout Gaston Phébus, comte de Foix (1331-1391), auteur d'un célèbre traité sur la chasse, *Le Miroir de Phébus, des déduits de la chasse*.

3. François de Foix-Candale (1513-1594), évêque et théologien, traduisit notamment les *Éléments* d'Euclide.

20   La mission du précepteur que vous donnerez à votre enfant – et dont le choix conditionne la réussite de son éducation – comporte plusieurs autres grandes tâches dont je ne parlerai pas, parce que je ne saurais rien en dire de valable. Et sur le point à propos duquel je me mêle de lui donner un avis,
25   il m'en croira pour autant qu'il y verra quelque apparence de raison. À un enfant de bonne famille, qui s'adonne à l'étude des lettres, non pas pour gagner de l'argent (car un but aussi abject est indigne de la grâce et de la faveur des Muses, et de toute façon cela ne concerne que les autres et ne dépend que d'eux),
30   et qui ne recherche pas non plus d'éventuels avantages extérieurs, mais plutôt les siens propres, pour s'en enrichir et s'en parer au-dedans, comme j'ai plutôt envie de faire de lui un homme habile qu'un savant, je voudrais que l'on prenne soin de lui choisir un guide qui eût plutôt la tête bien faite que la
35   tête bien pleine. Et si on exige de lui les deux qualités, que ce soit plus encore la valeur morale et l'intelligence que le savoir, et qu'il se comporte dans l'exercice de sa charge d'une nouvelle manière.

Enfant, on ne cesse de crier à nos oreilles, comme si l'on
40   versait dans un entonnoir, et l'on nous demande seulement de redire ce que l'on nous a dit. Je voudrais que le précepteur change cela, et que dès le début, selon la capacité de l'esprit dont il a la charge, il commence à mettre celui-ci sur la piste, lui faisant apprécier, choisir et discerner les choses de lui-
45   même. Parfois lui ouvrant le chemin, parfois le lui laissant ouvrir. Je ne veux pas qu'il invente et parle seul, je veux qu'il

La charge du gouverneur[1] que vous lui donnerez, du choix duquel dépend tout l'effet de son institution, elle a plusieurs autres grandes parties, mais je n'y touche point, pour n'y savoir rien apporter qui vaille ; et de cet article, sur lequel je me mêle de lui donner avis, il m'en croira autant qu'il y verra d'apparence. À un enfant de maison qui recherche les lettres, non pour le gain (car une fin si abjecte est indigne de la grâce et faveur des Muses, et puis elle regarde et dépend d'autrui), ni tant pour les commodités externes que pour les siennes propres, et pour s'en enrichir et parer au-dedans, ayant plutôt envie d'en réussir un habile homme[2] qu'un homme savant, je voudrais aussi qu'on fût soigneux de lui choisir un conducteur qui eût plutôt la tête bien faite que bien pleine, et qu'on y[3] requît tous les deux, mais plus les mœurs et l'entendement que la science ; et qu'il se conduisît en sa charge d'une nouvelle manière.

On ne cesse de criailler à nos[4] oreilles, comme qui verserait dans un entonnoir, et notre charge[5], ce n'est que redire ce qu'on nous a dit. Je voudrais qu'il corrigeât cette partie[6], et que, de belle arrivée[7], selon la portée de l'âme qu'il a en main, il commençât à la mettre sur la montre[8], lui faisant goûter les choses, les choisir, et discerner d'elle-même. Quelquefois lui ouvrant chemin, quelquefois le lui laissant ouvrir. Je ne veux pas qu'il invente et parle seul : je veux qu'il

---

1. Gouverneur : gentilhomme chargé de l'éducation d'un « enfant de maison », c'est-à-dire d'un jeune noble.

2. Habile homme : homme de bon jugement.

3. Y : renvoie au précepteur, et non à l'élève. La bonne éducation commence donc par le choix d'un bon précepteur.

4. Montaigne adopte ici le point de vue de l'élève.

5. Charge : rôle.

6. Partie : pratique.

7. De belle arrivée : d'emblée.

8. Mettre sur la montre : métaphore hippique.

écoute son élève parler à son tour. Socrate, et plus tard Arcé-
silas, faisaient d'abord parler leurs élèves, puis leur parlaient
à leur tour.

50   *L'autorité de ceux qui enseignent nuit généralement à*
      ceux qui veulent apprendre.
      Cicéron, *De la nature des dieux*, I, 5.

Il est bon qu'il le fasse trotter devant lui pour juger de son
allure, et jusqu'à quel point il doit descendre pour s'adapter à
ses possibilités. Faute d'établir ce rapport, nous gâchons tout.
55   Et savoir le discerner, puis y conformer sa conduite avec mesure, voilà une des tâches les plus ardues que je connaisse ; car
c'est le propre d'une âme élevée et forte que de savoir descendre au niveau de l'enfant, et de le guider en restant à son
pas. Car je marche plus sûrement et plus fermement en mon-
60   tant qu'en descendant.

Si, comme nous le faisons habituellement, on entreprend
de diriger plusieurs esprits de formes et de capacités si différentes en une même leçon et par la même méthode, il n'est
pas étonnant que sur tout un groupe d'enfants, il s'en trouve à
65   peine deux ou trois qui tirent quelque profit de l'enseignement
qu'ils ont reçu.

Que le maître ne demande pas seulement à son élève de lui
répéter les mots de sa leçon, mais de lui en donner le sens et la
substance. Et qu'il juge du profit qu'il en aura tiré, non par le
70   témoignage de sa mémoire, mais par celui de son comportement. Qu'il lui fasse reprendre de cent façons différentes ce qu'il
vient d'apprendre, en l'adaptant à autant de sujets différents,
pour voir s'il l'a vraiment bien acquis et bien assimilé ; et qu'il
règle sa progression selon les principes pédagogiques de Platon.

écoute son disciple parler à son tour. Socrate et depuis Arcesilas faisaient premièrement parler leurs disciples, et puis ils parlaient à eux[1].

> *Obest plerumque iis, qui discere volunt, auctoritas eorum qui docent*[2].

Il est bon qu'il le fasse trotter devant lui pour juger de son train, et juger jusqu'à quel point il se doit ravaler pour s'accommoder à sa force. À faute de cette proportion[3], nous gâtons tout. Et de la savoir choisir, et s'y conduire bien mesurément, c'est une des plus ardues besognes que je sache ; et est l'effet d'une haute âme et bien forte, savoir condescendre à ses allures puériles et les guider. Je marche plus ferme et plus sûr à mont qu'à val.

Ceux qui, comme notre usage porte[4], entreprennent d'une même leçon et pareille mesure de conduite régenter plusieurs esprits de si diverses mesures et formes, ce n'est pas merveille si, en tout un peuple d'enfants, ils en rencontrent à peine deux ou trois qui rapportent quelque juste fruit de leur discipline[5].

Qu'il ne lui demande pas seulement compte des mots de sa leçon, mais du sens et de la substance. Et qu'il juge du profit qu'il aura fait, non par le témoignage de sa mémoire, mais de sa vie. Que ce qu'il viendra d'apprendre, il le lui fasse mettre en cent visages et accommoder à autant de divers sujets, pour voir s'il l'a encore bien pris et bien fait sien, prenant l'instruction à son progrès des pédagogismes[6] de Platon.

---

1. Allusion à la maïeutique, méthode dialoguée de Socrate pour « faire accoucher » le jugement de ses disciples.

2. Cicéron, *De la nature des dieux*, I, 5.

3. Proportion : équilibre.

4. Porte : le veut.

5. Discipline : enseignement.

6. Allusion à la maïeutique socratique des dialogues de Platon.

75 Régurgiter la nourriture telle qu'on l'a avalée prouve qu'elle est restée crue sans avoir été transformée : l'estomac n'a pas fait son travail, s'il n'a pas changé l'état et la forme de ce qu'on lui a donné à digérer.

Notre esprit ne se met en branle que par contagion, lié et 80 assujetti qu'il est aux désirs et aux pensées des autres, esclave et captif de l'autorité de leur exemple. On nous a tellement habitués à tourner à la longe, que nous n'avons plus d'allure qui nous soit propre : notre vigueur et notre liberté se sont éteintes.

85 *Ils sont toujours en tutelle.*
Sénèque, *Lettres à Lucilius*, XXXIII.

J'ai vu personnellement, à Pise, un homme honorable, mais tellement aristotélicien que son credo fondamental était celui-ci : la pierre de touche et la règle de toutes les pensées solides et de toute vérité sont leur conformité avec la doctrine d'Aristote. 90 Il a tout vu et tout dit, et hors de cela, ce ne sont que chimères et inanité. Et cette opinion, pour avoir été interprétée un peu trop largement et en mauvaise part, le mit autrefois en grand embarras et pendant longtemps devant l'Inquisition à Rome.

Qu'il lui fasse tout passer par l'étamine, et ne lui inculque 95 rien par sa simple autorité ou en exploitant sa confiance. Que les principes d'Aristote, non plus que ceux des stoïciens ou des épicuriens ne soient pour lui des dogmes, mais qu'on lui présente cette diversité d'opinions : il choisira s'il le peut, sinon il

C'est témoignage de crudité[1] et indigestion que de regorger la viande comme on l'a avalée : l'estomac n'a pas fait son opération, s'il n'a fait changer la façon et la forme, à ce qu'on lui avait donné à cuire.

Notre âme ne branle qu'à crédit[2], liée et contrainte à l'appétit des fantaisies d'autrui, serve et captive sous l'autorité de leur leçon. On nous a tant assujettis aux cordes[3] que nous n'avons plus de franches allures : notre vigueur et liberté est éteinte.

Nunquam tutelæ suæ fiunt[4].

Je vis privément à Pise un honnête homme[5], mais si Aristotélicien que le plus général de ses dogmes est : que la touche[6] et règle de toutes imaginations solides et de toute vérité, c'est la conformité à la doctrine d'Aristote ; que, hors de là, ce ne sont que chimères et inanité ; qu'il[7] a tout vu et tout dit. Cette sienne proposition, pour avoir été un peu trop largement et iniquement interprétée, le mit autrefois et tint longtemps en grand accessoire à l'Inquisition à Rome.

Qu'il[8] lui fasse tout passer par l'étamine[9], et ne loge rien en sa tête par simple autorité et à crédit. Les principes d'Aristote ne lui soient principes, non plus que ceux des Stoïciens ou Épicuriens. Qu'on lui propose cette diversité

---

1. Crudité : mauvaise digestion.

2. À crédit : sous l'autorité d'autrui.

3. Cordes : les longes des chevaux. Montaigne poursuit la métaphore filée du dressage des chevaux.

4. Sénèque, *Lettres à Lucilius*, XXXIII.

5. Allusion à Girolamo Borro (1512-1592), médecin et théologien italien que Montaigne a rencontré lors de son voyage en Italie. Accusé de prôner la mortalité de l'âme, il fut emprisonné par l'Inquisition en 1552.

6. Touche : critère.

7. Il : renvoie à Aristote.

8. Il : renvoie au précepteur.

9. Étamine : filtre ; métaphore de l'examen minutieux.

demeurera dans le doute. (Il n'y a que les fous qui soient sûrs d'eux et catégoriques.)

> *Non moins que de savoir, douter m'est agréable.*
> Dante, *La Divine Comédie*, « L'Enfer », XI, 93.

Car s'il adopte les opinions de Xénophon et de Platon au terme de sa propre démarche, ce ne seront plus alors leurs opinions, mais bien les siennes. Qui suit seulement un autre ne suit rien, en fait : il ne trouve rien, et même, ne cherche rien.

> *Nous ne sommes pas soumis à un roi ; que chacun dispose de lui-même.*
> Sénèque, *Lettres à Lucilius*, XXXIII.

Qu'il sache qu'il sait, au moins. Il faut qu'il s'imprègne de leur caractère, et non qu'il apprenne leurs préceptes. Qu'il oublie même sans remords d'où il les tient, mais qu'il sache se les approprier. La vérité et la raison appartiennent à tout le monde, et pas plus à celui qui les a exprimées la première fois qu'à celui qui les répète ensuite. Et telle chose n'est pas plus selon Platon que selon moi, dès l'instant où nous la voyons et la comprenons de la même façon. Les abeilles butinent les fleurs de-ci, de-là, mais ensuite elles en font du miel, qui est vraiment le leur : ce n'est plus ni du thym, ni de la marjolaine. Ainsi il transformera et mélangera les éléments empruntés à autrui pour en faire quelque chose qui soit vraiment de lui : son jugement. Et c'est ce jugement-là que tout ne doit viser qu'à former : son éducation, son travail et son apprentissage.

Qu'il cache tout ce à quoi il a eu recours, et ne montre que ce qu'il en a fait. Les pilleurs et les emprunteurs mettent en avant

de jugements, il choisira s'il peut, sinon il en demeurera en doute[1].

Che non men che saper dubbiar m'aggrada[2].

Car s'il embrasse les opinions de Xénophon et de Platon, par son propre discours[3], ce ne seront plus les leurs, ce seront les siennes. Qui suit un autre, il ne suit rien : Il ne trouve rien[4] : voire il ne cherche rien.

Non sumus sub rege, sibi quisque se vindicet[5].

Qu'il sache qu'il sait, au moins. Il faut qu'il emboive leurs humeurs, non qu'il apprenne leurs préceptes. Et qu'il oublie hardiment s'il veut d'où il les tient, mais qu'il se les sache approprier. La vérité et la raison sont communes à un chacun, et ne sont non plus à qui les a dites premièrement, qu'à qui les dit après. Ce n'est non plus selon Platon que selon moi, puisque lui et moi l'entendons et voyons de même. Les abeilles pillotent deçà delà les fleurs, mais elles en font après le miel, qui est tout leur ; ce n'est plus thym, ni marjolaine : ainsi les pièces empruntées d'autrui, il les transformera et confondra, pour en faire un ouvrage tout sien, à savoir son jugement. Son institution, son travail et étude ne vise qu'à le[6] former.

Qu'il cèle tout ce de quoi il a été secouru, et ne produise que ce qu'il en a fait[7]. Les pilleurs, les emprunteurs mettent

---

1. Allusion à la devise sceptique figurant dans la bibliothèque de Montaigne : « Je suspends mon jugement. »

2. Dante, *La Divine Comédie*, « L'Enfer », XI, 93.

3. **Discours** : raisonnement.

4. Montaigne traduit ici Sénèque (*Lettres à Lucilius*), mettant immédiatement en pratique son conseil.

5. Sénèque, *Lettres à Lucilius*, XXXIII.

6. **Le** : renvoie à son jugement.

7. Autre sentence « pillotée » dans les *Lettres à Lucilius* de Sénèque, sans que Montaigne ne le précise…

ce qu'ils ont bâti, ce qu'ils ont acquis, et non ce qu'ils ont tiré
125 des autres. Vous ne voyez pas les présents faits à un membre
du Parlement : vous ne voyez que les alliances qu'il a nouées, et
les honneurs obtenus pour ses enfants. Nul ne livre au public ce
qu'il a reçu, mais chacun fait étalage de ce qu'il a acquis. Le gain
de notre étude, c'est que l'on soit devenu meilleur, et plus sage,
130 grâce à elle.

Épicharme disait que c'est l'intelligence qui voit et qui entend ; que c'est elle qui profite de tout, qui organise tout, qui
agit, qui domine et qui règne, et que toutes les autres choses
sont aveugles, sourdes, et sans âme. Et nous rendons cette intel-
135 ligence servile et timorée en ne lui laissant pas la liberté de faire
quoi que ce soit par elle-même. Qui demanda jamais à son élève
ce qu'il pensait de la rhétorique et de la grammaire, de telle ou
telle sentence de Cicéron ? On nous plante les choses dans la
mémoire, comme des flèches, comme des oracles, de la subs-
140 tance desquels les lettres et les syllabes elles-mêmes font partie.

Savoir par cœur n'est pas savoir : c'est conserver ce que l'on
a confié à sa mémoire. Ce que l'on sait véritablement, on en
dispose, sans avoir à se référer au modèle, sans tourner les yeux
vers son livre. Médiocre connaissance, qu'une connaissance
145 purement livresque ! Je veux qu'elle serve d'ornement, et non
de fondement, suivant en cela l'opinion de Platon, qui dit : la
fermeté, la loyauté, la sincérité sont la vraie philosophie ; les
autres sciences, qui ont d'autres buts, ne sont que du fard.

Je voudrais bien voir comment Le Paluel ou Pompée, ces
150 beaux danseurs de mon temps, pourraient nous enseigner à
faire des cabrioles en nous les montrant seulement, sans que
nous ayons à quitter nos places ! C'est pourtant ce que font
ceux qui prétendent instruire notre intelligence sans la mettre

en parade leurs bâtiments, leurs achats, non pas ce qu'ils tirent d'autrui. Vous ne voyez pas les épices[1] d'un homme de parlement : vous voyez les alliances qu'il a gagnées, et honneurs à ses enfants. Nul ne met en compte public sa recette : chacun y met son acquêt. Le gain de notre étude, c'est en être devenu meilleur et plus sage.

C'est (disait Épicharme) l'entendement qui voit et qui ouït ; c'est l'entendement qui approfite tout, qui dispose tout, qui agit, qui domine et qui règne : toutes autres choses sont aveugles, sourdes et sans âme. Certes nous le rendons servile et couard, pour ne lui laisser la liberté de rien faire de soi. Qui demanda jamais à son disciple ce qu'il lui semble de la Rhétorique et de la Grammaire, de telle ou telle sentence de Cicéron ? On nous les plaque en la mémoire toutes empennées, comme des oracles, où les lettres et les syllabes sont de la substance de la chose.

Savoir par cœur n'est pas savoir[2] : c'est tenir ce qu'on a donné en garde à sa mémoire. Ce qu'on sait droitement, on en dispose, sans regarder au patron, sans tourner les yeux vers son livre. Fâcheuse suffisance, qu'une suffisance pure livresque ! Je m'attends qu'elle serve d'ornement, non de fondement, suivant l'avis de Platon, qui dit la fermeté, la foi, la sincérité être la vraie philosophie ; les autres sciences, et qui visent ailleurs, n'être que fard.

Je voudrais que le Paluel ou Pompée[3], ces beaux danseurs de mon temps, apprissent[4] des cabrioles à les voir seulement faire, sans nous bouger de nos places, comme ceux-ci veulent instruire notre entendement, sans l'ébranler ; ou qu'on nous

---

1. **Épices** : pots-de-vin.

2. Encore un souvenir des *Lettres à Lucilius* de Sénèque.

3. **Le Paluel**, pseudonyme de Lodovico Palvallo, était un maître de danse milanais et **Pompeo Diobono**, un danseur de la cour.

4. **Apprissent** : subjonctif de souhait.

en mouvement. Ou bien qu'on puisse nous apprendre à manier
155 un cheval, une pique, un luth, ou la voix, sans nous y exercer,
comme font ceux qui veulent nous apprendre à bien juger et
à bien parler sans nous exercer à parler ni à juger! Or, pour cet
apprentissage, tout ce qui se présente à nos yeux nous sert de
livre: la malice d'un page, la sottise d'un valet, un propos de
160 table, ce sont autant de sujets nouveaux.

C'est pour cela que la fréquentation des hommes est extrêmement favorable à l'éducation, de même que la visite des pays
étrangers: non pour en rapporter seulement, comme le font
les gens de notre noblesse française, combien de pas fait Santa
165 Rotonda, ou la richesse des dessous de la signora Livia; ou
comme d'autres encore, de combien le visage de Néron, sur
quelque vieille pierre, est plus long ou plus large que celui que
l'on voit sur une vieille médaille. Mais au contraire, pour en
rapporter surtout le caractère et les mœurs de ces nations, et
170 pour frotter et limer notre cervelle contre celle d'autrui, je voudrais qu'on commence à promener [l'élève] dès sa plus tendre
enfance: d'abord pour faire d'une pierre deux coups, dans les
nations voisines dont le langage est le plus éloigné du nôtre, et
auquel, si vous ne la formez de bonne heure, la langue ne peut
175 s'adapter.

D'ailleurs, tout le monde est d'accord là-dessus: il n'est pas
bon d'élever un enfant dans le giron de ses parents. L'amour
naturel les attendrit trop, et relâche même les plus raison-
nables: ils ne sont pas à même de punir ses fautes, ni de le voir
180 élevé rudement et non sans risques, comme il le faut. Ils ne
pourraient supporter de le voir revenir de son exercice, tout
suant et couvert de poussière, qu'il boive chaud, qu'il boive
froid, non plus que de le voir sur un cheval rétif ou affron-
ter un redoutable tireur, le fleuret au poing, ou manipuler

apprît à manier un cheval, ou une pique, ou un Luth, ou la voix, sans nous y exercer, comme ceux-ci nous veulent apprendre à bien juger et à bien parler, sans nous exercer à parler ni à juger. Or, à cet apprentissage, tout ce qui se présente à nos yeux, sert de livre suffisant : la malice d'un page, la sottise d'un valet, un propos de table, ce sont autant de nouvelles matières.

À cette cause le commerce des hommes y est merveilleusement propre, et la visite des pays étrangers, non pour en rapporter seulement, à la mode de notre noblesse Française, combien de pas a Santa Rotonda[1], ou la richesse de caleçons de la Signora Livia[2], ou comme d'autres, combien le visage de Néron, de quelque vieille ruine de là, est plus long et plus large que celui de quelque pareille médaille, mais pour en rapporter principalement les humeurs de ces nations et leurs façons, et pour frotter et limer notre cervelle contre celle d'autrui. Je voudrais qu'on commençât à le[3] promener dès sa tendre enfance, et premièrement, pour faire d'une pierre deux coups, par les nations voisines où le langage est plus éloigné du nôtre, et auquel, si vous ne la formez de bonne heure, la langue ne se peut plier.

Aussi bien est-ce une opinion reçue d'un chacun, que ce n'est pas raison de nourrir un enfant au giron de ses parents. Cette amour naturelle les attendrit trop et relâche, voire les plus sages ; ils ne sont capables ni de châtier ses fautes, ni de le voir nourri grossièrement comme il faut, et hasardeusement. Ils ne le sauraient souffrir revenir suant et poudreux de son exercice, boire chaud, boire froid, ni le voir sur un cheval rebours, ni contre un rude tireur le fleuret au poing, ou la

---

1. Santa Rotonda : le Panthéon de Rome, de forme circulaire (*rotonda* en italien), devenu l'église Sainte-Marie-aux-Martyrs.

2. Signora Livia : nom de courtisane romaine.

3. Le : renvoie à « l'enfant de maison » que l'on éduque.

185 sa première arquebuse. Il n'y a pourtant pas d'autre moyen : si l'on veut en faire un homme de bien, il ne faut pas l'épargner durant sa jeunesse, et souvent aller contre les règles de la médecine.

> *Qu'il vive en plein air et dans l'inquiétude.*
> Horace, *Odes*, III, 2, v. 5.

190 Il ne suffit pas de lui fortifier l'âme, il faut aussi lui fortifier les muscles. Car l'âme est trop accablée si elle n'est pas soutenue, elle a trop à faire pour pouvoir faire face seule à ces deux fonctions à la fois. Je sais combien la mienne peine en compagnie d'un corps aussi sensible et aussi peu endurci, qui
195 se repose tellement sur elle. Et je découvre souvent dans mes lectures que mes maîtres font passer pour des exemples de grandeur d'âme et de courage des choses qui relèveraient plutôt de l'épaisseur de la peau et de la solidité des os ! J'ai vu des hommes, des femmes et même des enfants ainsi faits qu'une
200 bastonnade leur fait moins d'effet qu'à moi une chiquenaude, qui ne pipent mot et ne froncent même pas les sourcils sous les coups qu'on leur donne. Quand les athlètes imitent l'endurance des philosophes, c'est plutôt par leur vigueur physique que par celle du cœur. Or l'accoutumance à supporter le tra-
205 vail est une accoutumance à supporter la douleur :

> *le travail est une sorte de callosité contre la douleur.*
> Cicéron, *Tusculanes*, II, 15.

Il faut habituer l'élève à la peine et à la dureté des exercices pour qu'il puisse supporter la douleur de la luxation, de la colique, du cautère, et même de la prison et de la torture. Car il
210 pourrait bien avoir à subir ces deux dernières, par les temps qui courent : les bons y sont en effet tout autant exposés que les méchants. Nous en faisons l'expérience... Quiconque s'oppose aux lois menace les gens de bien du fouet et de la corde.

première arquebuse. Car il n'y a remède : qui en veut faire un homme de bien, sans doute[1] il ne le faut épargner en cette jeunesse, et faut souvent choquer les règles de la médecine :

> *vitamque sub dio et trepidis agat*
> *In rebus*[2].

Ce n'est pas assez de lui roidir l'âme, il lui faut aussi roidir les muscles ; elle est trop pressée, si elle n'est secondée et a trop à faire de seule fournir à deux offices. Je sais combien ahane la mienne en compagnie d'un corps si tendre, si sensible, qui se laisse si fort aller sur elle. Et aperçois souvent en ma leçon, qu'en leurs écrits mes maîtres font valoir[3] pour magnanimité et force de courage, des exemples qui tiennent volontiers plus de l'épaississure de la peau et dureté des os. J'ai vu des hommes, des femmes et des enfants, ainsi nés, qu'une bastonnade leur est moins qu'à moi une chiquenaude ; qui ne remuent ni langue ni sourcil, aux coups qu'on leur donne. Quand les Athlètes contrefont les Philosophes en patience, c'est plutôt vigueur de nerfs que de cœur. Or l'accoutumance à porter le travail est accoutumance à porter la douleur :

> *labor callum obducit dolori*[4].

Il le faut rompre à la peine et âpreté des exercices, pour le dresser à la peine et âpreté de la dislocation, de la colique, du cautère, et de la geôle aussi, et de la torture. Car de ces derniers ici encore peut-il être en prise, qui regardent les bons, selon le temps, comme les méchants. Nous en sommes à l'épreuve. Quiconque combat les lois, menace les gens de bien d'escourgées[5] et de la corde.

----

1. **Sans doute** : sans aucun doute.
2. Horace, *Odes*, III, 2, v. 5.
3. **Font valoir** : louent.
4. Cicéron, *Tusculanes*, II, 15.
5. **Escourgées** : lanières (du fouet).

L'autorité du précepteur, qui doit être complète sur l'élève, est interrompue et entravée par la présence des parents. Et de plus, le fait qu'il puisse voir le respect que les gens de la maison lui témoignent, et avoir connaissance des richesses de sa famille et de sa distinction, voilà selon moi des inconvénients non négligeables à cet âge-là.

Dans cet apprentissage des relations avec les hommes, j'ai souvent remarqué ce défaut : au lieu de chercher à connaître les autres, nous ne travaillons guère qu'à donner connaissance de nous. Nous nous soucions bien plus de placer notre marchandise qu'à en acquérir de nouvelles. Or le silence et la modestie sont des qualités très favorables aux relations avec les autres. On éduquera cet enfant pour qu'il ne fasse pas étalage du savoir qu'il aura acquis, et à ne pas se formaliser des sottises et des fables que l'on pourra raconter en sa présence : car c'est une incivilité que de critiquer tout ce qui n'est pas à notre goût. Qu'il se contente plutôt de se corriger lui-même, et qu'il n'aille pas se donner l'air de reprocher à autrui ce qu'il se refuse à faire lui-même, ni se mettre en contradiction avec les règles générales du savoir-vivre.

> *On peut être sage sans ostentation et sans arrogance.*
> Sénèque, *Lettres à Lucilius*, CIII.

Qu'il fuie ces attitudes prétentieuses et peu aimables, cette puérile ambition d'être différent des autres pour se donner l'air plus fin, et comme si la critique et la nouveauté étaient une affaire délicate, vouloir s'en servir pour se faire un nom d'une valeur particulière. Comme il n'appartient qu'aux grands poètes d'user des licences de l'art, de même n'est-il supportable que de la part des âmes grandes et illustres de s'accorder des privilèges au-dessus des usages.

> *S'il est arrivé à un Socrate et à un Aristippe de s'écarter de la coutume et des usages, il ne faut pas se croire permis d'en faire autant : ceux-là méritaient cette licence par des qualités exceptionnelles et divines.*
> Cicéron, *Des devoirs*, I, XLI.

Et puis, l'autorité du gouverneur, qui doit être souveraine sur lui, s'interrompt et s'empêche par la présence des parents. Joint que ce respect que la famille lui porte, la connaissance des moyens et grandeurs de sa maison, ce ne sont à mon opinion pas légères incommodités en cet âge.

En cette école du commerce des hommes, j'ai souvent remarqué ce vice, qu'au lieu de prendre connaissance d'autrui, nous ne travaillons qu'à la donner de nous, et sommes plus en peine d'emploiter notre marchandise que d'en acquérir de nouvelle. Le silence et la modestie sont qualités très commodes à la conversation. On dressera cet enfant à être épargnant et ménager de sa suffisance, quand il l'aura acquise, à ne se formaliser point des sottises et fables qui se diront en sa présence, car c'est une incivile importunité de choquer tout ce qui n'est pas de notre appétit. Qu'il se contente de se corriger soi-même. Et ne semble pas reprocher à autrui tout ce qu'il refuse à faire, ni contraster aux mœurs publiques.

Licet sapere sine pompa, sine invidia [1].

Fuie ces images régenteuses [2] du monde et inciviles, et cette puérile ambition de vouloir paraître plus fin pour être autre, et comme si ce fût marchandise malaisée que répréhensions et nouvelletés, vouloir tirer de là nom de quelque péculière valeur. Comme il n'affiert qu'aux grands Poètes d'user des licences de l'art, aussi n'est-il supportable qu'aux grandes âmes et illustres de se privilégier au-dessus de la coutume.

Si quid Socrates et Aristippus contra morem et consuetudinem fecerunt, idem sibi ne arbitretur licere: Magnis enim illi et divinis bonis hanc licentiam assequebantur [3].

---

1. Sénèque, *Lettres à Lucilius*, CIII.

2. Attitudes régenteuses : attitudes de régent, c'est-à-dire de maître qui fait la leçon.

3. Cicéron, *Des devoirs*, I, XLI.

On lui apprendra à ne se mettre à contester et à raisonner
que face à un adversaire digne de lutter avec lui ; et même dans
ce cas, à ne pas employer tous les tours qui pourraient lui servir, mais seulement ceux qui peuvent le plus lui être utiles.

Qu'on le rende difficile pour le choix et le tri de ses arguments, qu'il soit soucieux de leur pertinence, et par conséquent, de la brièveté. Qu'on lui donne par-dessus tout l'habitude de s'avouer battu et de rendre les armes à la vérité dès qu'il
l'apercevra, qu'elle apparaisse dans les mains de son adversaire,
ou qu'elle se fasse jour en lui-même en changeant d'avis. Car il
ne sera pas installé en chaire pour débiter un texte convenu, il
n'est assujetti à aucune autre cause que celle qu'il approuve. Et
il ne pratiquera pas ce métier où se vend en argent comptant
la liberté de pouvoir changer d'avis et reconnaître son erreur.

> *Aucune nécessité ne le contraint à défendre des idées*
> *qu'on lui aurait prescrites et imposées.*
> Cicéron, *Académiques*, II, 3.

Si son précepteur a le même caractère que le mien, il en fera
un loyal serviteur de son prince, très zélé et très courageux ;
mais il le détournera de la tentation de s'y attacher autrement
que par devoir officiel. Outre plusieurs autres inconvénients,
qui nuisent à notre liberté à cause des obligations particulières
que cela entraîne, le jugement d'un homme engagé et rétribué
est forcément, ou moins impartial et moins libre, ou bien taxé
d'incompétence et d'ingratitude.

Un vrai courtisan ne peut avoir ni le pouvoir ni la volonté
de parler et de penser autrement que de façon favorable à son
maître qui, parmi tant de milliers d'autres qui sont ses sujets, l'a
choisi pour l'entretenir et le faire valoir de sa propre main. Cette
faveur et cet avantage l'éblouissent et corrompent sa liberté,

On lui apprendra de n'entrer en discours et contestation que là où il verra un champion digne de sa lutte ; et là même à n'employer pas tous les tours qui lui peuvent servir, mais ceux-là seulement qui lui peuvent le plus servir.

Qu'on le rende délicat au choix et triage de ses raisons, et aimant la pertinence, et par conséquent la brièveté. Qu'on l'instruise surtout à se rendre et à quitter les armes à la verité, tout aussitôt qu'il l'apercevra, soit qu'elle naisse ès mains de son adversaire, soit qu'elle naisse en lui-même par quelque ravisement. Car il ne sera pas mis en chaise[1] pour dire un rôle prescrit, il n'est engagé à aucune cause que parce qu'il l'approuve. Ni ne sera du métier où se vend à purs deniers comptants la liberté de se pouvoir repentir et reconnaître[2].

> *Neque, ut omnia, quæ præscripta et imperata sint, defendat,*
> *necessitate ulla cogitur*[3].

Si son gouverneur tient de mon humeur, il lui formera la volonté à être très loyal serviteur de son Prince, et très affectionné, et très courageux ; mais il lui refroidira l'envie de s'y attacher autrement que par un devoir public. Outre plusieurs autres inconvénients, qui blessent notre liberté par ces obligations particulières, le jugement d'un homme gagé et acheté, ou il est moins entier et moins libre, ou il est taché et d'imprudence et d'ingratitude.

Un pur Courtisan ne peut avoir ni loi ni volonté de dire et penser que favorablement d'un maître qui, parmi tant de milliers d'autres sujets, l'a choisi pour le nourrir et élever de sa main. Cette faveur et utilité corrompent non sans quelque raison sa franchise[4], et l'éblouissent. Pourtant voit-on

---

1. **Chaise** : chaire.

2. Allusion au métier d'avocat, lequel, pour de l'argent, renonce à sa liberté de penser.

3. Cicéron, *Académiques*, II, 3.

4. **Franchise** : liberté.

non sans quelque raison d'ailleurs. C'est pourquoi le langage de ces gens-là est habituellement différent de celui que l'on emploie dans les divers métiers, et l'on ne peut guère lui accorder de crédit.

Que la conscience et les qualités de l'élève, au contraire, brillent dans ses paroles, et qu'elles n'aient que la raison pour guide. Qu'on lui fasse comprendre ceci : reconnaître la faute qu'il découvre dans son propre raisonnement, même si elle n'est décelée que par lui, est la conséquence d'un jugement et d'une sincérité qui sont les objectifs mêmes qu'il doit poursuivre ; que s'obstiner et contester sont des manières bien communes, et que l'on rencontre surtout dans les âmes les plus basses ; que se raviser et se corriger, abandonner une position mauvaise dans le vif d'une discussion, ce sont là, au contraire, des qualités rares, fortes et philosophiques.

On l'avertira d'avoir les yeux partout quand il sera en société, car je trouve que les premiers sièges sont habituellement occupés par les hommes les moins capables, et que les situations aisées ne se trouvent que rarement correspondre aux capacités de ceux qui les détiennent. Et j'ai remarqué que, pendant qu'on s'entretenait au haut bout de la table de la beauté d'une tapisserie, ou du goût de la malvoisie, beaucoup de belles pensées se perdaient à l'autre bout.

Il sondera les capacités de tout un chacun : bouvier, maçon, passant ; il faut tout exploiter et utiliser chacun pour ce qu'il a, car tout sert dans un ménage : et même la sottise et la faiblesse des autres l'instruiront. En examinant les attitudes et les manières de tout le monde, il ressentira de l'envie envers les bonnes et du mépris pour les mauvaises.

Qu'on lui mette dans l'esprit une honnête curiosité à connaître toute chose et tout ce qu'il y aura de singulier autour de lui, il le verra : un bâtiment, une fontaine, un homme, le lieu d'une ancienne bataille, l'endroit où est passé César ou bien Charlemagne.

coutumièrement le langage de ces gens-là divers à tout autre langage en un état, et de peu de foi en telle matière.

Que sa conscience et sa vertu reluisent en son parler, et n'aient que la raison pour conduite. Qu'on lui fasse entendre que de confesser la faute qu'il découvrira en son propre discours, encore qu'elle ne soit aperçue que par lui, c'est un effet de jugement et de sincérité, qui sont les principales parties qu'il cherche. Que l'opiniâtrer et contester sont qualités communes, plus apparentes aux plus basses âmes ; que se raviser et se corriger, abandonner un mauvais parti sur le cours de son ardeur, ce sont qualités rares, fortes, et philosophiques.

On l'avertira, étant en compagnie, d'avoir les yeux partout ; car je trouve que les premiers sièges sont communément saisis par les hommes moins capables [1], et que les grandeurs de fortune ne se trouvent guère mêlées à la suffisance. J'ai vu cependant qu'on s'entretenait, au haut bout d'une table [2], de la beauté d'une tapisserie ou du goût de la malvoisie [3], se perdre beaucoup de beaux traits à l'autre bout.

Il sondera la portée d'un chacun : un bouvier, un maçon, un passant ; il faut tout mettre en besogne, et emprunter chacun selon sa marchandise, car tout sert en ménage ; la sottise même et faiblesse d'autrui lui sera instruction. À contrôler les grâces et façons d'un chacun, il s'engendrera envie des bonnes et mépris des mauvaises.

Qu'on lui mette en fantaisie une honnête curiosité de s'enquérir de toutes choses ; tout ce qu'il y aura de singulier autour de lui, il le verra : un bâtiment, une fontaine, un homme, le lieu d'une bataille ancienne, le passage de César ou de Charlemagne.

---

1. Moins capables : qui ont le moins de mérite.

2. C'est-à-dire aux places d'honneur.

3. Malvoisie : vin grec.

> Quelle terre est engourdie par la glace,
> Quelle autre est rendue poudreuse par la chaleur ;
> Quel est le vent favorable pour pousser les voiles vers
> l'Italie.
>
> Properce, IV, III, 39.

310 Il s'informera sur les mœurs, les moyens et les alliances de tel prince ou de tel autre : ce sont là des choses bien plaisantes à apprendre, et très utiles à connaître.

Dans cette fréquentation des hommes, j'entends inclure, et principalement, ceux qui ne vivent que par la mémoire 315 des livres. L'élève devra donc fréquenter, par le biais des récits historiques, les grandes âmes des meilleurs siècles. C'est une étude qui peut paraître vaine à certains ; mais c'est aussi, pour d'autres, une étude dont le profit est inestimable ; et c'est aussi la seule étude, comme le dit Platon, que les Lacédémoniens 320 eussent conservée en ce qui les concerne. Car quel profit ne tirera-t-il pas à la lecture des *Vies* de notre Plutarque ? Mais que le guide selon mes vœux ne perde pas de vue son objectif, et qu'il fasse en sorte que son disciple se souvienne plutôt du caractère d'Hannibal et de Scipion que de la date de la ruine de 325 Carthage ; et plutôt que de l'endroit où mourut Marcellus, qu'il se souvienne des raisons pour lesquelles il fut indigne de son devoir et y mourut. Qu'il ne lui apprenne pas tant les histoires qu'à en juger. Car c'est à mon avis, entre toutes, la matière à laquelle nos esprits s'appliquent de la façon la plus diverse.

330 J'ai lu dans Tite-Live cent choses que d'autres n'y ont pas lues. Plutarque y a lu cent autres que celles que j'ai su y lire, et peut-être même au-delà de ce que l'auteur y avait mis. Pour certains, c'est un simple objet d'étude pour la grammaire ; pour d'autres, c'est le corps même de la philosophie qui y est dévoilé, 335 et c'est par là que les parties les plus cachées de notre nature se laissent pénétrer. Il y a dans Plutarque bien des développements dignes d'être connus, car, à mon avis, il est le maître en

Quæ tellus sit lenta gelu, quæ putris ab æstu,
Ventus in Italiam quis bene vela ferat[1].

Il s'enquerra des mœurs, des moyens et des alliances de ce Prince, et de celui-là. Ce sont choses très plaisantes à apprendre, et très utiles à savoir.

En cette pratique des hommes, j'entends y comprendre, et principalement, ceux qui ne vivent qu'en la mémoire des livres. Il pratiquera, par le moyen des histoires, ces grandes âmes des meilleurs siècles. C'est un vain étude qui veut ; mais qui veut aussi c'est un étude de fruit inestimable ; et le seul étude, comme dit Platon, que les Lacédémoniens eussent réservé à leur part. Quel profit ne fera-il en cette part-là, à la lecture des *Vies* de notre Plutarque[2] ? Mais que mon guide se souvienne où vise sa charge ; et qu'il n'imprime pas tant à son disciple la date de la ruine de Carthage que les mœurs de Hannibal et de Scipion ; ni tant où mourut Marcellus, que pourquoi il fut indigne de son devoir qu'il mourût là[3]. Qu'il ne lui apprenne pas tant les histoires, qu'à en juger. C'est à mon gré, entre toutes, la matière à laquelle nos esprits s'appliquent de plus diverse mesure.

J'ai lu en Tite-Live cent choses que tel n'y a pas lues. Plutarque y en a lu cent, outre ce que j'y ai su lire et, à l'aventure, outre ce que l'auteur y avait mis. À d'aucuns c'est un pur étude grammairien ; à d'autres, l'anatomie[4] de la Philosophie, par laquelle les plus abstruses parties de notre nature se pénètrent. Il y a dans Plutarque beaucoup de discours étendus très dignes d'être sus, car, à mon gré, c'est le maître ouvrier

1. Properce, IV, III, 39.

2. Allusion aux *Vies* de Plutarque (46-120), recueil de biographies d'hommes illustres très prisé à la Renaissance.

3. **Marcellus**, général romain (268-208 av. J.-C.) adversaire d'Hannibal, était tombé dans une embuscade malgré son expérience.

4. **Anatomie** : dissection (métaphore médicale).

ces matières ; mais il y en a mille autres qu'il n'a fait qu'effleurer :
il indique seulement du doigt vers quoi nous pouvons aller si
340 cela nous plaît, et se contente parfois de n'en donner qu'une
esquisse au beau milieu d'un exposé. Il faut extraire ces choses-
là, et les mettre en évidence. Ainsi ce mot de lui, selon lequel
les habitants d'Asie étaient esclaves d'un seul homme parce que
la seule syllabe qu'ils ne savaient pas prononcer était « non »,
345 et qui a peut-être donné la matière et l'occasion à La Boétie
d'écrire sa *Servitude volontaire*.

  Le fait même de lui voir souligner une petite action dans la
vie d'un homme, ou même un simple mot, qui semble sans importance, est quelque chose qui donne à réfléchir. Il est dom-
350 mage que les gens intelligents aiment tant la brièveté : sans
doute cela vaut-il mieux pour leur réputation, mais nous en
tirons moins de profit. Plutarque aime mieux que nous le vantions pour son jugement que pour son savoir : il aime mieux
nous laisser sur notre faim plutôt que d'être rassasiés. Il savait
355 que même à propos des choses intéressantes on peut en dire
trop, et que c'est à juste titre qu'Alexandridas reprocha à celui
qui tenait des propos sensés, mais trop longs, aux magistrats
de Sparte : « Ô étranger, tu dis ce qu'il faut autrement qu'il ne
le faut ! » Ceux qui ont le corps grêle le grossissent avec des
360 rembourrages, et ceux qui n'ont que peu d'idées à exposer les
gonflent avec des paroles.

  La fréquentation du monde fournit un éclairage précieux
pour la compréhension du genre humain. Nous sommes tous
repliés sur nous-mêmes, et notre vue ne dépasse guère le bout
365 de notre nez. On demandait à Socrate d'où il était ; il ne répondit pas « d'Athènes », mais « du monde ». Lui qui avait un esprit
mieux rempli et plus large que celui des autres, il embrassait
l'univers comme sa ville, et dédiait ses connaissances, sa société

de telle besogne ; mais il y en a mille qu'il n'a que touché simplement : il guigne seulement du doigt par où nous irons, s'il
nous plaît, et se contente quelquefois de ne donner qu'une
atteinte dans le plus vif d'un propos. Il les faut arracher de là
et mettre en place marchande. Comme ce sien mot, que les
habitants d'Asie servaient à un seul, pour ne savoir prononcer une seule syllabe, qui est Non, donna peut-être la matière
et l'occasion à la Boétie de sa *Servitude volontaire* [1].

Cela même de lui voir trier une légère action en la vie d'un
homme, ou un mot, qui semble ne porter pas : cela, c'est un
discours. C'est dommage que les gens d'entendement aiment
tant la brièveté ; sans doute leur réputation en vaut mieux,
mais nous en valons moins ; Plutarque aime mieux que nous
le vantions de son jugement, que de son savoir ; il aime
mieux nous laisser désir de soi, que satiété. Il savait qu'ès
choses bonnes mêmes on peut trop dire, et qu'Alexandridas [2]
reprocha justement à celui qui tenait aux Éphores [3] des bons
propos, mais trop longs : « Ô étranger, tu dis ce qu'il faut,
autrement qu'il ne faut. » Ceux qui ont le corps grêle, le grossissent d'embourrures ; ceux qui ont la matière exile [4], l'enflent de paroles.

Il se tire une merveilleuse clarté, pour le jugement
humain, de la fréquentation du monde. Nous sommes tous
contraints et amoncelés en nous, et avons la vue raccourcie à la
longueur de notre nez. On demandait à Socrate d'où il était, il
ne répondit pas « d'Athènes », mais « du monde ». Lui, qui
avait l'imagination plus pleine et plus étendue, embrassait
l'univers comme sa ville, jetait ses connaissances, sa société

---

1. Allusion à l'origine du *Discours de la servitude volontaire* (1574) de La Boétie,
grand ami de Montaigne (voir chapitre suivant).

2. Alexandridas est un Lacédémonien cité par Plutarque dans ses *Œuvres morales*.

3. Éphores : magistrats de Sparte.

4. Exile : mince.

et ses affections à tout le genre humain ; à la différence de nous
370 qui ne regardons que le bout de nos pieds. Quand les vignes
gèlent dans mon village, mon curé en tire argument disant
que c'est la manifestation de la colère de Dieu contre la race
humaine, et il doit penser que les Cannibales eux-mêmes en
auront bientôt la pépie...

375 À voir nos guerres civiles, qui ne s'écrierait que le monde se
détraque, et que nous sommes bons pour le Jugement dernier,
sans voir que bien des choses pires encore se sont produites,
et que pourtant la plus grande part de l'humanité continue
de mener joyeuse vie pendant ce temps-là ? Et moi, devant
380 l'impunité dont jouissent ces guerres-là, je m'étonne de les
voir si douces et si tièdes. Celui à qui la grêle tombe sur la
tête s'imagine volontiers que la tempête et l'orage règnent sur
tout l'hémisphère. Et comme disait un Savoyard : « Si ce benêt
de roi de France avait mieux su mener sa barque, il aurait été
385 capable de devenir maître d'hôtel de son Duc. » C'est que son
esprit ne pouvait concevoir de situation plus haute que celle
de son propre maître.

Nous faisons tous, insensiblement, cette erreur. Erreur qui
a de grandes conséquences, et qui nous porte préjudice. Mais
390 celui qui se représente, comme dans un tableau, cette grande
image de notre mère nature dans toute sa majesté ; celui qui
lit sur son visage une telle constance dans la diversité ; celui
qui voit là-dedans non lui-même seulement, mais tout un
royaume, tracé d'une pointe fine et délicate, celui-là seule-
395 ment donne aux choses leur véritable dimension.

Ce grand monde, que certains divisent en multiples espèces
appartenant au même genre, c'est le miroir dans lequel il faut
nous regarder pour bien nous voir. En somme, je veux que ce soit
le livre de mon élève. On y voit tant de caractères, de sectes, de

et ses affections à tout le genre humain, non pas comme nous qui ne regardons que sous nous. Quand les vignes gèlent en mon village, mon prêtre en argumente l'ire de Dieu sur la race humaine, et juge que la pépie en tienne déjà les Cannibales[1].

À voir nos guerres civiles, qui ne crie que cette machine[2] se bouleverse, et que le jour du jugement[3] nous prend au collet, sans s'aviser que plusieurs pires choses se sont vues, et que les dix mille parts du monde ne laissent pas de galler le bon temps cependant ? Moi, selon leur licence[4] et impunité, admire de les voir si douces et molles. À qui il grêle sur la tête, tout l'hémisphère semble être en tempête et orage. Et disait le Savoyard[5] que, si ce sot de Roi de France eût su bien conduire sa fortune, il était homme pour devenir maître d'hôtel de son Duc. Son imagination ne concevait autre plus élevée grandeur que celle de son maître.

Nous sommes insensiblement tous en cette erreur : erreur de grande suite et préjudice. Mais qui se présente, comme dans un tableau, cette grande image de notre mère nature en son entière majesté ; qui lit en son visage une si générale et constante variété ; qui se remarque là-dedans, et non soi, mais tout un royaume, comme un trait d'une pointe très délicate, celui-là seul estime les choses selon leur juste grandeur.

Ce grand monde, que les uns multiplient encore comme espèces sous un genre[6], c'est le miroir où il nous faut regarder pour nous connaître de bon biais. Somme, je veux que ce soit le livre de mon écolier. Tant d'humeurs, de sectes, de

---

1. Allusion aux Indiens du Brésil auxquels Montaigne consacre le chapitre XXX du livre I.
2. **Machine** : image pour la Terre.
3. Allusion au jour du Jugement dernier dans la Bible.
4. **Licence** : liberté laissée par les guerres civiles. Montaigne donne une leçon de sagesse ironique due à sa lucidité sur la place de l'homme dans le monde.
5. Allusion à l'humaniste Henri Estienne (1528-1598).
6. Allusion aux épicuriens qui croyaient en l'existence de plusieurs mondes.

400 jugements, d'opinions, de lois et de coutumes, que cela nous apprend à juger sainement des nôtres, et enseigne à notre jugement de savoir reconnaître son imperfection et sa faiblesse naturelle – ce qui n'est pas un apprentissage si aisé. Tant de bouleversements politiques, de changements dans le destin commun, nous
405 apprennent à ne pas faire grand cas du nôtre. Tant de grands noms, tant de victoires et de conquêtes ensevelies par l'oubli rendent ridicule l'espoir d'immortaliser notre nom par la prise de dix arquebusiers à cheval et d'une bicoque dont le nom n'est connu que parce qu'elle a été prise. L'orgueil et la fierté de tant de
410 cortèges étrangers, la majesté si ampoulée de tant de cours et de dignitaires, nous affermissent la vue et nous permettent de soutenir l'éclat des nôtres sans plisser les yeux. Tant de millions d'hommes ont été enterrés avant nous que cela doit nous encourager à aller nous retrouver en si bonne compagnie... Et ainsi de tout le reste.

415 Notre vie, disait Pythagore, ressemble à la grande et populeuse assemblée des Jeux olympiques : les uns y exercent leur corps pour en obtenir la gloire des Jeux et d'autres y portent des marchandises à vendre pour gagner de l'argent. Il en est encore d'autres (qui ne sont pas les pires), qui n'y cherchent
420 d'autre bénéfice que celui de regarder comment et pourquoi chaque chose se fait, et d'être spectateurs de la vie des autres pour en juger et ainsi diriger la leur.

[...]

jugements, d'opinions, de lois, et de coutumes nous apprennent à juger sainement des nôtres, et apprennent notre jugement à reconnaître son imperfection et sa naturelle faiblesse : qui n'est pas un léger apprentissage. Tant de remuements d'état, et changements de fortune publique, nous instruisent à ne faire pas grand miracle de la nôtre. Tant de noms, tant de victoires et conquêtes ensevelies sous l'oubliance, rendent ridicule l'espérance d'éterniser notre nom par la prise de dix argolets[1], et d'un pouillier[2] qui n'est connu que de sa chute. L'orgueil et la fierté de tant de pompes étrangères, la majesté si enflée de tant de cours et de grandeurs, nous fermit et assure la vue à soutenir l'éclat des nôtres, sans ciller les yeux. Tant de milliasses[3] d'hommes enterrés avant nous nous encouragent à ne craindre d'aller trouver si bonne compagnie en l'autre monde. Ainsi du reste.

Notre vie, disait Pythagore, retire à la grande et populeuse assemblée des jeux Olympiques. Les uns exercent le corps, pour en acquérir la gloire des jeux ; d'autres y portent des marchandises à vendre, pour le gain. Il en est (et qui ne sont pas les pires) lesquels n'y cherchent autre fruit que de regarder comment et pourquoi chaque chose se fait, et être spectateurs de la vie des autres hommes, pour en juger et régler la leur.

[...]

---

1. **Argolets** : terme péjoratif.
2. **Pouillier** : poulailler ; image péjorative d'une ville mal défendue.
3. **Milliasses**, mille milliards, est une hyperbole.

Sur l'amitié

En observant la façon dont procède un peintre que j'ai à mon service, l'envie m'a pris de l'imiter. Il choisit le plus bel endroit et le milieu de chaque mur pour y placer un tableau élaboré avec tout son talent. Puis il remplit l'espace tout autour de « grotesques », qui sont des peintures bizarres, n'ayant d'agrément que par leur variété et leur étrangeté. Et en vérité, que sont ces *Essais*, sinon des « grotesques », des corps monstrueux, affublés de membres divers, sans forme bien déterminée, dont l'agencement, l'ordre et les proportions ne sont que l'effet du hasard ?

> C'est le corps d'une belle femme, que termine une queue
> de poisson.
> Horace, *Art poétique*, IV.

Je suis volontiers mon peintre jusque-là ; mais je m'arrête avant l'étape suivante, qui est la meilleure partie du travail, car ma compétence ne va pas jusqu'à me permettre d'entreprendre un tableau riche, soigné, et disposé selon les règles de l'art. Je me suis donc permis d'en emprunter un à Étienne de la Boétie, qui honorera ainsi tout le reste de mon travail. C'est un traité auquel il donna

CHAPITRE XXVII

De l'amitié

L'amitié est un sujet souvent traité dans l'Antiquité, en particulier par Cicéron dans le De l'amitié dont Montaigne reprend ici le titre. Ce chapitre est donc à la fois un discours raisonné sur l'amitié et un texte autobiographique renfermant l'éloge de La Boétie, véritable sage qui prouve que l'homme peut parvenir aux plus hautes qualités.

Considérant la conduite de la besogne d'un peintre que j'ai[1], il m'a pris envie de l'ensuivre[2]. Il choisit le plus bel endroit et milieu de chaque paroi, pour y loger un tableau élaboré de toute sa suffisance ; et le vide tout autour, il le remplit de grotesques, qui sont peintures fantasques, n'ayant grâce qu'en la variété et étrangeté. Que sont-ce ici aussi à la vérité que grotesques et corps monstrueux, rapiécés de divers membres, sans certaine figure, n'ayant ordre, suite ni proportion que fortuite[3] ?

Desinit in piscem mulier formosa superne[4].

Je vais bien jusqu'à ce second point avec mon peintre, mais je demeure court en l'autre, et meilleure partie ; car ma suffisance ne va pas si avant que d'oser entreprendre un tableau riche, poli et formé selon l'art. Je me suis avisé d'en emprunter un d'Étienne de La Boétie, qui honorera tout le reste de cette besogne. C'est un discours auquel il donna

---

1. J'ai : j'emploie.

2. Comme un peintre de fresque insère autour de sa composition centrale des « grotesques », figures imaginaires, Montaigne voulait insérer au cœur de son premier livre le *Discours de la servitude volontaire* d'Étienne de La Boétie, « à l'honneur de la liberté contre les tyrans ».

3. Montaigne fait allusion à ses *Essais*.

4. Horace, *Art poétique*, IV.

le nom de *Discours de la servitude volontaire*; mais ceux qui ignoraient ce nom-là l'ont depuis, et judicieusement, appelé *Le
Contre Un*. Il l'écrivit comme un essai, dans sa prime jeunesse,
en l'honneur de la liberté et contre les tyrans. Il circule depuis
longtemps dans les mains de gens cultivés, et y est à juste titre
l'objet d'une grande estime, car il est généreux, et aussi parfait qu'il est possible. Il s'en faut pourtant de beaucoup que ce
soit le meilleur qu'il aurait pu écrire: si à l'âge plus avancé qu'il
avait quand je le connus, il avait formé un dessein du même
genre que le mien, et mis par écrit ses idées, nous pourrions
lire aujourd'hui beaucoup de choses précieuses, et qui nous
feraient approcher de près ce qui fait la gloire de l'Antiquité. Car
notamment en ce qui concerne les dons naturels, je ne connais
personne qui lui soit comparable.

Mais il n'est demeuré de lui que ce traité, et d'ailleurs
par hasard – car je crois qu'il ne le revit jamais depuis qu'il
lui échappa – et quelques mémoires sur cet édit de Janvier,
célèbre à cause de nos guerres civiles, et qui trouveront peut-
être ailleurs leur place. C'est tout ce que j'ai pu retrouver de
ce qui reste de lui, moi qu'il a fait par testament, avec une si
affectueuse estime, alors qu'il était déjà mourant, héritier de
sa bibliothèque et de ses papiers, outre le petit livre de ses
œuvres que j'ai fait publier déjà. Et je suis particulièrement
attaché au *Contre Un* car c'est ce texte qui m'a conduit à nouer

nom : *La Servitude volontaire*[1] ; mais ceux qui l'ont ignoré, l'ont bien proprement depuis rebaptisé *Le Contre Un*[2]. Il l'écrivit par manière d'essai, en sa première jeunesse[3], à l'honneur de la liberté contre les tyrans. Il court piéça ès mains des gens d'entendement, non sans bien grande et méritée recommandation : car il est gentil[4], et plein ce qu'il est possible. Si y a-t-il bien à dire que ce ne soit le mieux qu'il pût faire ; et si, en l'âge que je l'ai connu, plus avancé, il eût pris un tel dessein que le mien, de mettre par écrit ses fantaisies, nous verrions plusieurs choses rares, et qui nous approcheraient bien près de l'honneur de l'antiquité ; car notamment en cette partie des dons de nature, je n'en connais point qui lui soit comparable.

Mais il n'est demeuré de lui que ce discours, encore par rencontre, et crois qu'il ne le vit onques depuis qu'il lui échappa, et quelques mémoires sur cet édit de Janvier[5] fameux par nos guerres civiles, qui trouveront encore ailleurs peut-être leur place. C'est tout ce que j'ai pu recouvrer de ses reliques (moi qu'il laissa, d'une si amoureuse recommandation, la mort entre les dents, par son testament, héritier de sa Bibliothèque et de ses papiers), outre le livret de ses œuvres que j'ai fait mettre en lumière[6]. Et si suis obligé particulièrement à cette pièce[7], d'autant qu'elle a servi de moyen à notre première accointance.

---

1. La première impression du *Discours* se fait dans un recueil protestant violemment hostile à la monarchie après le massacre de la Saint-Barthélemy (1572), *Le Réveille-matin des Français et de leurs voisins* (1574).

2. C'est le titre donné au *Discours*, interprété par les protestants comme un appel à la rébellion contre le tyran.

3. La Boétie aurait écrit son *Discours* en 1548, à l'âge de 18 ans.

4. Gentil : noble.

5. Allusion au *Mémoire sur l'Édit de Janvier* dont l'attribution à La Boétie est contestée. L'édit de tolérance envers les protestants (édit de janvier 1562) y est critiqué.

6. La Boétie meurt en 1563. En 1571, Montaigne établit l'édition des œuvres de son ami réunissant poèmes et traductions.

7. Le *Discours* qui permet à Montaigne de reconnaître d'emblée son futur ami, avant même de l'avoir vu.

des relations avec son auteur : il me fut montré en effet bien
longtemps avant que je le connaisse en personne, et me fit
45   connaître son nom, donnant ainsi naissance à cette amitié que
nous avons nourrie, tant que Dieu l'a voulu, si entière et si parfaite, que certainement on n'en lit guère de semblable dans les
livres, et qu'on n'en trouve guère chez nos contemporains. Il
faut un tel concours de circonstances pour la bâtir, que c'est
50   beaucoup si le sort y parvient une fois en trois siècles.

Il n'est rien vers quoi la nature nous ait plus portés, semble-
t-il, que la vie en société, et Aristote dit que les bons législateurs
se sont plus souciés de l'amitié que de la justice. Et c'est bien
par l'amitié, en effet, que la vie en société atteint sa perfection.
55   Car, en général, les relations qui sont bâties sur le plaisir ou le
profit, celles que le besoin, public ou privé, provoque et entretient, sont d'autant moins belles et nobles, sont d'autant plus
éloignées de l'amitié véritable, qu'elles mélangent avec celle-ci
d'autres causes, d'autres buts, et d'autres fruits qu'elle-même.
60   Et aucune de ces quatre sortes anciennes d'amitié : ordinaire,
de condition sociale, d'hospitalité, ou amitié amoureuse, ne
lui correspondent vraiment, même si on les prend ensemble.

Entre un père et ses enfants, il s'agit plutôt de respect :
l'amitié se nourrit de communication, et elle ne peut s'établir
65   entre eux, à cause de leur trop grande différence. Et d'ailleurs
elle nuirait peut-être aux obligations naturelles, car les pensées
secrètes des pères ne peuvent être communiquées aux enfants
sous peine de favoriser une inconvenante intimité, pas plus
que les avertissements et les remontrances – qui sont parmi
70   les principaux devoirs de l'amitié – ne peuvent être adressés
par des enfants à leur père. Il s'est trouvé des peuples où l'usage
voulait que les enfants tuent leurs pères ; et d'autres où les
pères tuaient leurs enfants, pour éviter les inconvénients qu'ils
peuvent se causer l'un à l'autre, et dans ce cas, le sort de l'un
75   dépendait du sort de l'autre. Certains philosophes ont méprisé

Car elle me fut montrée longue espace avant que je l'eusse vu,
et me donna la première connaissance de son nom, acheminant
ainsi cette amitié que nous avons nourrie, tant que Dieu a voulu, entre nous, si entière et si parfaite que certainement il ne
s'en lit guère de pareilles et, entre nos hommes, il ne s'en voit
aucune trace en usage. Il faut tant de rencontres à la bâtir, que
c'est beaucoup si la fortune y arrive une fois en trois siècles.

Il n'est rien à quoi il semble que nature nous ait plus ache-
miné qu'à la société. Et dit Aristote[1], que les bons législateurs ont eu plus de soin de l'amitié que de la justice. Or le
dernier point de sa[2] perfection est celui-ci. Car en général
toutes celles que la volupté, ou le profit, le besoin public ou
privé forge et nourrit, en sont d'autant moins belles et généreuses, et d'autant moins amitiés qu'elles mêlent autre cause
et but et fruit en l'amitié qu'elle-même. Ni ces quatre espèces
anciennes, naturelle, sociale, hospitalière, vénérienne[3], particulièrement n'y conviennent, ni conjointement.

Des enfants aux pères, c'est plutôt respect. L'amitié se nourrit de communication, qui ne peut se trouver entre eux, pour
la trop grande disparité, et offenserait à l'aventure les devoirs
de nature. Car ni toutes les secrètes pensées des pères ne se
peuvent communiquer aux enfants, pour n'y engendrer une
messéante privauté, ni les avertissements et corrections, qui
est un des premiers offices d'amitié, ne se pourraient exercer
des enfants aux pères. Il s'est trouvé des nations où, par usage,
les enfants tuaient leurs pères ; et d'autres où les pères tuaient
leurs enfants, pour éviter l'empêchement qu'ils se peuvent
quelquefois entreporter, et naturellement l'un dépend de la
ruine de l'autre. Il s'est trouvé des philosophes dédaignant

---

1. Dans l'*Éthique à Nicomaque*, qui traite de l'amitié.

2. Sa : renvoie à société.

3. Les Anciens distinguaient quatre types de relations à autrui : l'amitié naturelle, l'amitié sociale, l'amitié entre hôtes et l'amitié amoureuse.

ce lien naturel entre père et fils, comme le fit Aristippe. Comme on le pressait de reconnaître l'affection qu'il devait à ses enfants pour être sortis de lui, il se mit à cracher, disant que cela aussi était sorti de lui, et que nous donnions bien naissance aussi à des poux et des vers. Et à Plutarque qui tentait de le rapprocher de son frère, cet autre déclara : « Je ne fais pas plus grand cas de lui parce qu'il est sorti du même trou que moi. »

C'est en vérité un beau nom, et plein d'affection que le nom de frère, et c'est pourquoi nous en avions fait, La Boétie et moi, le symbole de notre alliance. Mais le mélange des biens, leur partage, le fait que la richesse de l'un fasse la pauvreté de l'autre, cela affaiblit beaucoup et tend à relâcher le lien fraternel. Puisque des frères doivent mener la conduite de leur vie et de leur carrière par les mêmes voies, et au même rythme, ils en viennent forcément à se heurter et se gêner mutuellement très souvent. Et d'ailleurs, pourquoi la sympathie, la correspondance intime qui est à l'origine des amitiés véritables et parfaites se retrouverait-elle forcément entre deux frères ? Un père et son fils peuvent avoir des caractères extrêmement différents, et de même pour des frères : « C'est mon fils, c'est mon parent », mais c'est un ours, un méchant ou un imbécile.

Et puis, dans la mesure où ces amitiés-là nous sont comme imposées par la loi naturelle et ses obligations, elles relèvent d'autant moins de notre volonté et de notre libre choix ; or, notre libre choix, justement, n'a rien qui lui soit plus en propre que l'affection et l'amitié. J'ai pourtant eu, de ce côté-là, tout ce qu'on peut avoir, ayant eu le meilleur père qui fut jamais, et le plus indulgent, jusqu'à ses derniers jours. Et appartenant à une famille renommée de père en fils, et exemplaire en ce qui concerne la concorde fraternelle, et moi-même,

> *connu aussi pour mon affection paternelle envers mes*
> *frères.*
> Horace, *Odes*, II, 2, v. 6.

cette couture naturelle, témoin Aristippe[1] qui, quand on le pressait de l'affection qu'il devait à ses enfants pour être sortis de lui, se mit à cracher, disant que cela en était aussi bien sorti ; que nous engendrions bien des poux et des vers. Et cet autre que Plutarque voulait induire à s'accorder avec son frère : « Je n'en fais pas, dit-il, plus grand état pour être sorti de même trou. »

C'est à la vérité un beau nom et plein de dilection que le nom de frère, et à cette cause en fîmes-nous lui et moi notre alliance. Mais ce mélange de biens, ces partages, et que la richesse de l'un soit la pauvreté de l'autre, cela détrempe merveilleusement et relâche cette soudure fraternelle. Les frères ayant à conduire le progrès de leur avancement en même sentier et même train, il est force qu'ils se heurtent et choquent souvent. Davantage, la correspondance et relation qui engendre ces vraies et parfaites amitiés, pourquoi se trouvera-t-elle en ceux-ci ? Le père et le fils peuvent être de complexion entièrement éloignée, et les frères aussi : « C'est mon fils, c'est mon parent », mais c'est un homme farouche, un méchant, ou un sot.

Et puis, à mesure que ce sont amitiés que la loi et l'obligation naturelle nous commandent, il y a d'autant moins de notre choix et liberté volontaire ; et notre liberté volontaire n'a point de production qui soit plus proprement sienne que celle de l'affection et amitié. Ce n'est pas que je n'aie essayé de ce côté-là tout ce qui en peut être, ayant eu le meilleur père qui fut onques, et le plus indulgent, jusqu'à son extrême vieillesse ; et étant d'une famille fameuse de père en fils, et exemplaire en cette partie de la concorde fraternelle :

> *Et ipse*
> *Notus in fratres animi paterni*[2].

---

1. Aristippe de Cyrène (fin du Vᵉ siècle av. J.-C.) est un philosophe hédoniste.
2. Horace, *Odes*, II, 2, v. 6.

On ne peut comparer l'amitié à l'affection envers les femmes, quoique cette dernière relève aussi de notre choix, et on ne peut
110 pas non plus la classer dans cette catégorie. Son ardeur, je l'avoue,

> *Car nous ne sommes pas inconnus à la déesse*
> *Qui mêle aux soucis de l'amour une douce amertume,*
> Catulle, *Poèmes*, LXVIII, 17

est plus active, plus cuisante, et plus brutale. Mais c'est un feu téméraire et volage, variable et varié, une fièvre sujette à des
115 accès et des rémissions, qui ne nous tient que par un coin de nous-mêmes. L'amitié, au contraire, est une chaleur générale et universelle, au demeurant tempérée et égale à elle-même, une chaleur constante et tranquille, toute de douceur et de délicatesse, qui n'a rien de violent ni de poignant.

120 Et, de plus, l'amour n'est qu'un désir forcené envers ce qui nous fuit,

> *Tel le chasseur qui poursuit le lièvre,*
> *Par le froid, par le chaud, dans la montagne et la vallée ;*
> *Et il n'en fait plus aucun cas quand il le voit pris,*
125 > *C'est seulement quand la proie se dérobe*
> *Qu'il se hâte à sa poursuite.*
> Arioste, *Roland Furieux*, X, stance VII.

Dès que l'amour se coule dans les limites de l'amitié, c'est-à-dire dans l'accord des volontés réciproques, il s'évanouit et s'alanguit ; la jouissance fait sa perte, car elle constitue une
130 fin corporelle et elle est sujette à la satiété. De l'amitié, au contraire, on jouit à mesure qu'on la désire, elle ne s'élève, ne se nourrit et ne s'accroît que dans sa jouissance même, car elle est d'ordre spirituel, et l'âme s'affine par son usage. Des sentiments amoureux et éphémères ont pourtant trouvé place
135 chez moi, en dessous de cette parfaite amitié, pour ne rien

D'y [1] comparer l'affection envers les femmes, quoiqu'elle naisse de notre choix, on ne peut, ni la loger en ce rôle. Son feu, je le confesse,

> *(neque enim est dea nescia nostri*
> *Quae dulcem cutis miscet amaritiem)* [2]

est plus actif, plus cuisant, et plus âpre. Mais c'est un feu téméraire [3] et volage, ondoyant et divers, feu de fièvre, sujet à accès et remises, et qui ne nous tient qu'à un coin. En l'amitié, c'est une chaleur générale et universelle, tempérée au demeurant et égale, une chaleur constante et rassise, toute douceur et polissure [4], qui n'a rien d'âpre et de poignant.

Qui plus est en l'amour ce n'est qu'un désir forcené après ce qui nous fuit :

> *Come segue la lepre il cacciatore*
> *Al freddo, al caldo, alla montagna, al lito,*
> *Ne più l'estima poi, che presa vede,*
> *Et sol dietro a chi fugge affretta il piede* [5].

Aussitôt qu'il entre aux termes de l'amitié, c'est-à-dire en la convenance des volontés, il s'évanouit et s'alanguit : la jouissance le perd, comme ayant la fin corporelle et sujette à satiété. L'amitié, au rebours, est jouïe à mesure qu'elle est désirée, ne s'élève, se nourrit, ni ne prend accroissance qu'en la jouissance, comme étant spirituelle, et l'âme s'affinant par l'usage. Sous cette parfaite amitié, ces affections volages ont autrefois trouvé place chez moi, afin que je ne parle de lui [6],

---

1. y : renvoie à l'amitié que Montaigne compare au sentiment amoureux, après avoir évoqué les rapports de fils à père.
2. Catulle, *Poèmes*, LXVIII, 17.
3. Téméraire : hasardeux.
4. Polissure : image de la finesse de ce qui est poli, délicatesse.
5. Arioste, *Roland furieux*, X, stance VII.
6. C'est-à-dire de La Boétie.

dire de lui, qui n'en parle que trop dans ses vers. Ces deux passions ont donc coexisté chez moi, en connaissance l'une de l'autre, mais sans jamais entrer en compétition : la première, de haute volée, maintenant son cap avec orgueil, et contemplant 140 dédaigneusement les jeux de l'autre, bien loin en dessous d'elle.

Quant au mariage, outre le fait qu'il s'agit d'un marché dont l'entrée seule est libre, sa durée étant contrainte et forcée et ne dépendant pas de notre volonté, outre que c'est un marché qui d'ordinaire est passé à d'autres fins que l'amitié, il y 145 survient quantité de complications extérieures dont l'écheveau est difficile à démêler, mais qui peuvent suffire à briser le lien et troubler le cours d'une réelle affection. Pour l'amitié, au contraire, il n'y a pas d'autre affaire ni de commerce que d'elle-même. Ajoutons à cela qu'à vrai dire, la disposition naturelle 150 des femmes ne les met pas en mesure de répondre à ces rapports intimes dont se nourrit cette divine liaison, et que leur âme ne semble pas assez ferme pour supporter l'étreinte d'un nœud si serré et si durable. Certes, si cela n'était, s'il pouvait s'établir une telle connivence libre et volontaire, où non seu 155 lement les âmes puissent trouver une entière jouissance, mais où les corps eux aussi puissent avoir leur part, et où l'individu soit engagé tout entier, il est certain que l'amitié en serait plus complète et plus pleine. Mais il n'est pas d'exemple jusqu'ici que l'autre sexe ait encore pu y parvenir, et il en a toujours été 160 traditionnellement exclu.

Quant à cette autre forme de liaison, que pratiquaient les Grecs, elle est fort justement abhorrée par nos mœurs.

qui n'en confesse que trop par ces vers[1]. Ainsi ces deux passions[2] sont entrées chez moi en connaissance l'une de l'autre, mais en comparaison jamais : la première maintenant sa route d'un vol hautain et superbe, et regardant dédaigneusement celle-ci passer ses pointes bien loin au-dessous d'elle.

Quant aux mariages, outre ce que c'est un marché qui n'a que l'entrée libre, sa durée étant contrainte et forcée, dépendant d'ailleurs que de notre vouloir : et marché, qui ordinairement se fait à autres fins, il y survient mille fusées[3] étrangères à démêler parmi, suffisantes à rompre le fil et troubler le cours d'une vive affection ; là où, en l'amitié, il n'y a affaire ni commerce que d'elle-même. Joint qu'à dire vrai, la suffisance ordinaire des femmes n'est pas pour répondre à cette conférence[4] et communication, nourrice de cette sainte couture ; ni leur âme ne semble assez ferme pour soutenir l'étreinte d'un nœud si pressé et si durable. Et certes, sans cela, s'il se pouvait dresser une telle accointance libre et volontaire, où non seulement les âmes eussent cette entière jouissance, mais encore où les corps eussent part à l'alliance, où l'homme fût engagé tout entier, il est certain que l'amitié en serait plus pleine et plus comble. Mais ce sexe[5] par nul exemple n'y est encore pu arriver, et par les écoles anciennes[6] en est rejeté.

Et cette autre licence Grecque[7] est justement abhorrée par nos mœurs. Laquelle pourtant, pour avoir, selon leur usage,

---

1. Ces vers : renvoie aux sonnets amoureux de La Boétie qui devaient figurer à la fin de l'essai.

2. Ces deux passions : l'amitié et l'amour.

3. Fusées : au sens propre, les fils emmêlés du fuseau ; ici, au sens figuré de « complications ».

4. Conférence : conversation entre deux personnes.

5. Ce sexe : les femmes, incapables d'une amitié véritable.

6. Écoles anciennes : écoles philosophiques antiques.

7. Allusion à l'institution grecque de la pédérastie, considérée comme un amour éducatif.

Et d'ailleurs, l'usage qu'ils en faisaient requérait une telle disparité dans l'âge, une telle différence de comportement entre les
165 amants, qu'elle ne correspond pas à la parfaite union prônée ici :

> *Qu'est-ce en effet, que cet amour d'amitié ? D'où vient*
> *que l'on n'aime pas*
> *un adolescent laid ni un beau vieillard ?*
> Cicéron, *Tusculanes*, IV, 33.

L'Académie elle-même ne me contredira pas, il me semble,
170 si je présente ainsi la peinture qu'elle en fait : cette première
folie, inspirée par le fils de Vénus dans le cœur de l'amant, pour
la fleur d'une tendre jeunesse, et à laquelle les Grecs permet-
taient tous les élans passionnés et les débordements que peut
entraîner une passion immodérée, n'était fondée que sur la
175 beauté extérieure. Et celle-ci n'était qu'une représentation fal-
lacieuse du développement du corps, car l'esprit ne pouvait y
avoir sa part, étant encore invisible, et seulement en train de
naître, avant même d'avoir l'âge où il commence à germer.

Si cette fureur s'emparait d'un cœur de piètre qualité, les
180 moyens employés pour séduire étaient alors les richesses, les
présents, les faveurs dans l'accession aux charges honorifiques
et autres profits de bas étage – que par ailleurs ils réprouvaient.
Mais si elle s'emparait d'un cœur plus noble, les moyens eux
aussi se faisaient nobles : leçons de philosophie, incitations à
185 révérer la religion, à obéir aux lois, à mourir pour son pays,
exemples de vaillance, de sagesse, de justice. Alors l'amant
s'efforçait de se faire accepter par l'agrément et la beauté
de son âme, celle de son corps étant déjà depuis longtemps
fanée, et il espérait par cette connivence mentale établir une
190 entente plus solide et plus durable. S'ils ne demandaient pas à
l'amant qu'il mène son entreprise avec patience et discrétion,
c'est cela même, au contraire, qu'ils exigeaient de l'aimé, car

une si nécessaire disparité d'âges et différence d'offices entre les amants, ne répondait non plus assez à la parfaite union et convenance qu'ici nous demandons.

> *Quis est enim iste amor amicitiæ ? Cur neque deformem adolescentem quisquam amat, neque formosum senem* [1] *?*

Car la peinture même qu'en fait l'Académie [2] ne me désavouera pas, comme je pense, de dire ainsi de sa part : que cette première fureur, inspirée par le fils de Vénus au cœur de l'amant, sur l'objet de la fleur d'une tendre jeunesse, à laquelle ils permettent tous les insolents et passionnés efforts que peut produire une ardeur immodérée, était simplement fondée en une beauté externe, fausse image de la génération corporelle. Car en l'esprit elle ne pouvait [3], duquel la montre était encore cachée, qui n'était qu'en sa naissance, et avant l'âge de germer.

Que si cette fureur saisissait un bas courage, les moyens de sa poursuite c'étaient richesses, présents, faveur à l'avancement des dignités, et telle autre basse marchandise, qu'ils [4] réprouvent. Si elle tombait en un courage plus généreux, les entremises étaient généreuses de même : instructions philosophiques, enseignements à révérer la religion, obéir aux lois, mourir pour le bien de son pays, exemples de vaillance, prudence, justice. S'étudiant l'amant de se rendre acceptable par la bonne grâce et beauté de son âme, celle de son corps étant pièça fanée, et espérant par cette société mentale établir un marché plus ferme et durable. Quand cette poursuite arrivait à l'effet, en sa saison (car ce qu'ils ne requièrent point en l'amant, qu'il apportât loisir et discrétion [5] en son entreprise, ils le requièrent exactement en [6]

---

1. Cicéron, *Tusculanes*, IV, 33.

2. Académie : école de Platon, favorable à l'homosexualité.

3. Être fondée.

4. Ils : les platoniciens.

5. Loisir et discrétion : temps et discernement.

6. Exactement en : soigneusement de.

il lui fallait juger d'une beauté intérieure, difficile à découvrir et à connaître. Quand cette quête arrivait à son terme, et au moment convenable, alors naissait en l'aimé un désir de spiritualité, suscité par la spiritualité de la beauté. Et c'est cette beauté-là qui était primordiale, la beauté corporelle n'étant alors qu'accidentelle et accessoire, à l'inverse de ce qui se passait pour l'amant.

C'est pour cela qu'ils préféraient l'aimé à l'amant. Ils prouvaient que les Dieux aussi le préféraient, et ils reprochaient vivement au poète Eschyle, dans le cas des amours d'Achille et de Patrocle, d'avoir donné le rôle de l'amant à Achille, lui qui était en la prime et imberbe verdeur de son adolescence, et le plus beau des Grecs. De cette communion, dont la partie la plus élevée et plus noble était prédominante et jouait ainsi pleinement son rôle, ils disaient qu'en découlaient des conséquences très positives pour la vie privée aussi bien que publique ; que c'était ce qui faisait la force des nations chez qui elle était en usage, et la principale défense de l'équité et de la liberté. En témoignaient, selon eux, les amours héroïques d'Harmodius et d'Aristogiton. Et c'est pourquoi ils la considéraient comme sacrée et divine, et ne lui voyaient comme adversaires que la violence des tyrans et la lâcheté des peuples. Pour finir, tout ce que l'on peut dire en faveur de l'Académie, c'est qu'il s'agissait pour ces gens-là d'un amour se terminant en amitié : et que l'on n'était donc pas si loin de la définition stoïque de l'amour :

> *L'amour est le désir d'obtenir l'amitié d'une personne*
> *qui nous attire par sa beauté.*
> Cicéron, *Tusculanes*, IV, XXXIV.

l'aimé ; d'autant qu'il lui fallait juger d'une beauté interne, de difficile connaissance et abstruse découverte), lors naissait en l'aimé le désir d'une conception spirituelle par l'entremise d'une spirituelle beauté. Celle-ci[1] était ici principale ; la corporelle, accidentelle et seconde : tout le rebours de l'amant.

À cette cause[2] préfèrent-ils l'aimé, et vérifient que les Dieux aussi le préfèrent, et tancent grandement le poète Eschyle[3] d'avoir, en l'amour d'Achille et de Patrocle, donné la part de l'amant à Achille, qui était en la première et imberbe verdeur de son adolescence, et le plus beau des Grecs. Après cette communauté générale, la maîtresse et plus digne partie d'icelle exerçant ses offices et prédominant, ils[4] disent qu'il en provenait des fruits très utiles au privé et au public. Que c'était la force des pays qui en recevaient l'usage, et la principale défense de l'équité et de la liberté. Témoin les salutaires amours de Hermodius et d'Aristogiton[5]. Pourtant la nomment-ils sacrée et divine, et n'est, à leur compte, que la violence des tyrans et lâcheté des peuples qui lui soit adversaire. Enfin, tout ce qu'on peut donner à la faveur de l'Académie[6], c'est dire que c'était un amour se terminant en amitié : chose qui ne se rapporte pas mal à la définition Stoïque de l'amour :

> *Amorem conatum esse amicitiæ faciendæ ex pulchritudinis specie*[7].

---

1. **Celle-ci** : la beauté spirituelle.

2. **À cette cause** : pour cette raison.

3. **Eschyle** (vers 525-456 av. J.-C.) : le premier auteur grec de tragédies. Montaigne se réfère à ce qu'écrit Platon dans *Le Banquet* au sujet de la pièce d'Eschyle.

4. **Ils** : les platoniciens.

5. D'après le *Banquet*, ces deux amants sont des tyrannicides, mais une tradition, reprise par La Boétie dans son *Discours*, fait d'eux les « martyrs de la liberté ».

6. **L'Académie** : l'école de Platon.

7. Cicéron, *Tusculanes*, IV, XXXIV.

Mais je reviens à ma description de l'amitié, de façon plus juste et plus exacte :

> *On ne peut pleinement juger des amitiés que lorsque, avec l'âge, les caractères se sont formés et affermis.*
> Cicéron, *De l'amitié*, XX.

225 Au demeurant, ce que nous appelons d'ordinaire « amis » et « amitiés », ce ne sont que des relations familières nouées par quelque circonstance ou par utilité, et par lesquelles nos âmes sont liées. Dans l'amitié dont je parle, elles s'unissent et se confondent de façon si complète qu'elles effacent et font 230 disparaître la couture qui les a jointes. Si on insiste pour me faire dire pourquoi je l'aimais, je sens que cela ne peut s'exprimer qu'en répondant : « Parce que c'était lui, parce que c'était moi. »

Au-delà de tout ce que je peux en dire, et même en entrant 235 dans les détails, il y a une force inexplicable et due au destin, qui a agi comme l'entremetteuse de cette union. Nous nous cherchions avant de nous être vus, et les propos tenus sur l'un et l'autre d'entre nous faisaient sur nous plus d'effet que de tels propos ne le font raisonnablement d'ordinaire : je crois que 240 le ciel en avait décidé ainsi. Prononcer nos noms, c'était déjà nous embrasser. Et à notre première rencontre, qui se fit par hasard au milieu d'une foule de gens, lors d'une grande fête dans une ville, nous nous trouvâmes tellement conquis l'un par l'autre, comme si nous nous connaissions déjà, et déjà tel-245 lement liés, que plus rien dès lors ne nous fut aussi proche que ne le fut l'un pour l'autre.

Il écrivit une satire en latin, excellente, qui a été publiée, et dans laquelle il excuse et explique la précipitation avec laquelle se produisit notre connivence, parvenue si 250 rapidement à sa perfection. Destinée à durer si peu, parce qu'elle avait débuté si tard (alors que nous étions déjà des

Je reviens à ma description, de façon plus équitable et plus équable :

Omnino amicitiæ, corroboratis jam, confirmatisque ingeniis et ætatibus, judicandæ sunt [1].

Au demeurant, ce que nous appelons ordinairement amis et amitiés, ce ne sont qu'accointances et familiarités nouées par quelque occasion ou commodité, par le moyen de laquelle nos âmes s'entretiennent. En l'amitié de quoi je parle, elles se mêlent et confondent l'une en l'autre, d'un mélange si universel qu'elles effacent et ne retrouvent plus la couture qui les a jointes. Si on me presse de dire pourquoi je l'aimais, je sens que cela ne se peut exprimer qu'en répondant : « Parce que c'était lui, parce que c'était moi. »

Il y a au-delà de tout mon discours, et de ce que j'en puis dire particulièrement, ne sais quelle force inexplicable et fatale, médiatrice de cette union. Nous nous cherchions avant que de nous être vus, et par des rapports que nous oyions [2] l'un de l'autre, qui faisaient en notre affection plus d'effort que ne porte la raison des rapports : je crois par quelque ordonnance du ciel. Nous nous embrassions [3] par nos noms. Et à notre première rencontre, qui fut par hasard en une grande fête et compagnie de ville, nous nous trouvâmes si pris, si connus, si obligés entre nous, que rien dès lors ne nous fut si proche que l'un à l'autre.

Il écrivit une Satire Latine excellente, qui est publiée [4], par laquelle il excuse et explique la précipitation de notre intelligence, si promptement parvenue à sa perfection. Ayant si peu à durer, et ayant si tard commencé (car nous étions

---

1. Cicéron, *De l'amitié*, XX.
2. **Oyions** : entendions.
3. **Nous nous embrassions** : nous nous sommes connus.
4. Il s'agit d'une satire en latin, publiée par Montaigne en 1571.

hommes mûrs, et lui, ayant quelques années de plus que moi), elle n'avait pas de temps à perdre... Et elle n'avait pas non plus à se régler sur le modèle des amitiés ordinaires et
255 faibles, qui ont tellement besoin par précaution de longs entretiens préalables. Cette amitié-ci n'a point d'autre modèle idéal qu'elle-même et ne peut se référer qu'à elle-même. Ce n'est pas une observation spéciale, ni deux, ni trois, ni quatre, ni mille, c'est je ne sais quelle quintessence de
260 tout ce mélange qui, s'étant emparé de ma volonté, l'amena à plonger et se perdre dans la sienne ; qui s'étant emparé de sa volonté, l'amena à plonger et se perdre dans la mienne, avec le même appétit, et d'un même élan. Et je dis « perdre », vraiment, car nous n'avions plus rien en propre, rien qui fût
265 encore à lui ou à moi.

Après la condamnation de Tiberius Gracchus, les consuls romains poursuivaient tous ceux qui avaient fait partie de son complot. Quand Lélius demanda, devant eux, à Caius Blossius, qui était le meilleur ami de Gracchus, ce qu'il aurait voulu faire
270 pour lui, celui-ci répondit : « Tout. – Comment, tout ? poursuivit l'autre. Et s'il t'avait commandé de mettre le feu à nos temples ? – Il ne me l'aurait jamais demandé, répondit Blosius. – Mais s'il l'avait fait tout de même ? ajouta Lélius. – Alors je lui aurais obéi », répondit-il. S'il était si totalement l'ami de
275 Gracchus, comme le disent les historiens, il était bien inutile d'offenser les Consuls par ce dernier aveu, si provocant : il n'aurait pas dû abandonner la certitude qu'il avait de la volonté de Grachus.

Mais ceux qui jugent cette réponse séditieuse ne comprennent pas bien ce mystère et ne supposent même pas, comme
280 c'est pourtant la vérité, que Blossius tenait Gracchus entièrement sous sa coupe, parce qu'il avait de l'ascendant sur lui,

tous deux hommes faits, et lui plus de quelques années [1]), elle n'avait point à perdre temps. Et n'avait à se régler au patron des amitiés molles et régulières, auxquelles il faut tant de précautions de longue et préalable conversation. Celle-ci n'a point d'autre idée que d'elle-même, et ne se peut rapporter qu'à soi. Ce n'est pas une spéciale considération, ni deux, ni trois, ni quatre, ni mille : c'est je ne sais quelle quintessence de tout ce mélange, qui, ayant saisi toute ma volonté, l'amena se plonger et se perdre dans la sienne, qui ayant saisi toute sa volonté, l'amena se plonger et se perdre en la mienne, d'une faim, d'une concurrence pareille. Je dis « perdre » à la vérité, ne nous réservant rien qui nous fût propre, ni qui fût ou sien, ou mien.

Quand Lélius [2] en présence des Consuls Romains, lesquels, après la condamnation de Tiberius Gracchus, poursuivaient tous ceux qui avaient été de son intelligence, vint à s'enquérir de Caius Blosius (qui était le principal de ses amis) combien il eût voulu faire pour lui, et qu'il eût répondu : « Toutes choses. – Comment toutes choses ? suivit-il, et quoi, s'il t'eût commandé de mettre le feu en nos temples ? – Il ne me l'eût jamais commandé, répliqua Blosius. – Mais s'il l'eût fait ? ajouta Lélius. – J'y eusse obéi », répondit-il. S'il était si parfaitement ami de Gracchus, comme disent les histoires, il n'avait que faire d'offenser les Consuls par cette dernière et hardie confession ; et ne se devait départir de l'assurance qu'il avait de la volonté de Gracchus.

Mais toutefois ceux qui accusent cette réponse comme séditieuse, n'entendent pas bien ce mystère, et ne présupposent pas, comme il est, qu'il tenait la volonté de Gracchus en sa manche, et par puissance et par connaissance. Ils étaient

---

1. Lors de leur rencontre en 1588, Montaigne avait 25 ans et La Boétie trois ans de plus.

2. Lélius : consul romain, interlocuteur principal dans *De l'amitié* de Cicéron.

et qu'il le connaissait bien. En fait, ils étaient plus amis qu'ils n'étaient citoyens, plus amis qu'amis ou ennemis de leur pays,
285 plus amis qu'amis de l'ambition et des troubles. S'étant complètement adonnés l'un à l'autre, ils tenaient parfaitement les rênes de leur inclination réciproque. Faites donc alors guider cet attelage par la vertu et selon la raison (car il est impossible de l'atteler sans cela) et vous comprendrez que la réponse de
290 Blossius fut bien ce qu'elle devait être. Si leurs actions cependant ont ensuite divergé, c'est qu'à mon avis ils n'étaient ni vraiment amis l'un de l'autre ni amis d'eux-mêmes.

Et après tout, cette réponse n'a pas plus de sens que n'en aurait la mienne si je répondais affirmativement à celui qui
295 me demanderait : « Si votre volonté vous commandait de tuer votre fille, le feriez-vous ? » Car cela ne prouverait nullement que je consente vraiment à le faire, parce que si je ne doute absolument pas de ma volonté, je ne doute pas non plus de celle d'un ami comme celui-là. Tous les raisonnements du monde
300 ne m'enlèveront pas la certitude que j'ai de ses intentions et de son jugement ; et aucune de ses actions ne saurait m'être présentée, de quelque façon que ce soit, que je n'en devine aussitôt quel en a pu être le mobile. Nos âmes ont marché tellement de concert, elles se sont prises d'une affection si profonde, et
305 se sont découvertes l'une à l'autre si profondément, jusqu'aux entrailles, que non seulement je connaissais la sienne comme la mienne, mais que je me serais certainement plus volontiers fié à lui qu'à moi pour ce qui me concerne moi-même.

Qu'on ne mette pas sur le même plan ces autres amitiés,
310 plus communes : j'en ai autant qu'un autre, et même des plus parfaites dans leur genre. Mais on se tromperait en confondant leurs règles, et je ne le conseille pas. Avec celles-là, il faut marcher la bride à la main, avec prudence et précaution, car la liaison n'en est pas établie de manière à ce que l'on n'ait

plus amis que citoyens, plus amis qu'amis ou qu'ennemis de leur pays, qu'amis d'ambition et de trouble. S'étant parfaitement commis l'un à l'autre, ils tenaient parfaitement les rênes de l'inclination l'un de l'autre ; et faites guider ce harnois par la vertu et conduite de la raison (comme aussi est-il du tout[1] impossible de l'atteler sans cela), la réponse de Blosius est telle qu'elle devait être. Si leurs actions se démanchèrent, ils n'étaient ni amis, selon ma mesure, l'un de l'autre, ni amis à eux-mêmes.

Au demeurant cette réponse ne sonne non plus que ferait la mienne, à qui s'enquerrait à moi de cette façon : « Si votre volonté vous commandait de tuer votre fille, la tueriez-vous ? » et que je l'accordasse. Car cela ne porte aucun témoignage de consentement à ce faire, parce que je ne suis point en doute de ma volonté, et tout aussi peu de celle d'un tel ami. Il n'est pas en la puissance de tous les discours du monde de me déloger de la certitude que j'ai des intentions et jugements du mien[2] ; aucune de ses actions ne me saurait être présentée, quelque visage qu'elle eût, que je n'en trouvasse incontinent le ressort. Nos âmes ont charrié si uniment ensemble, elles se sont considérées d'une si ardente affection, et de pareille affection découvertes jusqu'au fin fond des entrailles l'une à l'autre, que non seulement je connaissais la sienne comme la mienne, mais je me fusse certainement plus volontiers fié à lui de moi qu'à moi.

Qu'on ne me mette pas en ce rang ces autres amitiés communes : j'en ai autant de connaissance qu'un autre, et des plus parfaites de leur genre. Mais je ne conseille pas qu'on confonde leurs règles, on s'y tromperait. Il faut marcher en ces autres amitiés, la bride à la main, avec prudence et précaution ; la liaison n'est pas nouée en manière qu'on n'ait

1. **Du tout** : tout à fait.
2. **Du mien** : de mon ami.

315 jamais à s'en méfier. «Aimez-le», disait Chilon, «comme si vous deviez quelque jour le haïr. Haïssez-le comme si vous deviez un jour l'aimer». Ce précepte, qui est si abominable quand il s'agit de la pleine et entière amitié, est salubre quand il s'agit des amitiés ordinaires et communes, à propos desquelles
320 s'applique le mot qu'Aristote employait souvent: «Ô mes amis, il n'existe pas d'ami!»

Dans ces relations de qualité, l'intervention et les bienfaits qui nourrissent les autres amitiés ne méritent même pas d'être pris en compte, de par la fusion complète de nos volontés.
325 Car de la même façon que l'amitié que je me porte n'est pas augmentée par l'aide que je m'apporte à l'occasion, quoi qu'en disent les stoïciens, et de même que je ne me sais aucun gré du service que je me rends, de même l'union de tels amis étant vraiment parfaite, elle leur fait perdre le sentiment des obliga-
330 tions de ce genre, et chasser d'entre eux les mots de division et de différence tels que: bienfait, obligation, reconnaissance, prière, remerciement – et autres du même genre. C'est qu'en effet, tout étant commun entre eux: souhaits, pensées, juge- ments, biens, femmes, honneur et vie, et qu'ils n'ont qu'une
335 seule âme en deux corps, selon la définition très juste d'Aris- tote, ils ne peuvent évidemment rien se prêter ni se donner.

Voilà pourquoi le législateur, pour honorer le mariage par une ressemblance, d'ailleurs illusoire en fait, avec cette divine union, interdit les donations entre mari et femme. Il veut signi-
340 fier par là que tout doit être à chacun d'eux, et qu'ils n'ont rien à diviser ou se répartir. Si, dans l'amitié dont je parle, l'un pou- vait donner quelque chose à l'autre, ce serait en fait celui qui recevrait qui obligerait son compagnon. Car ils cherchent l'un et l'autre, plus que toute autre chose, à se faire mutuellement du

aucunement à s'en défier. Aimez-le (disait Chilon[1]) comme ayant quelque jour à le haïr; haïssez-le comme ayant à l'aimer. Ce précepte, qui est si abominable en cette souveraine et maîtresse amitié, il est salubre en l'usage des amitiés ordinaires et coutumières, à l'endroit desquelles il faut employer le mot qu'Aristote avait très familier : « Ô mes amis, il n'y a nul ami. »

En ce noble commerce, les offices[2] et les bienfaits, nourriciers des autres amitiés, ne méritent pas seulement d'être mis en compte; cette confusion si pleine de nos volontés en est cause. Car, tout ainsi que l'amitié que je me porte ne reçoit point augmentation pour le secours que je me donne au besoin, quoi que disent les Stoïciens, et comme je ne me sais aucun gré du service que je me fais, aussi l'union de tels amis étant véritablement parfaite, elle leur fait perdre le sentiment de tels devoirs, et haïr et chasser d'entre eux ces mots de division et de différence, bienfait, obligation, reconnaissance, prière, remerciement, et leurs pareils. Tout étant par effet commun entre eux, volontés, pensements, jugements, biens, femmes, enfants, honneur et vie, et leur convenance[3] n'étant qu'une âme en deux corps, selon la très propre définition d'Aristote[4], ils ne se peuvent ni prêter ni donner rien.

Voilà pourquoi les faiseurs de lois, pour honorer le mariage de quelque imaginaire ressemblance de cette divine liaison, défendent les donations entre le mari et la femme, voulant inférer par là que tout doit être à chacun d'eux, et qu'ils n'ont rien à diviser et partir ensemble. Si, en l'amitié de quoi je parle, l'un pouvait donner à l'autre, ce serait celui qui rece-

---

1. **Chilon** : un des Sept Sages de la Grèce.
2. **Offices** : services.
3. **Convenance** : accord.
4. Dans l'*Éthique à Nicomaque*, Aristote définit les amis comme n'ayant qu'une seule âme.

345 bien, et c'est en fait celui qui en fournit l'occasion qui se montre
généreux, puisqu'il offre à son ami ce plaisir de faire pour lui
ce qu'il désire le plus. Quand le philosophe Diogène manquait
d'argent, il disait qu'il le redemandait à ses amis, et non qu'il leur
en demandait. Et pour montrer ce qu'il en est dans la réalité,
350 j'en donnerai un exemple ancien et remarquable.

Le Corinthien Eudamidas avait deux amis : Charixènos un
Sycionien, et Aréthéos, un Corinthien. Sur le point de mourir,
étant pauvre et ses deux amis riches, il rédigea ainsi son testament : « Je lègue à Aréthéos le soin de nourrir ma mère, et de
355 subvenir à ses besoins durant sa vieillesse ; à Charixènos, celui
de marier ma fille, et de lui donner le douaire le plus grand qu'il
pourra ; et au cas où l'un d'eux viendrait à défaillir, je reporte
sa part sur celui qui lui survivra. » Les premiers qui virent ce
testament s'en moquèrent ; mais ses héritiers, ayant été avertis,
360 l'acceptèrent avec une grande satisfaction. Et l'un d'eux, Charixènos, ayant trépassé cinq jours après, la substitution s'opé-
rant en faveur d'Aréthéos, il nourrit scrupuleusement la mère,
et des cinq talents qu'il possédait, il en donna deux et demi en
mariage à sa fille unique, et deux et demi pour le mariage de la
365 fille d'Eudamidas, et les noces se firent le même jour.

Cet exemple est excellent. Si l'on peut y trouver à redire, c'est
à propos de la pluralité d'amis : car cette parfaite amitié dont
je parle est indivisible. Chacun se donne tellement en entier à
son ami, qu'il ne lui reste rien à donner ailleurs ; au contraire, il
370 déplore de n'être pas double, triple, quadruple, de ne pas avoir
plusieurs âmes et plusieurs volontés, pour les attribuer toutes

vrait le bienfait qui obligerait son compagnon. Car cherchant
l'un et l'autre, plus que toute autre chose, de s'entre-bien faire,
celui qui en prête la matière et l'occasion est celui-là qui fait le
libéral, donnant ce contentement à son ami d'effectuer en son
endroit ce qu'il désire le plus. Quand le Philosophe Diogène
avait faute d'argent, il disait qu'il le redemandait à ses amis,
non qu'il le demandait. Et pour montrer comment cela se
pratique par effet, j'en réciterai un ancien[1] exemple singulier.

Eudamidas, Corinthien, avait deux amis, Charixenus,
Sicyonien[2], et Arétheus, Corinthien. Venant à mourir étant
pauvre, et ses deux amis riches, il fit ainsi son testament : « Je
lègue à Arétheus de nourrir ma mère, et l'entretenir en sa
vieillesse ; à Charixenus, de marier ma fille et lui donner le
douaire[3] le plus grand qu'il pourra ; et au cas que l'un d'eux
vienne à défaillir, je substitue en sa part celui qui survivra. »
Ceux qui premiers virent ce testament, s'en moquèrent ; mais
ses héritiers, en ayant été avertis, l'acceptèrent avec un singulier contentement. Et l'un d'eux, Charixenus, étant trépassé cinq jours après, la substitution étant ouverte en faveur
d'Arétheus, il nourrit curieusement cette mère, et, de cinq
talents qu'il avait en ses biens, il en donna les deux et demi
en mariage à une sienne fille unique, et deux et demi pour
le mariage de la fille d'Eudamidas, desquelles il fit les noces
en même jour.

Cet exemple est bien plein ; si une condition en était à
dire, qui est la multitude d'amis. Car cette parfaite amitié,
de quoi je parle, est indivisible ; chacun se donne si entier
à son ami, qu'il ne lui reste rien à départir ailleurs ; au rebours, il est marri qu'il ne soit double, triple ou quadruple,
et qu'il n'ait plusieurs âmes et plusieurs volontés, pour les

---

1. **Ancien** : antique.
2. **Sicyonien** : de la ville grecque de Sicyone, près de Corinthe.
3. **Douaire** : bien.

à son ami. Les amitiés ordinaires, elles, peuvent se diviser : on peut aimer la beauté chez l'un, la facilité de caractère chez un autre, la libéralité chez un troisième, la qualité de père chez
375 celui-ci, celle de frère chez celui-là, et ainsi de suite. Mais cette amitié-là, qui s'empare de l'âme, et règne sur elle en toute autorité, il est impossible qu'elle soit double. Si deux amis vous demandaient à être secourus au même moment, vers lequel vous précipiteriez-vous ? S'ils exigeaient de vous des services
380 opposés, comment feriez-vous ? Si l'un vous confiait sous le sceau du silence quelque chose qui serait utile à connaître pour l'autre, comment vous en tireriez-vous ?

Une amitié unique et essentielle délie de toutes les autres obligations. Le secret que j'ai juré de ne révéler à personne
385 d'autre, je puis, sans me parjurer, le communiquer à celui qui n'est pas un autre, puisqu'il est moi. C'est une chose assez extraordinaire de pouvoir se dédoubler, et ils n'en connaissent pas la valeur, ceux qui prétendent se diviser en trois. À qui a son pareil rien n'est excessif. Et qui pourrait penser que des deux j'aime
390 autant l'un que l'autre, et qu'ils s'aiment aussi entre eux, et qu'ils m'aiment autant que je les aime ? La chose la plus unique et la plus unie, la voici qui se multiplie en une confrérie, et pourtant c'est la chose la plus rare qu'on puisse trouver au monde.

Le reste de cette histoire illustre bien ce que je disais : Euda-
395 midas accorde à ses amis la grâce et la faveur de les employer à son secours : il les fait héritiers de cette libéralité qui consiste à leur offrir les moyens d'œuvrer pour son bien à lui. Et ainsi la force de l'amitié se montre bien plus nettement dans son cas que dans celui d'Aréthéos. Bref, ces choses-là sont inima-
400 ginables pour qui ne les a pas éprouvées ; et elles m'amènent à vouer une grande considération à la réponse de ce jeune soldat à Cyrus, qui lui demandait pour combien il céderait le cheval avec lequel il venait de gagner une course, et s'il l'échangerait contre un royaume. « Non certes, sire, mais je le donnerais bien

conférer toutes à ce sujet. Les amitiés communes on les peut départir, on peut aimer en celui-ci la beauté, en cet autre la facilité de ses mœurs, en l'autre la libéralité[1], en celui-là la paternité, en cet autre la fraternité, ainsi du reste ; mais cette amitié, qui possède l'âme et la régente en toute souveraineté, il est impossible qu'elle soit double. Si deux en même temps demandaient à être secourus, auquel courriez-vous ? S'ils requéraient de vous des offices contraires, quel ordre y trouveriez-vous ? Si l'un commettait à votre silence chose qui fût utile à l'autre de savoir, comment vous en démêleriez-vous ?

L'unique et principale amitié découd toutes autres obligations. Le secret que j'ai juré ne déceler à nul autre, je le puis, sans parjure, communiquer à celui qui n'est pas autre : c'est moi. C'est un assez grand miracle de se doubler ; et n'en connaissent pas la hauteur ceux qui parlent de se tripler. Rien n'est extrême, qui a son pareil. Et qui présupposera que de deux j'en aime autant l'un que l'autre, et qu'ils s'entraiment et m'aiment autant que je les aime, il multiplie en confrérie la chose la plus une et unie, et de quoi une seule est encore la plus rare à trouver au monde.

Le demeurant de cette histoire convient très bien à ce que je disais : car Eudamidas donne pour grâce et pour faveur à ses amis de les employer à son besoin. Il les laisse héritiers de cette sienne libéralité, qui consiste à leur mettre en main les moyens de lui bien faire. Et, sans doute, la force de l'amitié se montre bien plus richement en son fait qu'en celui d'Arétheus. Somme, ce sont effets inimaginables à qui n'en a goûté, et qui me font honorer à merveille la réponse de ce jeune soldat à Cyrus, s'enquérant à lui pour combien il voudrait donner un cheval, par le moyen duquel il venait de gagner le prix de la course, et s'il le voudrait échanger à un royaume : « Non certes, Sire : mais bien le laisserais-je

---

1. Libéralité : générosité.

405 volontiers en échange d'un ami, si je trouvais un homme qui
en soit digne. »

Il ne parlait pas si mal en disant : « si je trouvais ». Car si l'on
trouve facilement des hommes enclins à une fréquentation
superficielle, pour celle dont je parle, dans laquelle on a des
410 correspondances qui viennent du tréfonds du cœur, et qui ne
préservent rien, il faut vraiment que tous les ressorts en soient
parfaitement clairs et sûrs.

Dans les associations qui ne tiennent que par un bout, on
n'a à s'occuper que des imperfections qui affectent précisément
415 ce bout-là. Je me moque de savoir quelle est la religion de mon
médecin et de mon avocat ; cette considération n'a rien à voir
avec les services qu'ils me rendent par amitié pour moi. De même
pour l'organisation domestique, dont s'occupent avec moi ceux
qui sont à mon service : je cherche peu à savoir si un laquais
420 est chaste, mais s'il est diligent ; et je préfère un muletier joueur
plutôt qu'imbécile ; un cuisinier qui jure plutôt qu'ignorant.
Je n'ai pas la prétention de dire au monde ce qu'il faut faire :
d'autres s'en chargent suffisamment – mais ce que j'y fais.

> *Pour moi, c'est ainsi que j'en use ;*
425 > *Vous, faites comme vous jugerez bon.*
> Térence, *Heautontimorouménos*, I, 1.

Aux relations familières de la table, j'associe l'agréable, non le
sérieux. Au lit, je préfère la beauté à la bonté. Et dans la conversation, la compétence, même sans la probité. Et ainsi de suite.

On dit que celui qui fut trouvé chevauchant un bâton en jouant
430 avec ses enfants pria l'homme qui l'avait surpris de ne pas le raconter jusqu'à ce qu'il ait des enfants lui-même, pensant que la passion qui s'emparerait alors de son âme lui donnerait la possibilité
de juger équitablement de sa conduite. De même, je souhaiterais
moi aussi m'adresser à des gens qui auraient expérimenté ce que je
435 dis. Mais sachant combien une telle amitié est éloignée de l'usage

volontiers, pour en acquérir un ami, si je trouvais homme digne de telle alliance[1]. »

Il ne disait pas mal : « si je trouvais ». Car on trouve facilement des hommes propres à une superficielle accointance, mais en celle-ci, en laquelle on négocie du fin fond de son courage, qui ne fait rien de reste, il est besoin que tous les ressorts soient nets et sûrs parfaitement.

Aux confédérations qui ne tiennent que par un bout, on n'a à pourvoir qu'aux imperfections qui particulièrement intéressent ce bout-là. Il ne peut chaloir de quelle religion soit mon médecin, et mon avocat ; cette considération n'a rien de commun avec les offices de l'amitié qu'ils me doivent. Et en l'accointance domestique que dressent avec moi ceux qui me servent, j'en fais de même. Et m'enquiers peu d'un laquais s'il est chaste, je cherche s'il est diligent ; et ne crains pas tant un muletier joueur qu'imbécile ; ni un cuisinier jureur qu'ignorant. Je ne me mêle pas de dire ce qu'il faut faire au monde, d'autres assez s'en mêlent, mais ce que j'y fais,

Mihi sic usus est : Tibi, ut opus est facto, face[2].

À la familiarité de la table, j'associe le plaisant, non le prudent ; au lit, la beauté avant la bonté ; et en la société du discours, la suffisance, voire sans la prud'homie. Pareillement ailleurs.

Tout ainsi que celui qui fut rencontré à chevauchons sur un bâton, se jouant avec ses enfants, pria l'homme qui l'y surprit de n'en rien dire jusqu'à ce qu'il fût père lui-même, estimant que la passion qui lui naîtrait lors en l'âme, le rendrait juge équitable d'une telle action. Je souhaiterais aussi parler à des gens qui eussent essayé ce que je dis. Mais sachant combien c'est chose éloignée du commun usage

---

1. Exemple tiré de la *Cyropédie* de Xénophon.
2. Térence, *Heautontimoroumenos*, I, 1.

commun, combien elle est rare, je ne m'attends guère à trouver quelqu'un qui en soit bon juge.

Car même les traités que l'Antiquité nous a laissés sur ce sujet me semblent bien faibles au regard du sentiment que j'éprouve, et sur ce point, les faits surpassent les préceptes mêmes de la philosophie.

> *Tant que je serai sain d'esprit, il n'y a rien*
> *Que je comparerai à un tendre ami.*
> Horace, *Satires*, I, 44.

Le poète ancien Ménandre disait qu'il était heureux celui qui avait pu rencontrer seulement l'ombre d'un ami. Il avait bien raison de le dire, surtout s'il en avait lui-même fait l'expérience. Car en vérité, si je compare tout le reste de ma vie, qui, grâce à Dieu, a été douce, facile, et – sauf la perte d'un tel ami – exempte de graves afflictions, pleine de tranquillité d'esprit, car je me suis contenté de mes dons naturels et originels, sans en rechercher d'autres, si je la compare, dis-je, aux quatre années pendant lesquelles il m'a été donné de jouir de la compagnie et de la fréquentation agréables de cette personnalité, tout cela n'est que fumée, ce n'est qu'une nuit obscure et ennuyeuse. Depuis le jour où je l'ai perdu,

> *Jour qui me sera douloureux à jamais,*
> *Et qu'à jamais j'honorerai,*
> *– Telle a été votre volonté, Ô Dieux !*
> Virgile, *Énéide*, V, v. 49-50,

je ne fais que me traîner en languissant, et même les plaisirs qui s'offrent à moi, au lieu de me consoler, ne font que redoubler le regret de sa perte. Nous avions la moitié de tout : il me semble que je lui dérobe sa part.

> *Et j'ai décidé que je ne devais plus prendre aucun plaisir,*
> *N'ayant plus celui qui partageait ma vie.*
> Térence, *Heautontimorouménos*, I, 1, 149-150.

qu'une telle amitié, et combien elle est rare, je ne m'attends pas d'en trouver aucun bon juge.

Car les discours mêmes que l'antiquité nous a laissés sur ce sujet me semblent lâches au prix du sentiment que j'en ai. Et, en ce point, les effets surpassent les préceptes mêmes de la philosophie.

Nil ego contulerim jucundo sanus amico [1].

L'ancien Ménandre [2] disait celui-là heureux, qui avait pu rencontrer seulement l'ombre d'un ami ; il avait certes raison de le dire, même s'il en avait tâté. Car, à la vérité, si je compare tout le reste de ma vie, quoique avec la grâce de Dieu je l'aie passée douce, aisée, et sauf la perte d'un tel ami, exempte d'affliction pesante, pleine de tranquillité d'esprit, ayant pris en paiement mes commodités naturelles et originelles, sans en rechercher d'autres ; si je la compare, dis-je, toute, aux quatre années qu'il m'a été donné de jouir de la douce compagnie et société de ce personnage, ce n'est que fumée, ce n'est qu'une nuit obscure et ennuyeuse. Depuis le jour que je le perdis,

> *quem semper acerbum,*
> *Semper honoratum (sic Dii voluistis) habebo* [3],

je ne fais que traîner languissant, et les plaisirs mêmes qui s'offrent à moi, au lieu de me consoler, me redoublent le regret de sa perte. Nous étions à moitié de tout : il me semble que je lui dérobe sa part,

> *Nec fas esse ulla me voluptate hic frui*
> *Decrevi, tantisper dum ille abest meus particeps* [4].

---

1. Horace, *Satires*, I, 44.
2. **Ménandre** (vers 342-292 av. J.-C.): auteur athénien de comédies.
3. Virgile, *Énéide*, V, v. 49-50.
4. Térence, *Heautontimoroumenos*, I, 1, 149-150.

J'étais déjà si formé et habitué à être le deuxième partout,
465 qu'il me semble maintenant n'être plus qu'à demi.

> *Puisqu'un coup prématuré m'a ravi la moitié de mon âme,*
> *Pourquoi moi, l'autre moitié, demeuré-je,*
> *Moi qui suis dégoûté de moi-même,*
> *Et qui ne survis pas tout entier ?*
> Horace, *Odes*, II, 17, v. 5 *et sq.*

470 Il n'est pas d'action ni de pensée où il ne me manque, comme
je lui aurais manqué moi-même. Car il me dépassait d'une distance infinie pour l'amitié comme en toutes autres capacités et
vertus.

[...]

J'étais déjà si fait et accoutumé à être deuxième partout, qu'il me semble n'être plus qu'à demi.

Illam meæ si partem animæ tulit
Maturior vis, quid moror altera,
Nec charus æque nec superstes
Integer ? Ille dies utramque
Duxit ruinam [1].

Il n'est action ou imagination où je ne le trouve à dire, comme si eût-il bien fait à moi. Car de même qu'il me surpassait d'une distance infinie en toute autre suffisance et vertu, aussi faisait-il au devoir de l'amitié.

[…]

---

1. Horace, *Odes*, II, 17, v. 5 *et seq.*

Chapitre xxx
Sur les cannibales

Quand le roi Pyrrhus passa en Italie, et qu'il eut constaté l'organisation de l'armée que les Romains envoyaient contre lui, il déclara : « Je ne sais quelle sorte de barbares ce sont là (car les Grecs appelaient ainsi tous les peuples étrangers), mais la disposition de l'armée que je vois n'est certainement pas barbare. » Les Grecs en dirent autant de celle que Flaminius fit passer en leur pays, et Philippe lui aussi, observant d'une hauteur l'ordonnance et la disposition d'un camp romain installé en son royaume sous Publius Sulpicius Galba. On voit qu'il faut éviter d'adopter les opinions courantes, et qu'il faut en juger, non en fonction des idées reçues, mais sous l'angle de la raison.

J'ai eu longtemps auprès de moi un homme qui avait vécu dix ou douze ans dans cet autre monde qui a été découvert en notre siècle, à l'endroit où Villegagnon toucha terre, et qu'il

Des cannibales [1]

La relativité du jugement des peuples les uns sur les autres est au cœur de ce chapitre qui remet en cause la notion de barbarie. Non que les Indiens soient de « bons sauvages » (ils sont cruels et sanguinaires), mais ils incarnent le courage, la vertu et révèlent la supériorité des hommes à l'état de nature sur ceux que produit la société artificielle européenne.

Quand le roi Pyrrhus [2] passa en Italie, après qu'il eut reconnu l'ordonnance de l'armée que les Romains lui envoyaient au-devant : « Je ne sais, dit-il, quels barbares sont ceux-ci (car les Grecs appelaient ainsi toutes les nations étrangères) mais la disposition de cette armée que je vois, n'est aucunement barbare. » Autant en dirent les Grecs de celle que Flaminius fit passer en leur pays, et Philippe [3], voyant d'un tertre l'ordre et distribution du camp Romain en son Royaume, sous Publius Sulpicius Galba. Voilà comment il se faut garder de s'attarder aux opinions vulgaires, et les faut juger par la voie de la raison, non par la voix commune.

J'ai eu longtemps avec moi un homme qui avait demeuré dix ou douze ans en cet autre monde qui a été découvert en notre siècle, en l'endroit où Villegagnon prit terre, qu'il

---

1. C'est le nom donné au XVI⁰ siècle aux habitants de la côte brésilienne, les Tupinambas, que l'amiral français Villegagnon a tenté de coloniser en 1557. André Thevet et Jean de Léry, deux auteurs ayant participé à cette expédition, en ont tiré des ouvrages exploités par Montaigne : *Les Singularités de la France antarctique* (1557) et *La Cosmographie universelle* (1575) du premier ; l'*Histoire d'un voyage fait en terre de Brésil* (1578) du second. Montaigne utilise aussi beaucoup, voire recopie, l'ouvrage traduit en 1579 de G. Benzoni, *Histoire nouvelle du Nouveau Monde* (1565).

2. Pyrrhus (vers 315-272 av. J.-C.) : roi d'Épire qui envahit le sud de l'Italie en 280 av. J.-C., mais fut finalement vaincu par les Romains.

3. Philippe V fut vaincu par Flaminius en 197 av. J.-C., ce qui mit fin à la guerre de Macédoine.

baptisa la France Antarctique. Cette découverte d'un pays immense semble importante. Mais je ne puis garantir qu'on n'en fera pas d'autre à l'avenir, car bien des gens plus qualifiés que nous se sont trompés à propos de celle-ci. J'ai bien peur que nous ayons les yeux plus grands que le ventre, et plus de curiosité que nous n'avons de capacités : nous embrassons tout, mais nous n'étreignons que du vent.

Platon fait dire à Solon, qui l'aurait lui-même appris des prêtres de la ville de Saïs en Égypte, que jadis, avant le déluge, il y avait une grande île nommée Atlantide, au débouché du détroit de Gibraltar, et qui était plus étendue que l'Afrique et l'Asie ensemble. Et les rois de cette contrée, qui ne possédaient pas seulement l'île en question, mais s'étaient avancés en terre ferme si loin qu'ils régnaient sur toute la largeur de l'Afrique jusqu'en Égypte, et sur toute la longueur de l'Europe jusqu'en Toscane, entreprirent d'aller jusqu'en Asie et de subjuguer toutes les nations qui bordent la Méditerranée, jusqu'à la mer Noire. Et que pour cela ils traversèrent l'Espagne, la Gaule, l'Italie, jusqu'en Grèce, où les Athéniens les combattirent. Mais quelque temps après, les Athéniens, et eux et leur île Atlantide, tout fut englouti par le déluge.

Il est assez vraisemblable que ces extrêmes ravages commis par les eaux aient amené des changements surprenants à la configuration de la terre : on considère par exemple que la mer a séparé la Sicile d'avec l'Italie.

> *Ces terres qui n'étaient qu'un seul continent,*
> *Se sont, dit-on, séparées*
> *Dans une violente convulsion.*
> Virgile, *Énéide*, III, v. 414.

surnomma la France Antarctique[1]. Cette découverte d'un pays infini semble de considération. Je ne sais si je me puis répondre qu'il ne s'en fasse à l'avenir quelque autre, tant de personnages plus grands que nous ayant été trompés en celle-ci. J'ai peur que nous ayons les yeux plus grands que le ventre, et plus de curiosité que nous n'avons de capacité : nous embrassons tout, mais nous n'étreignons que du vent.

Platon[2] introduit Solon racontant avoir appris des Prêtres de la ville de Saïs, en Égypte, que jadis et avant le déluge, il y avait une grande Île nommée Atlantide, droit à la bouche du détroit de Gibraltar, qui tenait plus de pays que l'Afrique et l'Asie toutes deux ensemble, et que les Rois de cette contrée-là, qui ne possédaient pas seulement cette Île, mais s'étaient étendus dans la terre ferme si avant qu'ils tenaient de la largeur d'Afrique jusqu'en Égypte, et de la longueur de l'Europe jusqu'en la Toscane, entreprirent d'enjamber jusque sur l'Asie, et subjuguer toutes les nations qui bordent la mer Méditerranée, jusqu'au golfe de la mer Majour ; et pour cet effet, traversèrent les Espagnes[3], la Gaule, l'Italie, jusqu'en la Grèce, où les Athéniens les soutinrent ; mais que, quelque temps après, et les Athéniens et eux et leur Île furent engloutis par le déluge.

Il est bien vraisemblable que cet extrême ravage d'eau ait fait des changements étranges aux habitations de la terre, comme on tient que la mer a retranché la Sicile d'avec l'Italie.

> *Hæc loca vi quondam, et vasta convulsa ruina*
> *Dissiluisse ferunt, cum protinus utraque tellus*
> *Una foret*[4].

---

1. L'expédition qui conduisit son chef, Nicolas Durand de Villegagnon, à l'entrée de la baie de Rio de Janeiro, finit par des disputes religieuses entre catholiques et protestants.

2. Dans le *Timée*, de Platon, Solon évoque l'Atlantide, île engloutie par un cataclysme. L'idée que l'Amérique est un reste de l'Atlantide se trouve chez André Thevet.

3. Le pluriel renvoie aux différentes provinces d'Espagne.

4. Virgile, *Énéide*, III, v. 414.

De même, Chypre s'est séparée d'avec la Syrie, l'île d'Eubée d'avec la terre ferme de la Béotie ; ailleurs la mer a fait se rejoindre des terres qui étaient séparées, comblant de limon et de sable les fosses qui se trouvaient entre les deux.

> *Et un marais qui fut longtemps stérile et battu*
> *par les rames*
> *Nourrit maintenant les villes voisines*
> *Et supporte la lourde charrue.*
> Horace, Art poétique, 65.

Mais il ne semble pas que cette île Atlantide soit ce nouveau monde que nous venons de découvrir, car elle touchait presque l'Espagne, et ce serait un effet d'inondation incroyable que de l'avoir fait reculer ainsi de plus de douze cents lieues. D'autant que les navigateurs modernes ont déjà presque acquis la certitude que ce nouveau monde n'est pas une île, mais de la terre ferme, et même un continent, attenant à l'Inde orientale d'un côté et aux terres qui sont sous les pôles de l'autre, ou que s'il en est séparé, ce n'est que par un si petit détroit qu'il ne mérite pas d'être appelé « île » pour cela.

Il semble qu'il y ait des mouvements dans ces grands corps, comme dans le nôtre : les uns naturels, les autres fiévreux. Quand j'observe l'effet de ma rivière Dordogne, de mon temps, sur la rive droite de son cours, et que je constate qu'en vingt ans elle a tant gagné sur la terre, et qu'elle a sapé le fondement de plusieurs bâtiments, je vois bien que c'est là un mouvement extraordinaire : car si elle était toujours allée à ce train, ou si elle devait se comporter ainsi à l'avenir, l'aspect du pays en serait complètement bouleversé. Mais ces mouvements sont

Chypre d'avec la Syrie, l'Île de Nègrepont[1] de la terre ferme de la Béotie, et joint ailleurs les terres qui étaient divisées, comblant de limon et de sable les fosses d'entre deux,

> *sterilisque diu palus aptaque remis*
> *Vicinas urbes alit, et grave sentit aratrum*[2].

Mais il n'y a pas grande apparence, que cette Île[3] soit ce monde nouveau, que nous venons de découvrir; car elle touchait quasi l'Espagne, et ce serait un effet incroyable d'inondation, de l'en avoir reculée comme elle est, de plus de douze cents lieues. Outre ce que les navigations des modernes ont déjà presque découvert, que ce n'est point une île, ains terre ferme, et continente avec[4] l'Inde Orientale d'un côté, et avec les terres qui sont sous les deux pôles d'autre part; ou, si elle en est séparée, que c'est d'un si petit détroit[5] et intervalle, qu'elle ne mérite pas d'être nommée Île pour cela.

Il semble qu'il y ait des mouvements naturels les uns, les autres fiévreux, en ces grands corps comme aux nôtres[6]. Quand je considère l'impression que ma rivière de Dordogne fait de mon temps vers la rive droite de sa descente, et qu'en vingt ans elle a tant gagné, et dérobé le fondement à plusieurs bâtiments, je vois bien que c'est une agitation extraordinaire: car, si elle fût toujours allée ce train, ou dût aller à l'avenir, la figure du monde serait renversée. Mais il leur[7]

---

1. L'île d'Eubée se situe en Grèce.

2. Horace, *Art poétique*, 65.

3. L'Atlantide.

4. **Continente avec**: rattachée à.

5. Allusion à l'actuel détroit de Magellan au sud et au détroit de Béring au nord.

6. **Dans ces grands corps** (que sont les continents) **comme dans les nôtres**: les liens entre macrocosme (l'univers) et microcosme (l'homme) sont essentiels à la Renaissance.

7. **Leur**: renvoie aux rivières.

sujets à des changements : tantôt la rivière se répand d'un côté, tantôt elle se répand de l'autre, et tantôt encore elle se restreint à son cours.

75 Je ne parle pas des inondations soudaines, dont nous comprenons les causes : en Médoc, le long de la mer, mon frère, le Sieur d'Arsac, voit soudain une de ses terres ensevelie sous les sables que la mer vomit devant elle, et seul le faîte de certains de ses bâtiments se voit encore. Ses fermes et ses domaines se sont changés en pacages bien maigres. Les habitants du pays
80 disent que depuis quelque temps, la mer s'avance si fort vers l'intérieur qu'ils ont perdu quatre lieues de terre. Ces sables sont comme son avant-garde, et nous voyons de grandes dunes de sable mouvant progresser à une demi-lieue en avant de la mer, et gagner sur le pays.

85 L'autre témoignage de l'Antiquité, avec lequel on peut mettre en rapport cette découverte d'un nouveau monde, est dans Aristote, si du moins ce petit livre intitulé *Des merveilles inouïes* est bien de lui. Il y raconte que certains Carthaginois s'étaient lancés pour la traversée de l'océan Atlantique,
90 au-delà du détroit de Gibraltar. Après avoir navigué longtemps, ils avaient fini par découvrir une grande île fertile, entièrement couverte de forêts, arrosée par de grandes et profondes rivières, et fort éloignée de toute terre ferme, et qu'eux-mêmes et d'autres depuis, attirés par la richesse et la fertilité des terres,
95 allèrent s'y installer avec leurs femmes et leurs enfants.

Les seigneurs de Carthage, voyant que leur pays se dépeuplait peu à peu, défendirent expressément à quiconque, sous peine de mort, d'aller là-bas, et en chassèrent les récents habitants, craignant, à ce que l'on dit, qu'avec le temps, ils ne
100 viennent à se multiplier tellement qu'ils ne finissent par les supplanter eux-mêmes, et ne ruinent leur État. Ce récit d'Aristote ne s'accorde pas non plus avec ce que l'on sait des terres nouvellement découvertes.

prend des changements : tantôt elles s'épandent d'un côté, tantôt d'un autre, tantôt elles se contiennent.

Je ne parle pas des soudaines inondations de quoi nous manions les causes. En Médoc, le long de la mer, mon frère, Sieur d'Arsac, voit une sienne terre ensevelie sous les sables que la mer vomit devant elle ; le faîte d'aucuns bâtiments paraît encore ; ses rentes et domaines se sont échangés en pacages[1] bien maigres. Les habitants disent que depuis quelque temps, la mer se pousse si fort vers eux qu'ils ont perdu quatre lieues de terre. Ces sables sont ses fourriers, et voyons des grandes montjoies d'arènes mouvantes qui marchent une demi-lieue devant elle, et gagnent pays.

L'autre témoignage de l'antiquité, auquel on veut rapporter cette découverte, est dans Aristote, au moins si ce petit livret *Des merveilles inouïes* est à lui[2]. Il raconte là que certains Carthaginois s'étant jetés au travers de la mer Atlantique, hors le détroit de Gibraltar, et navigué longtemps, avaient découvert enfin une grande île fertile, toute revêtue de bois et arrosée de grandes et profondes rivières, fort éloignée de toutes terres fermes ; et qu'eux, et autres depuis, attirés par la bonté et fertilité du terroir, s'y en allèrent avec leurs femmes et enfants, et commencèrent à s'y habituer[3].

Les Seigneurs de Carthage, voyant que leur pays se dépeuplait peu à peu, firent défense expresse sur peine de mort, que nul n'eût plus à aller là, et en chassèrent ces nouveaux habitants, craignant, à ce qu'on dit, que par succession de temps ils ne vinssent à multiplier tellement qu'ils les supplantassent eux-mêmes, et ruinassent leur état. Cette narration d'Aristote n'a non plus d'accord avec nos terres neuves.

---

1. Pacages : pâturages.

2. Ce livre n'est pas d'Aristote. Montaigne reprend Gomara et Benzoni, *Histoire nouvelle du Nouveau Monde* (1565).

3. Habituer : installer.

Cet homme qui était à mon service était simple et fruste, ce
105 qui est une condition favorable pour fournir un témoignage
véridique. Car les gens à l'esprit plus délié font preuve de plus
de curiosité, et remarquent plus de choses, mais ils les com-
mentent. Et pour faire valoir leur interprétation, et en persuader les autres, ils ne peuvent s'empêcher d'altérer un peu l'His-
110 toire : ils ne vous rapportent jamais les choses telles qu'elles
sont vraiment, mais les sollicitent et les déforment un peu
en fonction de la façon dont ils les ont vues. Et pour donner
du crédit à leur jugement et vous y faire adhérer, ils ajoutent
volontiers quelque chose à leur matière, l'allongent et l'ampli-
115 fient. Au contraire, il faut disposer comme témoin, soit d'un
homme dont la mémoire soit très fidèle, soit d'un homme si
simple qu'il ne puisse trouver lui-même de quoi bâtir et donner de la vraisemblance à des inventions fallacieuses, et qui
n'ait là-dessus aucun préjugé. C'était le cas du mien : et pour-
120 tant, il m'a fait voir à plusieurs reprises des matelots et des
marchands qu'il avait connus pendant son voyage. C'est pourquoi je me contente de cette information-là, sans m'occuper
de ce que les cosmographes disent sur la question.

Il nous faudrait des topographes qui nous fassent une des-
125 cription précise des lieux où ils sont allés. Mais parce qu'ils
ont cet avantage sur nous d'avoir vu la Palestine, ils en profi-
tent toujours pour nous donner aussi des nouvelles de tout
le reste du monde ! Je voudrais que chacun écrive ce qu'il sait,
et pas plus qu'il n'en sait, sur tous les sujets. Car tel peut avoir
130 quelque connaissance ou expérience particulière d'une rivière,
ou d'une fontaine, et ne savoir, sur tout le reste, rien de plus
que ce que chacun en sait. Mais malheureusement, pour exposer son petit domaine, il entreprend généralement de réécrire
toute la Physique ! Et ce travers génère de graves inconvénients.

Cet homme que j'avais, était homme simple et grossier, qui est une condition propre à rendre véritable témoignage. Car les fines gens remarquent bien plus curieusement[1] et plus de choses, mais ils les glosent ; et pour faire valoir leur interprétation, et la persuader, ils ne se peuvent garder d'altérer un peu l'Histoire. Ils ne vous représentent jamais les choses pures ; ils les inclinent et masquent selon le visage qu'ils leur ont vu ; et pour donner crédit à leur jugement, et vous y attirer, prêtent volontiers de ce côté-là à la matière, l'allongent et l'amplifient. Ou il faut un homme très fidèle, ou si simple qu'il n'ait pas de quoi bâtir et donner de la vraisemblance à des inventions fausses, et qui n'ait rien épousé[2]. Le mien était tel ; et, outre cela, il m'a fait voir à diverses fois plusieurs matelots et marchands qu'il avait connus en ce voyage. Ainsi je me contente de cette information, sans m'enquérir de ce que les Cosmographes[3] en disent.

Il nous faudrait des topographes qui nous fissent narration particulière des endroits où ils ont été. Mais, pour avoir cet avantage sur nous d'avoir vu la Palestine, ils veulent jouir du privilège de nous conter nouvelles de tout le demeurant du monde. Je voudrais que chacun écrivît ce qu'il sait, et autant qu'il en sait, non en cela seulement, mais en tous autres sujets : Car tel peut avoir quelque particulière science ou expérience de la nature d'une rivière ou d'une fontaine, qui ne sait au reste que ce que chacun sait. Il entreprendra toutefois, pour faire courir ce petit lopin, d'écrire toute la Physique. De ce vice sourdent plusieurs grandes incommodités.

---

1. **Curieusement** : soigneusement.

2. **Qui n'ait rien épousé** : qui n'ait épousé aucun parti.

3. Les **cosmographes** sont les géographes qui décrivent la terre à partir de connaissances livresques ; les **topographes** se fondent sur leur expérience directe des pays et des peuples.

135   Pour revenir à mon propos, et selon ce qu'on m'en a rapporté, je trouve qu'il n'y a rien de barbare et de sauvage dans ce peuple, sinon que chacun appelle barbarie ce qui ne fait pas partie de ses usages. Car il est vrai que nous n'avons pas d'autres critères pour la vérité et la raison que les exemples que nous observons
140 et les idées et les usages qui ont cours dans le pays où nous vivons. C'est là que se trouve, pensons-nous, la religion parfaite, le gouvernement parfait, l'usage parfait et incomparable pour toutes choses. Les gens de ce peuple sont « sauvages » de la même façon que nous appelons « sauvages » les fruits que
145 la nature produit d'elle-même communément, alors qu'en fait ce sont plutôt ceux que nous avons altérés par nos artifices, que nous avons détournés de leur comportement ordinaire, que nous devrions appeler « sauvages ». Les premiers recèlent, vivantes et vigoureuses, les propriétés et les vertus vraies, utiles
150 et naturelles, que nous avons abâtardies dans les autres, en les accommodant pour le plaisir de notre goût corrompu.

    Et pourtant la saveur et la délicatesse de divers fruits de ces contrées, qui ne sont pas cultivés, sont excellentes pour notre goût lui-même, et soutiennent la comparaison avec ceux que
155 nous produisons. Il n'est donc pas justifié de dire que l'art l'emporte sur notre grande et puissante mère nature. Nous avons tellement surchargé la beauté et la richesse de ses produits par nos inventions que nous l'avons complètement étouffée. Et partout où elle se montre dans toute sa pureté, elle fait honte,
160 ô combien, à nos vaines et frivoles entreprises.

> *Et le lierre vient mieux de lui-même*
> *Et l'arbousier croît plus beau dans les lieux solitaires,*
> *Et les oiseaux, sans art, ont un chant plus doux.*
> Properce, *Élégies*, I, 2, 10.

    Malgré tous nos efforts, nous ne parvenons même pas à
165 reproduire le nid du moindre oiselet, sa texture, sa beauté,

Or je trouve, pour revenir à mon propos, qu'il n'y a rien de barbare et de sauvage en cette nation[1], à ce qu'on m'en a rapporté, sinon que chacun appelle barbarie ce qui n'est pas de son usage. Comme de vrai nous n'avons autre mire de la vérité et de la raison que l'exemple et idée des opinions et usances du pays où nous sommes. Là est toujours la parfaite religion, la parfaite police, parfait et accompli usage de toutes choses. Ils sont sauvages de même que nous appelons sauvages les fruits que nature, de soi et de son progrès ordinaire, a produits ; là où, à la vérité, ce sont ceux que nous avons altérés par notre artifice[2] et détournés de l'ordre commun, que nous devrions appeler plutôt sauvages. En ceux-là sont vives et vigoureuses les vraies et plus utiles et naturelles vertus et propriétés ; lesquelles nous avons abâtardies en ceux-ci[3], les accommodant au plaisir de notre goût corrompu.

Et si pourtant, la saveur même et délicatesse se trouve à notre goût excellente, à l'envi[4] des nôtres, en divers fruits de ces contrées-là sans culture. Ce n'est pas raison que l'art gagne le point d'honneur sur notre grande et puissante mère nature. Nous avons tant rechargé la beauté et richesse de ses ouvrages par nos inventions, que nous l'avons du tout étouffée. Si est-ce que partout où sa pureté reluit, elle fait une merveilleuse honte à nos vaines et frivoles entreprises.

> *Et veniunt hederæ sponte sua melius,*
> *Surgit et in solis formosior arbutus antris,*
> *Et volucres nulla dulcius arte canunt*[5].

Tous nos efforts ne peuvent seulement arriver à représenter le nid du moindre oiselet, sa contexture, sa beauté, et

---

1. Le Brésil.

2. Artifice : technique.

3. Ceux-ci : renvoie aux fruits.

4. À l'envi des nôtres : comparées aux nôtres.

5. Properce, *Élégies*, I, 2, 10.

et son utilité, pas plus que le tissage de la moindre araignée ! Toutes les choses, dit Platon, sont produites, ou par la nature, ou par le hasard, ou par l'art. Les plus grandes et les plus belles par l'une ou l'autre des deux premiers ; les moindres et les moins parfaites par le dernier.

Ces peuples me semblent donc « barbares » parce qu'ils ont été fort peu façonnés par l'esprit humain, et qu'ils sont demeurés très proches de leur état originel. Ce sont encore les lois naturelles qui les gouvernent, fort peu abâtardies par les nôtres. Devant une telle pureté, je me prends parfois à regretter que la connaissance ne nous en soit parvenue plus tôt, à l'époque où il y avait des hommes plus qualifiés que nous pour en juger. Je regrette que Lycurgue et Platon n'en aient pas eu connaissance, car il me semble que ce que nous pouvons observer chez ces peuples-là dépasse non seulement toutes les représentations par lesquelles la poésie a embelli l'âge d'or et tout le talent qu'elle a déployé pour imaginer une condition heureuse pour l'homme, aussi bien que la naissance de la philosophie et le besoin qui l'a suscitée. Les Anciens n'ont pu imaginer un état naturel aussi pur et aussi simple que celui que nous constatons par expérience, et ils n'ont pas pu croire non plus que la société puisse se maintenir avec si peu d'artifices et de liens entre les hommes.

C'est un peuple, dirais-je à Platon, qui ne connaît aucune sorte de commerce ; qui n'a aucune connaissance des lettres ni aucune science des nombres ; qui ne connaît même pas le terme de magistrat, et qui ignore la hiérarchie ; qui ne fait pas usage de serviteurs, et ne connaît ni la richesse, ni la pauvreté ; qui ignore les contrats, les successions, les partages ; qui n'a d'autre occupation que l'oisiveté,

l'utilité de son usage, non pas la tissure de la chétive arai-gnée. Toutes choses, dit Platon, sont produites ou par la nature, ou par la fortune, ou par l'art. Les plus grandes et plus belles par l'une ou l'autre des deux premières, les moindres et imparfaites par la dernière.

Ces nations me semblent donc ainsi barbares, pour avoir reçu fort peu de façon de l'esprit humain, et être encore fort voisines de leur naïveté originelle. Les lois naturelles leur commandent encore, fort peu abâtardies par les nôtres. Mais c'est en telle pureté, qu'il me prend quelquefois déplaisir de quoi la connaissance n'en soit venue plus tôt, du temps qu'il y avait des hommes qui en eussent su mieux juger que nous. Il me déplaît que Lycurgue[1] et Platon ne l'aient eue[2] ; car il me semble que ce que nous voyons par expérience en ces nations-là, surpasse non seulement toutes les peintures de quoi la poésie a embelli l'âge doré[3] et toutes ses inventions à feindre une heureuse condition d'hommes, mais encore la conception et le désir même de la philosophie. Ils[4] n'ont pu imaginer une naïveté si pure et simple, comme nous la voyons par expérience ; ni n'ont pu croire que notre société se pût maintenir avec si peu d'artifice, et de soudure humaine[5].

C'est une nation, dirais-je à Platon, en laquelle il n'y a aucune espèce de trafique ; nulle connaissance de lettres ; nulle science de nombres ; nul nom de magistrat, ni de supériorité politique ; nul usage de service, de richesse, ou de pauvreté ; nuls contrats ; nulles successions ; nuls partages ; nulles occupations qu'oisives[6] ;

---

1. Licurgue (VIIᵉ siècle av. J.-C.) : législateur mythique de Sparte, qui, comme Platon (427-347 av. J.-C.), le philosophe athénien, avait élaboré des constitutions idéales.

2 L'ait eue : « l' » renvoie à la connaissance des « cannibales ».

3. Âge doré (ou âge d'or) : temps mythique et idyllique.

4. Ils : Lycurgue et Platon.

5. Soudure humaine : règles fixées pour vivre en société et créer du ciment humain.

6. Oisives : ici, sens de « de loisir ».

195 nul respect pour la parenté autre qu'immédiate ; qui ne porte pas de vêtements, n'a pas d'agriculture, ne connaît pas le métal, pas plus que l'usage du vin ou du blé. Les mots eux-mêmes de mensonge, trahison, dissimulation, avarice, envie, médisance, pardon y sont inconnus. Platon trouverait-il la République qu'il a imagi-

200 née si éloignée de cette perfection ?

> *Voilà les premières lois qu'ait données la nature.*
> Virgile, *Géorgiques*, II, 20.

Au demeurant, ils vivent dans un pays très plaisant et bien tempéré. De telle sorte que, aux dires de mes témoins, il est rare d'y voir un homme malade. Ils m'ont même assuré qu'ils

205 n'en avaient vu aucun tremblant, ou aux yeux purulents, ou édenté, ou courbé de vieillesse. Ils se sont établis le long de la mer, et sont protégés du côté de la terre par de grandes et hautes montagnes ; entre les deux, il y a environ cent lieues de large. Ils disposent en abondance de poisson et de viande, qui

210 ne ressemblent pas du tout aux nôtres, et les mangent sans autre préparation que de les cuire. Le premier qui y conduisit un cheval, bien qu'il les ait déjà rencontrés au cours de plusieurs autres voyages, leur fit tellement horreur dans cette posture qu'ils le tuèrent à coups de flèches avant même de

215 l'avoir reconnu.

Leurs cases sont fort longues, et peuvent abriter deux ou trois cents âmes. Elles sont tapissées d'écorces de grands arbres, un de leurs côtés touche terre et elles se soutiennent et s'appuient l'une l'autre par le faîte, comme certaines de nos granges, dont

220 le toit descend jusqu'à terre et sert de mur. Ils ont un bois si dur qu'ils s'en servent pour couper, en font leurs épées et des grils pour cuire leur nourriture. Leurs lits sont faits d'un tissu de coton, et suspendus au toit, comme ceux de nos navires. Chacun a le sien, car les femmes ne dorment pas avec leurs maris.

nul respect de parenté que commun ; nuls vêtements ; nulle agriculture ; nul métal ; nul usage de vin ou de blé. Les paroles mêmes, qui signifient le mensonge, la trahison, la dissimulation, l'avarice, l'envie, la détraction, le pardon, inouïes[1]. Combien trouverait-il[2] la république qu'il a imaginée éloignée de cette perfection ?

Hos natura modos primum dedit[3].

Au demeurant, ils vivent en une contrée de pays très plaisante et bien tempérée ; de façon qu'à ce que m'ont dit mes témoins, il est rare d'y voir un homme malade ; et m'ont assuré n'en y avoir vu aucun tremblant, chassieux, édenté, ou courbé de vieillesse. Ils sont assis le long de la mer, et fermés du côté de la terre de grandes et hautes montagnes, ayant, entre-deux, cent lieues ou environ d'étendue en large. Ils ont grande abondance de poissons et de chairs qui n'ont aucune ressemblance aux nôtres ; et les mangent sans autre artifice que de les cuire. Le premier qui y mena un cheval, quoiqu'il les eût pratiqués à plusieurs autres voyages, leur fit tant d'horreur en cette assiette, qu'ils le tuèrent à coups de trait, avant que le pouvoir reconnaître.

Leurs bâtiments sont fort longs, et capables de deux ou trois cents âmes, étoffés d'écorce de grands arbres, tenant à terre par un bout, et se soutenant et appuyant l'un contre l'autre par le faîte, à la mode d'aucunes de nos granges, desquelles la couverture pend jusqu'à terre, et sert de flanc. Ils ont du bois si dur qu'ils en coupent, et en font leurs épées et des grils à cuire leur viande. Leurs lits sont d'un tissu de coton, suspendus contre le toit, comme ceux de nos navires, à chacun le sien ; car les femmes couchent à part des maris.

---

1. Inouïes : au sens littéral de « jamais entendues ».

2. Il : renvoie à Platon, auteur de *La République*.

3. Virgile, *Géorgiques*, II, 20.

225 Ils se lèvent avec le soleil, et mangent sitôt après, pour toute la journée, car ils ne font pas d'autre repas que celui-là. Ils ne boivent pas à ce moment-là, comme Suidas l'a observé aussi chez certains autres peuples, en Orient, qui boivent en dehors des repas. Ils boivent plusieurs fois par jour, et beaucoup. Leur

230 boisson est faite avec certaines racines, et a la couleur de nos vins clairets. Ils ne la boivent que tiède, et elle se conserve deux ou trois jours ; elle a un goût un peu piquant, ne monte pas à la tête, est bonne pour l'estomac. Elle est laxative pour ceux qui n'en ont pas l'habitude, mais c'est une boisson très agréable

235 pour ceux qui s'y sont accoutumés. En guise de pain, ils utilisent une certaine matière blanche, semblable à de la coriandre confite. J'en ai fait l'essai : le goût en est doux et un peu fade.

Toute la journée se passe à danser. Les plus jeunes vont chasser les bêtes sauvages, avec des arcs. Pendant ce temps, une

240 partie des femmes s'occupe à faire chauffer leur boisson, et c'est là leur principale fonction. Il en est un, parmi les vieillards, qui, le matin, avant qu'ils se mettent à manger, prêche toute la chambrée en même temps, en se promenant d'un bout à l'autre, et répétant une même phrase plusieurs fois, jusqu'à ce

245 qu'il ait achevé le tour du bâtiment, qui fait bien cent pas de long. Et il ne leur recommande que deux choses : la vaillance contre les ennemis, et l'affection pour leurs femmes.

Et eux ne manquent jamais de souligner cette obligation, en reprenant comme un refrain que ce sont elles qui leur

250 maintiennent leur boisson tiède et aromatisée. On peut voir en plusieurs lieux, et notamment chez moi, la forme de leurs lits, de leurs cordons, de leurs épées et des bracelets de bois

Ils se lèvent avec le soleil, et mangent soudain après s'être levés, pour toute la journée; car ils ne font autre repas que celui-là. Ils ne boivent pas lors, comme Suidas[1] dit de quelques autres peuples d'Orient, qui buvaient hors du manger; ils boivent à plusieurs fois sur jour, et d'autant. Leur breuvage est fait de quelque racine, et est de la couleur de nos vins clairets[2]. Ils ne le boivent que tiède. Ce breuvage ne se conserve que deux ou trois jours; il a le goût un peu piquant, nullement fumeux, salutaire à l'estomac, et laxatif à ceux qui ne l'ont accoutumé; c'est une boisson très agréable à qui y est duit. Au lieu du pain ils usent d'une certaine matière blanche, comme du coriandre confit. J'en ai tâté: le goût en est doux et un peu fade.

Toute la journée se passe à danser. Les plus jeunes vont à la chasse des bêtes, à tout des arcs. Une partie des femmes s'amusent cependant à chauffer leur breuvage, qui est leur principal office. Il y a quelqu'un des vieillards qui, le matin, avant qu'ils se mettent à manger, prêche en commun toute la grangée[3], en se promenant d'un bout à autre et redisant une même clause à plusieurs fois, jusqu'à ce qu'il ait achevé le tour (car ce sont bâtiments qui ont bien cent pas de longueur). Il ne leur recommande que deux choses: la vaillance contre les ennemis, et l'amitié à leurs femmes.

Et ne faillent jamais de remarquer cette obligation, pour leur refrain, que ce sont elles qui leur maintiennent leur boisson tiède et assaisonnée. Il se voit en plusieurs lieux, et entre autres chez moi[4], la forme de leurs lits, de leurs cordons, de leurs épées, et bracelets de bois de quoi ils

---

1. Suidas : auteur (ou titre) d'une compilation grecque, mi-dictionnaire, mi-encyclopédie, du IXᵉ siècle.

2. Clairets : de couleur claire, comme le rosé.

3. Grangée : tous les occupants de la grange.

4. Dans des livres qui sont chez moi.

avec lesquels ils protègent leurs poignets dans les combats, et les grandes cannes ouvertes à un bout, par le son desquelles

255 ils marquent la cadence pendant leurs danses. Ils sont entièrement rasés, et se rasent de bien plus près que nous ne le faisons, sans autres rasoirs pourtant que faits de bois ou de pierre. Ils croient que les âmes sont éternelles, et que celles qui ont bien mérité des dieux sont logées à l'endroit du ciel où le

260 soleil se lève, les maudites, elles, étant du côté de l'Occident.

Ils ont des sortes de prêtres ou des prophètes qui se montrent rarement en public, car ils résident dans les montagnes. Mais quand ils arrivent, c'est l'occasion d'une grande fête et d'une assemblée solennelle de plusieurs villages (car chacune de leurs

265 cases, comme je les ai décrites, constitue un village, et elles sont à une lieue française les unes des autres). Ce prophète s'adresse à eux en public, les exhortant à la vertu et à l'observance de leur devoir. Mais toute leur science morale ne comporte que ces deux articles : le courage à la guerre et l'attachement à leurs femmes.

270 Il leur prédit les choses à venir et les conséquences qu'ils doivent attendre de leurs entreprises. Il les achemine vers la guerre ou les en détourne, mais à cette condition que, lorsqu'il échoue dans ses prévisions, et que les événements prennent un autre tour que celui qu'il leur avait prédit, il est découpé en mille mor-

275 ceaux s'ils l'attrapent, et condamné comme faux prophète. Et c'est pourquoi on ne revoit jamais celui qui une fois s'est trompé.

C'est un don de Dieu que la divination : voilà pourquoi ce devrait être une imposture punissable que d'en abuser. Chez les Scythes, quand les devins avaient failli dans leurs prédic-

280 tions, on les couchait, les pieds et les mains chargés de fers, sur des charrettes pleines de broussailles tirées par des bœufs, et que l'on faisait brûler. Ceux qui traitent des affaires dont l'issue dépend des capacités humaines sont excusables de n'y faire que ce qu'ils peuvent. Mais ceux qui trompent leur monde

285 en se targuant de facultés extraordinaires échappant à notre

couvrent leurs poignets aux combats, et des grandes cannes, ouvertes par un bout, par le son desquelles ils soutiennent la cadence en leur danser. Ils sont ras partout, et se font le poil beaucoup plus nettement que nous, sans autre rasoir que de bois ou de pierre. Ils croient les âmes éternelles ; et celles qui ont bien mérité des dieux, être logées à l'endroit du ciel où le soleil se lève ; les maudites, du côté de l'Occident.

Ils ont je ne sais quels prêtres et prophètes, qui se présentent bien rarement au peuple, ayant leur demeure aux montagnes. À leur arrivée, il se fait une grande fête et assemblée solennelle de plusieurs villages (chaque grange, comme je l'ai décrite, fait un village, et sont environ à une lieue Française l'une de l'autre). Ce prophète parle à eux en public, les exhortant à la vertu et à leur devoir ; mais toute leur science éthique ne contient que ces deux articles de la résolution à la guerre et affection à leurs femmes. Celui-ci leur pronostique les choses à venir, et les événements qu'ils doivent espérer de leurs entreprises, les achemine ou détourne de la guerre ; mais c'est par tel si que, où il faut à bien deviner, et s'il leur advient autrement qu'il ne leur a prédit, il est haché en mille pièces, s'ils l'attrapent, et condamné pour faux prophète. À cette cause, celui qui s'est une fois mécompté, on ne le voit plus.

C'est don de Dieu que la divination ; voilà pourquoi ce devrait être une imposture punissable d'en abuser. Entre les Scythes, quand les devins avaient failli de rencontre, on les couchait, enforgés de pieds et de mains, sur des chariotes pleines de bruyère, tirées par des bœufs, en quoi on les faisait brûler. Ceux qui manient les choses sujettes à la conduite de l'humaine suffisance, sont excusables d'y faire ce qu'ils peuvent. Mais ces autres, qui nous viennent pipant des assurances d'une faculté extraordinaire, qui est hors de notre entendement, ne faut-il pas les punir de ne pas tenir leurs promesses, et de l'impudence de leur imposture ?

Ils font la guerre aux peuples qui habitent au-delà de leurs montagnes, plus loin dans les terres, et ils y vont tout nus, sans autres armes que des arcs ou des épées de bois épointées à un bout, comme les fers de nos épieux. Il est terrifiant de voir leur acharnement dans les combats qui ne s'achèvent que par la mort et le sang, car ils ignorent la déroute et l'effroi. Chacun rapporte comme trophée la tête de l'ennemi qu'il a tué, et l'attache à l'entrée de son logis. Après avoir bien traité leurs prisonniers pendant un temps assez long, et leur avoir fourni toutes les commodités possibles, celui qui en est le maître rassemble tous les gens de sa connaissance en une grande assemblée. Il attache une corde au bras d'un prisonnier, par laquelle il le tient éloigné de quelques pas, de peur qu'il ne le blesse, et donne l'autre bras à tenir de la même façon à l'un de ses plus chers amis. Puis ils l'assomment tous les deux à coups d'épée, et cela fait, ils le font rôtir et le mangent en commun, et en envoient des morceaux à ceux de leurs amis qui sont absents. Et ce n'est pas, comme on pourrait le penser, pour s'en nourrir, ainsi que le faisaient autrefois les Scythes, mais pour manifester une vengeance extrême.

En voici la preuve : ayant vu que les Portugais, alliés à leurs adversaires, les mettaient à mort d'une autre manière quand ils étaient pris, en les enterrant jusqu'à la ceinture, puis en tirant sur le reste du corps force flèches avant de les pendre, ils pensèrent que ces gens venus de l'autre monde (qui avaient déjà répandu

connaissance, faut-il pas les punir de ce qu'ils ne maintiennent l'effet de leur promesse, et de la témérité de leur imposture ?

Ils[1] ont leurs guerres contre les nations qui sont au-delà de leurs montagnes, plus avant en la terre ferme, auxquelles ils vont tout nus, n'ayant autres armes que des arcs ou des épées de bois, appointées par un bout, à la mode des langues[2] de nos épieux. C'est chose émerveillable que de la fermeté de leurs combats, qui ne finissent jamais que par meurtre et effusion de sang ; car, de déroutes et d'effroi, ils ne savent que c'est. Chacun rapporte pour son trophée la tête de l'ennemi qu'il a tué, et l'attache à l'entrée de son logis. Après avoir longtemps bien traité leurs prisonniers, et de toutes les commodités dont ils se peuvent aviser, celui qui en est le maître, fait une grande assemblée de ses connaissants. Il attache une corde à l'un des bras du prisonnier, par le bout de laquelle il le tient, éloigné de quelques pas, de peur d'en être offensé, et donne au plus cher de ses amis l'autre bras à tenir de même ; et eux deux, en présence de toute l'assemblée, l'assomment à coups d'épée. Cela fait, ils le rôtissent et en mangent en commun, et en envoient des lopins à ceux de leurs amis qui sont absents. Ce n'est pas comme on pense, pour s'en nourrir, ainsi que faisaient anciennement les Scythes[3], c'est pour représenter une extrême vengeance.

Et qu'il soit ainsi, ayant aperçu que les Portugais, qui s'étaient ralliés à leurs adversaires, usaient d'une autre sorte de mort contre eux, quand ils les prenaient, qui était de les enterrer jusqu'à la ceinture, et tirer au demeurant du corps force coups de trait, et les pendre après, ils pensèrent que ces gens ici de l'autre monde[4] (comme ceux qui[5] avaient semé

---

1. Ils : les cannibales.

2. Langues : embouts de fer.

3. Selon l'historien antique Hérodote, les Scythes étaient anthropophages.

4. L'autre monde : l'Europe.

5. Comme ceux qui : en hommes qui.

bien des vices aux alentours, et qui leur étaient bien supérieurs en matière de perversité) n'adoptaient pas sans raison cette
315 sorte de vengeance, et qu'elle devait donc être plus atroce que la leur. Ils abandonnèrent alors peu à peu leur ancienne façon de faire, et adoptèrent celle des Portugais. Je ne suis certes pas fâché que l'on stigmatise l'horreur et la barbarie d'un tel comportement; mais je le suis grandement de voir que, jugeant
320 si bien de leurs fautes, nous demeurions à ce point aveugles envers les nôtres.

Je pense qu'il y a plus de barbarie à manger un homme vivant qu'à le manger mort; à déchirer par des tortures et des supplices un corps encore capable de sentir, à le faire rôtir par
325 petits morceaux, le faire mordre et dévorer par les chiens et les porcs (comme on a pu, non seulement le lire, mais le voir faire il y a peu, et non entre de vieux ennemis, mais entre des voisins et des concitoyens, et qui pis est, sous prétexte de piété et de religion...). Il y a plus de barbarie en cela, dis-je, que de rôtir et
330 de manger un corps après sa mort.

Chrysippe et Zénon, chefs de l'école des stoïciens, ont estimé qu'il n'y avait aucun mal à utiliser notre charogne à quelque fin que ce soit, en cas de besoin, et en tirer de la nourriture; comme le firent nos ancêtres, assiégés par César dans Alésia,
335 et qui se résolurent à lutter contre la famine causée par ce siège en utilisant les corps des vieillards, des femmes et autres personnes inutiles au combat.

> *On dit que les Gascons, par de tels aliments,*
> *Prolongèrent leur vie.*
> Juvénal, *Satires*, XV, 93.

340 Et les médecins ne craignent pas de s'en servir pour toutes sortes d'usages concernant notre santé, soit par voie orale,

la connaissance de beaucoup de vices parmi leur voisinage, et qui étaient beaucoup plus grands maîtres qu'eux en toute sorte de malice) ne prenaient pas sans occasion cette sorte de vengeance, et qu'elle devait être plus aigre que la leur, dont[1] ils commencèrent de quitter leur façon ancienne pour suivre celle-ci. Je ne suis pas marri que nous remarquons l'horreur barbaresque qu'il y a en une telle action, mais oui bien de quoi, jugeant à point de leurs fautes, nous soyons si aveugles aux nôtres.

Je pense qu'il y a plus de barbarie à manger un homme vivant qu'à le manger mort, à déchirer par tourments et par gênes un corps encore plein de sentiment, le faire rôtir par le menu, le faire mordre et meurtrir aux chiens et aux pourceaux (comme nous l'avons non seulement lu, mais vu de fraîche mémoire, non entre des ennemis anciens, mais entre des voisins et concitoyens, et, qui pis est, sous prétexte de piété et de religion[2]), que de le rôtir et manger après qu'il est trépassé.

Chrysippe et Zénon, chefs de la secte Stoïque[3], ont bien pensé qu'il n'y avait aucun mal de se servir de notre charogne à quoi que ce fût pour notre besoin, et d'en tirer de la nourriture ; comme nos ancêtres, étant assiégés par César en la ville d'Alésia, se résolurent de soutenir la faim de ce siège par les corps des vieillards, des femmes, et d'autres personnes inutiles au combat.

> *Vascones (fama est) alimentis talibus usi*
> *Produxere animas*[4].

Et les médecins ne craignent pas de s'en servir à toute sorte d'usage pour notre santé ; soit pour l'appliquer au-dedans

---

1. Dont : si bien que.

2. Allusion aux horreurs des guerres de Religion en France.

3. La secte Stoïque : l'école stoïcienne fondée par Zénon et Chrysippe vers 300 av. J.-C. Leur doctrine est conservée dans les *Hypotyposes* de Sextus Empiricus (IIIe siècle), dont la lecture a profondément marqué Montaigne.

4. Juvénal, *Satires*, XV, 93.

soit en applications externes. Mais il n'y eut jamais personne d'assez déraisonnable pour excuser la trahison, la déloyauté, la tyrannie, la cruauté, qui sont nos fautes ordinaires.

345   Nous pouvons donc bien appeler ces gens-là des « barbares », par rapport aux règles de la raison, mais certainement pas par rapport à nous, qui les surpassons en toute sorte de barbarie. Leur guerre est tout à fait noble et chevaleresque, et a autant d'excuses et de beauté que cette maladie humaine
350   peut en avoir : elle n'a d'autre fondement pour eux que la seule recherche de la valeur. Ils ne contestent pas à d'autres la conquête de nouvelles terres, car ils jouissent encore de cette fécondité naturelle qui leur procure sans travail et sans peine toutes les choses nécessaires, et en telle abondance qu'ils n'ont
355   que faire d'agrandir leur territoire. Ils sont encore en cet état bienheureux qui consiste à ne désirer que ce que leurs nécessités naturelles leur ordonnent ; tout ce qui est au-delà est pour eux superflu.

     Ceux qui sont du même âge s'appellent entre eux frères, et ils
360   appellent enfants ceux qui sont plus jeunes. Les vieillards sont des pères pour tous les autres. Ceux-ci laissent en commun à leurs héritiers la pleine possession de leurs biens indivis, sans autre titre que celui, tout pur, que nature donne à ses créatures en les mettant au monde. Si leurs voisins passent les montagnes
365   pour venir les assaillir, et qu'ils remportent la victoire, le prix pour le vainqueur c'est la gloire et l'avantage d'être demeuré le plus valeureux et le plus vaillant, car ils n'ont que faire des biens des vaincus. Puis ils s'en retournent dans leur pays, où rien de nécessaire ne leur fait défaut, de même qu'ils ne manquent
370   pas non plus de cette grande qualité qui est de savoir jouir de leur heureuse condition, et de s'en contenter. Les autres font de même : ils ne demandent à leurs prisonniers d'autre rançon que l'aveu et la reconnaissance d'avoir été vaincus.

ou au-dehors. Mais il ne se trouva jamais aucune opinion si déréglée qui excusât la trahison, la déloyauté, la tyrannie, la cruauté, qui sont nos fautes ordinaires.

Nous les pouvons donc bien appeler barbares, eu égard aux règles de la raison, mais non pas eu égard à nous qui les surpassons en toute sorte de barbarie. Leur guerre est toute noble et généreuse, et a autant d'excuse et de beauté que cette maladie humaine en peut recevoir ; elle n'a autre fondement parmi eux que la seule jalousie de la vertu. Ils ne sont pas en débat de la conquête de nouvelles terres, car ils jouissent encore de cette uberté naturelle qui les fournit sans travail et sans peine de toutes choses nécessaires, en telle abondance qu'ils n'ont que faire d'agrandir leurs limites. Ils sont encore en cet heureux point, de ne désirer qu'autant que leurs nécessités naturelles leur ordonnent ; tout ce qui est au-delà, est superflu pour eux.

Ils s'entr'appellent généralement ceux de même âge frères ; enfants, ceux qui sont au-dessous ; et les vieillards sont pères à tous les autres. Ceux-ci laissent à leurs héritiers en commun cette possession de biens par indivis [1], sans autre titre que celui tout pur que nature donne à ses créatures, les produisant au monde. Si leurs voisins passent les montagnes pour les venir assaillir, et qu'ils emportent la victoire sur eux, l'acquêt du victorieux, c'est la gloire, et l'avantage d'être demeuré maître en valeur et en vertu ; car autrement ils n'ont que faire des biens des vaincus, et s'en retournent à leur pays, où ils n'ont faute d'aucune chose nécessaire, ni faute encore de cette grande partie, de savoir heureusement jouir de leur condition et s'en contenter. Autant en font ceux-ci [2] à leur tour. Ils ne demandent à leurs prisonniers autre rançon que la confession et reconnaissance d'être vaincus.

---

1. **Par indivis** : dans l'indivision.
2. **Ceux-ci** : les vaincus, devenus vainqueurs à leur tour.

Mais parmi ces prisonniers, il n'en est pas un seul par siècle
375 qui n'aime mieux mourir que d'abdiquer, par son attitude ou
par sa parole, si peu que ce soit de la grandeur d'un courage
invincible. On n'en voit aucun qui n'aime mieux être tué et
mangé que de seulement demander que cela lui soit épar-
gné. On les traite très libéralement, afin que la vie leur soit
380 d'autant plus chère. Et on leur parle très souvent de leur mort
future, des tourments qu'ils auront à y endurer, des préparatifs
que l'on fait pour cela, de la façon dont leurs membres seront
découpés, et du festin qui se fera à leurs dépens. Tout cela, à
seule fin de leur arracher de la bouche quelque parole lâche ou
385 vile, ou leur donner envie de s'enfuir, pour obtenir cet avantage
de les avoir épouvantés, et d'avoir triomphé de leur constance.
Car en fait, à tout prendre, c'est en ce seul point que consiste
la vraie victoire :

390 > *Il n'y a de véritable victoire que celle*
> *Qui, domptant l'âme, force l'ennemi à s'avouer vaincu.*
> Claudien, *De sexto...*, v. 248-249.

Les Hongrois, autrefois, guerriers très belliqueux, ne pous-
saient pas plus loin leur avantage quand ils avaient réduit l'ennemi à leur merci. Et lui ayant arraché l'aveu de sa défaite, ils
395 le laissaient aller sans le maltraiter, et sans le rançonner. Sauf,
tout au plus, pour en obtenir l'engagement de ne plus s'armer
contre eux désormais.

Nous avons bien des avantages sur nos ennemis qui sont des
avantages que nous leur empruntons et non les nôtres. C'est la
400 qualité d'un portefaix, et non celle de la vaillance, que d'avoir les
bras et les jambes plus solides. C'est une qualité figée et innée
que l'agilité ; c'est un coup de chance que de faire trébucher notre
ennemi, et qu'il soit ébloui parce qu'il a le soleil dans les yeux ;
c'est un effet de l'art et du savoir, qui se peut trouver chez un
405 homme de rien et lâche, que d'être habile à l'escrime. La valeur et

Mais il ne s'en trouve pas un, en tout un siècle, qui n'aime mieux la mort que de relâcher, ni par contenance, ni de parole, un seul point d'une grandeur de courage invincible. Il ne s'en voit aucun qui n'aime mieux être tué et mangé, que de requérir seulement de ne l'être pas. Ils les traitent en toute liberté, afin que la vie leur soit d'autant plus chère ; et les entretiennent communément des menaces de leur mort future, des tourments qu'ils y auront à souffrir, des apprêts qu'on dresse pour cet effet, du détranchement de leurs membres, et du festin qui se fera à leurs dépens. Tout cela se fait pour cette seule fin d'arracher de leur bouche quelque parole molle ou rabaissée, ou de leur donner envie de s'enfuir, pour gagner cet avantage de les avoir épouvantés, et d'avoir fait force à leur constance. Car aussi, à le bien prendre, c'est en ce seul point que consiste la vraie victoire :

> victoria nulla est
> Quam quae confessos animo quoque subjugat hostes [1].

Les Hongres très belliqueux combattants, ne poursuivaient jadis leur pointe outre avoir rendu l'ennemi à leur merci. Car en ayant arraché cette confession, ils le laissaient aller sans offense, sans rançon, sauf, pour le plus, d'en tirer parole [2] de ne s'armer dès lors en avant contre eux.

Assez d'avantages gagnons-nous sur nos ennemis, qui sont avantages empruntés, non pas nôtres. C'est la qualité d'un portefaix, non de la vertu, d'avoir les bras et les jambes plus raides ; c'est une qualité morte et corporelle que la disposition ; c'est un coup de la fortune de faire broncher notre ennemi et de lui éblouir les yeux par la lumière du Soleil ; c'est un tour d'art et de science, et qui peut tomber en une personne lâche et de néant, d'être suffisant à l'escrime. L'estimation et le prix

---

1. Claudien, *De sexto…*, v. 248-249.
2. Parole : promesse.

le prix d'un homme résident dans son cœur et dans sa volonté : c'est là que se trouve son honneur véritable. La vaillance, c'est la fermeté, non pas des jambes ni des bras, mais du cœur et de l'âme ; elle ne réside pas dans la valeur de notre cheval, ni dans
410   celle de nos armes, mais dans la nôtre. Celui qui tombe, et dont le courage ne faiblit pas, « s'il est tombé, il combat à genoux ». Celui qui, malgré le danger de la mort proche, ne relâche pas son assurance, et regarde encore son ennemi, en rendant l'âme, d'un œil ferme et dédaigneux, il n'est pas vaincu par nous, mais par le
415   sort : il est tué, mais non vaincu. Et les plus vaillants sont parfois les plus infortunés.

Aussi y a-t-il des défaites qui sont des triomphes à l'égal des victoires. Et même ces quatre victoires qui sont comme sœurs, les plus belles que le soleil ait jamais vues de ses yeux : celles
420   de Salamine, de Platées, de Mycale, de Sicile, n'ont jamais osé opposer leur gloire même toutes ensemble à celle de la défaite totale du roi Léonidas et des siens au défilé des Thermopyles.

Qui courut jamais, avec une plus glorieuse et plus ambitieuse envie de gagner le combat, que le capitaine Ischolas le fit pour le
425   perdre ? Qui mit jamais plus d'intelligence et de soin pour assurer son salut que lui sa perte ? Il était chargé de défendre un passage du Péloponnèse contre les Arcadiens. S'estimant tout à fait incapable de le faire, étant donné la nature du lieu et l'inégalité des forces en présence, considérant que tout ce qui se présente-
430   rait aux ennemis devrait nécessairement demeurer sur le terrain, et estimant d'autre part indigne à la fois de sa vaillance, de sa grandeur d'âme, et du nom de Lacédémonien, de faillir à la tâche

d'un homme consiste au cœur et en la volonté; c'est là où gît son vrai honneur; la vaillance, c'est la fermeté, non pas des jambes et des bras, mais du courage et de l'âme; elle ne consiste pas en la valeur de notre cheval, ni de nos armes, mais en la nôtre. Celui qui tombe obstiné en son courage, *si succiderit, de genu pugnat*. Qui, pour quelque danger de la mort voisine, ne relâche aucun point de son assurance; qui regarde encore, en rendant l'âme, son ennemi d'une vue ferme et dédaigneuse, il est battu, non pas de nous, mais de la fortune; il est tué, non pas vaincu. Les plus vaillants sont parfois les plus infortunés.

Aussi y a-t-il des pertes triomphantes à l'envi des victoires. Ni ces quatre victoires sœurs, les plus belles que le Soleil ait onques vues de ses yeux, de Salamine, de Platées, de Mycale, de Sicile[1], n'osèrent onques opposer toute leur gloire ensemble à la gloire de la déconfiture du Roi Léonidas et des siens au pas des Thermopyles[2].

Qui courut jamais d'une plus glorieuse envie et plus ambitieuse au gain du combat, que le capitaine Ischolas à la perte? Qui plus ingénieusement et curieusement s'est assuré de son salut, que lui de sa ruine? Il était commis à défendre certain passage du Péloponnèse contre les Arcadiens. Pour quoi faire, se trouvant du tout incapable, vu la nature du lieu et inégalité des forces, et se résolvant que tout ce qui se présenterait aux ennemis, aurait de nécessité à y demeurer. D'autre part, estimant indigne et de sa propre vertu et magnanimité, et du nom Lacédémonien[3], de faillir à sa charge, il prit entre

1. Grandes victoires antiques: les trois premières, des Grecs sur les Perses de Xerxès en 480 et 479 av. J.-C.; la dernière, des Spartiates sur les Athéniens à Syracuse en 413 av. J.-C.

2. Le roi grec Léonidas fut vaincu par les Perses au défilé (le « pas ») des Thermopyles, le long de la mer Égée. Son sacrifice (il retint les Perses au défilé des Thermopyles) permit aux Grecs de battre en retraite dans l'ordre.

3. Dans la Grèce antique, Lacédémone, l'autre nom de Sparte, valorisait les vertus guerrières.

qui lui était confiée, il prit un parti intermédiaire entre ces deux
extrémités : il conserva les hommes les plus jeunes et les plus
435 valides de sa troupe pour la défense et le service de leur pays,
en les y renvoyant ; et avec ceux dont le manque serait moins
ressenti, il décida de défendre ce passage, et par leur sacrifice,
d'en faire payer l'entrée le plus chèrement possible aux ennemis.
Et c'est bien là ce qu'il advint en effet.

440 En effet, environnés de toutes parts par les Arcadiens, dont ils
firent d'abord un grand massacre, ils furent tous finalement, lui
et les siens, passés au fil de l'épée. Existe-t-il un trophée, destiné
à des vainqueurs, qui ne soit mieux dû à ces vaincus ? La véritable victoire s'obtient par le combat, non par le salut ; et l'hon-
445 neur de la valeur militaire consiste à combattre, non à battre.

Pour en revenir à notre histoire de Cannibales, il s'en faut de
beaucoup que les prisonniers s'avouent vaincus, malgré tout ce
qu'on leur fait subir ; au contraire, durant les deux ou trois mois
qu'on les garde, ils affichent de la gaieté, ils pressent leurs maîtres
450 de se hâter de leur faire subir l'épreuve finale, ils les défient, les
injurient, leur reprochent leur lâcheté, et le nombre de batailles
perdues contre les leurs. Je possède une chanson faite par un
prisonnier, où l'on trouve ce trait ironique, leur disant qu'ils
viennent hardiment tous autant qu'ils sont, et se réunissent
455 pour faire leur dîner de lui, car ils mangeront du même coup
leur père et leurs aïeux, qui ont servi d'aliment et de nourriture
à son corps... « Ces muscles, dit-il, cette chair et ces veines, ce
sont les vôtres, pauvres fous que vous êtes. Vous ne reconnaissez
pas que la substance des membres de vos ancêtres y est encore !
460 Savourez-les bien, et vous y trouverez le goût de votre propre
chair. » Voilà une idée qui ne relève pas de la « barbarie ».

Ceux qui les peignent quand ils sont mis à mort, et qui les
représentent quand on les assomme, montrent le prisonnier crachant au visage de ceux qui le tuent, et leur faisant des grimaces.
465 Et de fait, ils ne cessent, jusqu'à leur dernier soupir, de les braver

ces deux extrémités un moyen parti, de telle sorte. Les plus jeunes et dispos de sa troupe, il les conserva à la tuition et service de leur pays, et les y renvoya ; et avec ceux desquels le défaut était moindre, il délibéra de soutenir ce pas, et, par leur mort, en faire acheter aux ennemis l'entrée la plus chère qu'il lui serait possible : comme il advint.

Car, étant tantôt environné de toutes parts par les Arcadiens, après en avoir fait une grande boucherie, lui et les siens furent tous mis au fil de l'épée. Est-il quelque trophée assigné pour les vainqueurs, qui ne soit mieux dû à ces vaincus ? Le vrai vaincre a pour son rôle l'estour, non pas le salut ; et consiste l'honneur de la vertu à combattre, non à battre.

Pour revenir à notre histoire, il s'en faut tant que ces prisonniers se rendent, pour tout ce qu'on leur fait, qu'au rebours, pendant ces deux ou trois mois qu'on les garde, ils portent une contenance gaie, ils pressent leurs maîtres de se hâter de les mettre en cette épreuve, ils les défient, les injurient, leur reprochent leur lâcheté, et le nombre des batailles perdues contre les leurs. J'ai une chanson faite par un prisonnier, où il y a ce trait : qu'ils viennent hardiment trétous et s'assemblent pour dîner de lui, car ils mangeront quant et quant leurs pères et leurs aïeux, qui ont servi d'aliment et de nourriture à son corps. « Ces muscles, dit-il, cette chair et ces veines, ce sont les vôtres, pauvres fols que vous êtes ; vous ne reconnaissez pas que la substance des membres de vos ancêtres s'y tient encore : savourez-les bien, vous y trouverez le goût de votre propre chair. » Invention, qui ne sent aucunement la barbarie.

Ceux qui les peignent mourants, et qui représentent cette action quand on les assomme, ils peignent le prisonnier, crachant au visage de ceux qui le tuent et leur faisant la moue. De vrai, ils ne cessent, jusqu'au dernier soupir, de les braver et de les défier, par la parole et par leur contenance. Sans mentir, en comparaison de nous, voilà des hommes bien sauvages. Car il faut, ou bien qu'ils le soient vraiment, ou que ce soit nous : il y a une distance étonnante entre leur façon d'être et la nôtre.

470   Les hommes ont dans ce pays plusieurs femmes, et en ont un nombre d'autant plus grand que leur réputation de vaillance est plus grande. C'est une chose vraiment remarquable dans leurs mariages : si la jalousie de nos épouses nous prive de l'amour et de la bienveillance des autres femmes, chez

475   ces gens-là au contraire, c'est la jalousie qui favorise de telles relations. Plus soucieuses de l'honneur de leurs maris que de toute autre chose, elles mettent toute leur sollicitude à avoir le plus de compagnes qu'elles le peuvent, car c'est un signe de la vaillance du mari.

480   Les nôtres crieront au miracle ; mais ce n'est pas cela. C'est une vertu proprement matrimoniale, mais du plus haut niveau. D'ailleurs dans la Bible, Léa, Rachel, Sarah, et les femmes de Jacob mirent leurs belles servantes à la disposition de leurs maris, et Livia favorisa les appétits d'Auguste, à son propre

485   détriment. La femme du roi Dejotarus, Stratonique, ne fournit pas seulement à son mari une fille de chambre fort belle, qui était à son service, mais éleva soigneusement leurs enfants, et les aida pour la succession de leur père.

        Et pour qu'on n'aille pas s'imaginer que tout cela se fait

490   à cause d'une simple servilité à l'égard des usages, et sous la pression de l'autorité de leurs anciennes coutumes, sans réflexion ni jugement, et parce qu'ils auraient l'esprit tellement stupide qu'ils ne sauraient prendre un autre parti, il faut montrer quelques-uns des traits de leur intelligence.

et défier de parole et de contenance. Sans mentir, au prix de nous, voilà des hommes bien sauvages ; car, ou il faut qu'ils le soient bien à bon escient, ou que nous le soyons ; il y a une merveilleuse distance entre leur forme et la nôtre.

Les hommes y ont plusieurs femmes, et en ont d'autant plus grand nombre qu'ils sont en meilleure réputation de vaillance. C'est une beauté remarquable en leurs mariages, que la même jalousie que nos femmes ont pour nous empêcher de l'amitié et bienveillance d'autres femmes, les leurs l'ont toute pareille pour la leur acquérir. Étant plus soigneuses de l'honneur de leurs maris que de toute autre chose, elles cherchent et mettent leur sollicitude à avoir le plus de compagnes qu'elles peuvent, d'autant que c'est un témoignage de la vertu du mari.

Les nôtres crieront au miracle ; ce ne l'est pas. C'est une vertu proprement matrimoniale, mais du plus haut étage. Et en la Bible, Léa, Rachel, Sara et les femmes de Jacob fournirent leurs belles servantes à leurs maris[1], et Livia seconda les appétits d'Auguste, à son intérêt[2] ; et la femme du Roi Déjotarus, Stratonique[3], prêta non seulement à l'usage de son mari une fort belle jeune fille de chambre qui la servait, mais en nourrit soigneusement les enfants, et leur fit épaule à succéder aux états de leur père.

Et afin qu'on ne pense point que tout ceci se fasse par une simple et servile obligation à leur usance et par l'impression de l'autorité de leur ancienne coutume, sans discours et sans jugement, et pour avoir l'âme si stupide que de ne pouvoir prendre autre parti, il faut alléguer quelques traits de leur suffisance.

---

1. Allusion aux patriarches bibliques : Jacob épousa Léa et sa sœur Rachel, et eut des enfants avec la servante de cette dernière ; Abraham, auquel Sarah, sa femme stérile, offrit sa servante pour lui assurer une descendance.

2. Livia dut en effet quitter son mari pour épouser Auguste dont elle savait qu'il la trompait.

3. **Déjotanus** : roi allié des Romains en Galatie, région de l'actuelle Turquie.

495 Celui que je viens de rapporter provient de l'une de leurs chansons guerrières ; en voici une autre, d'amour cette fois, qui commence ainsi : « Couleuvre arrête-toi ; arrête-toi, couleuvre, afin que ma sœur prenne ton image comme modèle pour la forme et la façon d'un riche cordon que je donnerai à
500 mon amie ; et qu'ainsi à tout jamais ta beauté et ta prestance soient préférées à celles de tous les autres serpents. »

Ce premier couplet, c'est le refrain de la chanson. Or je suis assez familier de la poésie pour dire que ceci, non seulement n'est en rien « barbare », mais que c'est même tout à fait dans
505 le genre anacréontique. Leur langage, au demeurant, est un langage doux, dont le son est agréable, et qui tire un peu sur le grec par ses terminaisons.

Trois d'entre eux vinrent à Rouen, au moment où feu le roi Charles IX s'y trouvait. Ils ignoraient combien cela pourrait
510 nuire plus tard à leur tranquillité et à leur bonheur que de connaître les corruptions de chez nous, et ne songèrent pas un instant que de cette fréquentation puisse venir leur ruine, que je devine pourtant déjà bien avancée (car ils sont bien misérables de s'être laissés séduire par le désir de la nouveauté, et d'avoir
515 quitté la douceur de leur ciel pour venir voir le nôtre). Le roi leur parla longtemps ; on leur fit voir nos manières, notre faste, ce que c'est qu'une belle ville. Après cela, quelqu'un leur demanda ce qu'ils en pensaient, et voulut savoir ce qu'ils avaient trouvé de plus surprenant. Ils répondirent trois choses ; j'ai
520 oublié la troisième et j'en suis bien mécontent. Mais j'ai encore les deux autres en mémoire : ils dirent qu'ils trouvaient d'abord très étrange que tant d'hommes portant la barbe, grands,

Outre celui que je viens de réciter de l'une de leurs chansons guerrières, j'en ai une autre, amoureuse, qui commence en ce sens : « Couleuvre, arrête-toi ; arrête-toi, couleuvre, afin que ma sœur tire sur le patron de ta peinture la façon et l'ouvrage d'un riche cordon que je puisse donner à m'amie ; ainsi soit en tout temps ta beauté et ta disposition préférée à tous les autres serpents. »

Ce premier couplet, c'est le refrain de la chanson. Or j'ai assez de commerce avec la poésie pour juger ceci, que non seulement il n'y a rien de barbarie en cette imagination, mais qu'elle est tout à fait Anacréontique[1]. Leur langage, au demeurant, c'est un langage doux et qui a le son agréable, retirant aux terminaisons Grecques.

Trois d'entre eux, ignorant combien coûtera un jour à leur repos et à leur bonheur la connaissance des corruptions de deçà[2], et que de ce commerce naîtra leur ruine, comme je présuppose qu'elle soit déjà avancée (bien misérables de s'être laissé piper au désir de la nouvelleté, et avoir quitté la douceur de leur ciel pour venir voir le nôtre), furent à Rouen, du temps que le feu Roi Charles neuvième y était[3]. Le Roi parla à eux longtemps ; on leur fit voir notre façon, notre pompe, la forme d'une belle ville. Après cela, quelqu'un en demanda leur avis, et voulut savoir d'eux ce qu'ils y avaient trouvé de plus admirable ; ils répondirent trois choses, d'où j'ai perdu la troisième, et en suis bien marri ; mais j'en ai encore deux en mémoire. Ils dirent qu'ils trouvaient en premier lieu fort étrange que tant de grands hommes, portant barbe,

---

1. Anacréontique : d'Anacréon (560-478 av. J.-C.), poète grec, auteur d'odes amoureuses.

2. De deçà : de notre côté de l'Océan.

3. En 1562, Charles IX, enfant fragile alors âgé de 12 ans, se rendit à Rouen, reprise aux protestants. Montaigne s'y trouvait comme gentilhomme ordinaire du roi.

forts et armés et qui entouraient le roi (ils parlaient certainement des Suisses de sa garde), acceptent d'obéir à un enfant

525 et qu'on ne choisisse pas plutôt l'un d'entre eux pour les commander.

Deuxièmement (dans leur langage, ils divisent les hommes en deux « moitiés »), ils dirent qu'ils avaient remarqué qu'il y avait parmi nous des hommes repus et nantis de toutes sortes

530 de commodités, alors que ceux de l'autre « moitié » mendiaient à leurs portes, décharnés par la faim et la pauvreté ; ils trouvaient donc étrange que ces « moitiés »-là puissent supporter une telle injustice, sans prendre les autres à la gorge ou mettre le feu à leurs maisons.

535 J'ai parlé à l'un d'entre eux fort longtemps ; mais j'avais un interprète qui me suivait si mal, et que sa bêtise empêchait tellement de comprendre mes idées, que je ne pus tirer rien qui vaille de cette conversation. Comme je demandais à cet homme quel bénéfice il tirait de la supériorité qu'il avait parmi

540 les siens (car c'était un capitaine, et nos matelots l'appelaient « Roi »), il me dit que c'était de marcher le premier à la guerre. Pour me dire de combien d'hommes il était suivi, il me montra un certain espace, pour signifier que c'était autant qu'on pourrait en mettre là, et cela pouvait faire quatre ou cinq mille

545 hommes. Quand je lui demandai si, en dehors de la guerre, toute son autorité prenait fin, il répondit que ce qui lui en restait, c'était que, quand il visitait les villages qui dépendaient de lui, on lui traçait des sentiers à travers les fourrés de leurs bois, pour qu'il puisse y passer commodément.

550 Tout cela n'est pas si mal. Mais quoi ! Ils ne portent pas de pantalon.

forts et armés, qui étaient autour du Roi (il est vraisemblable qu'ils parlaient des Suisses de sa garde), se soumissent à obéir à un enfant, et qu'on ne choisisse plutôt quelqu'un d'entre eux pour commander.

Secondement (ils ont une façon de leur langage telle qu'il nomment les hommes moitié les uns des autres) qu'ils avaient aperçu qu'il y avait parmi nous des hommes pleins et gorgés de toutes sortes de commodités, et que leurs moitiés étaient mendiants à leurs portes, décharnés de faim et de pauvreté; et trouvaient étrange comme ces moitiés ici nécessiteuses pouvaient souffrir une telle injustice, qu'ils ne prissent les autres à la gorge, ou missent le feu à leurs maisons.

Je parlai à l'un d'eux fort longtemps, mais j'avais un truchement qui me suivait si mal et qui était si empêché à recevoir mes imaginations par sa bêtise, que je n'en pus tirer rien qui vaille. Sur ce que je lui demandai quel fruit il recevait de la supériorité qu'il avait parmi les siens (car c'était un Capitaine, et nos matelots le nommaient Roi), il me dit que c'était marcher le premier à la guerre; de combien d'hommes il était suivi, il me montra une espace de lieu, pour signifier que c'était autant qu'il en pourrait[1] en une telle espace, ce pouvait être quatre ou cinq mille hommes; si, hors la guerre, toute son autorité était expirée, il dit qu'il lui en restait cela que, quand il visitait les villages qui dépendaient de lui, on lui dressait des sentiers au travers des haies de leurs bois, par où il pût passer bien à l'aise.

Tout cela ne va pas trop mal: mais quoi? ils ne portent point de hauts-de-chausses.

---

1. **Pourrait**: pourrait tenir.

Livre II

CHAPITRE PREMIER
Sur l'inconstance de nos actions

Ceux qui s'emploient à examiner les actions humaines ne rencontrent jamais autant de difficultés que lorsqu'il s'agit de les rassembler et de les présenter sous le même jour. C'est qu'elles se contredisent de telle façon qu'il semble impossible qu'elles fassent partie du même fonds. Dans sa jeunesse, Marius se trouvait ainsi être tantôt le fils de Mars et tantôt le fils de Vénus.

Le pape Boniface VIII prit, dit-on, sa charge comme un renard, s'y comporta comme un lion, et mourut comme un chien. Et qui pourrait croire que c'est Néron, le symbole même de la cruauté, qui s'est exclamé : «Plût à Dieu que je n'eusse jamais su écrire !» alors qu'on lui faisait signer, selon l'usage, la sentence d'un condamné – tant il avait le cœur serré d'envoyer un homme à la mort.

Il y a tellement d'exemples de ce genre, et chacun de nous peut en trouver tellement pour lui-même, que je trouve surprenant de

Livre II

De l'inconstance de nos actions

Comment fonder une connaissance de l'homme, contradictoire et in-constant dans ses actions ? Montaigne fait son portrait d'être inco-hérent avant de tenter une réponse : il faut s'interdire les propos à vocation universelle et résister à la tentation de porter le particulier au général.

Ceux qui s'exercent à contrerôler les actions humaines, ne se trouvent en aucune partie si empêchés[1], qu'à les rapiécer et mettre à même lustre ; car elles se contredisent commu-nément de si étrange façon, qu'il semble impossible qu'elles soient parties de même boutique. Le jeune Marius[2] se trouve tantôt fils de Mars, tantôt fils de Vénus.

Le Pape Boniface huitième[3] entra, dit-on, en sa charge comme un renard, s'y porta comme un lion, et mourut comme un chien. Et qui croirait que ce fût Néron, cette vraie image de la cruauté, comme on lui présentât à signer, suivant le style, la sentence d'un criminel condamné, qui eût répondu : « Plût à Dieu que je n'eusse jamais su écrire ! » tant le cœur lui serrait de condamner un homme à mort.

Tout est si plein de tels exemples, voire[4] chacun en peut tant fournir à soi-même, que je trouve étrange de

---

1. Empêchés : embarrassés.

2. Exemple emprunté aux *Vies des hommes illustres* de Plutarque : le consul romain Marius était appelé « fils de Mars », en raison de son courage « mais ensuite, ses actions ayant montré en lui des qualités tout opposées, on l'appela fils de Vénus ».

3. Boniface VIII a été pape à la fin du XIIIᵉ siècle. Montaigne traduit ici son épitaphe latine.

4. Voire : et même.

voir quelquefois des gens intelligents se donner bien de la peine pour les faire s'accorder, car l'irrésolution me semble le défaut le plus courant et le plus visible de notre humaine nature. Ainsi en

20 témoigne ce vers fameux de Publius [Syrus], l'auteur de farces :

>   *Mauvaise résolution, celle qu'on ne peut modifier.*

Il peut sembler raisonnable de juger un homme d'après les traits les plus ordinaires de son existence ; mais étant donné l'instabilité naturelle de nos mœurs et de nos opinions, j'ai

25 souvent pensé que les bons auteurs eux-mêmes ont bien tort de s'obstiner à vouloir faire de nous un composé solide et stable. Ils choisissent un caractère universel, et sur ce patron, ils classent et interprètent tous les actes d'un personnage ; et s'ils ne peuvent les y plier suffisamment, ils y voient de la dis-

30 simulation. Auguste leur a pourtant échappé ; c'est que cet homme-là, toute sa vie durant, a présenté en permanence une variété d'attitudes si manifeste et si soudaine qu'il a découragé les juges les plus audacieux, et que son cas est demeuré un problème non résolu. La constance est la chose pour moi la

35 plus malaisée à croire chez les hommes et l'inconstance, la plus aisée. Qui jugerait de leurs actes en détail, un par un, aurait bien des chances d'approcher la vérité.

Dans toute l'Antiquité il est bien difficile de trouver une douzaine d'hommes ayant conformé leur vie à un projet précis

40 et stable, ce qui est le principal objectif de la sagesse. Car pour toute la résumer d'un mot, dit un Ancien, pour embrasser d'un coup toutes les règles de notre vie, on peut dire qu'il s'agit de vouloir et ne pas vouloir, sans cesse, la même chose : « Je n'ai rien à ajouter, dit-il, pourvu que la volonté soit juste ; car si elle

45 ne l'est pas, il est impossible en effet qu'elle soit toujours une. » En vérité, j'ai appris autrefois que le vice n'est qu'un dérègle-ment et un manque de modération. Et par conséquent, il est impossible que la constance lui soit associée.

voir quelquefois des gens d'entendement se mettre en peine
d'assortir ces pièces ; vu que l'irrésolution me semble le plus
commun et apparent vice de notre nature ; témoin ce fameux
verset de Publius[1] le farceur,

Malum consilium est, quod mutari non potest.

Il y a quelque apparence de faire jugement d'un homme
par les plus communs traits de sa vie ; mais vu la naturelle instabilité de nos mœurs et opinions, il m'a semblé souvent que
les bons auteurs mêmes ont tort de s'opiniâtrer à former de
nous une constante et solide contexture. Ils choisissent un air
universel, et suivant cette image, vont rangeant et interpré-
tant toutes les actions d'un personnage, et s'ils ne les peuvent
assez tordre, les renvoyent à la dissimulation. Auguste leur
est échappé ; car il se trouve en cet homme une variété d'actions si apparente, soudaine, et continuelle, tout le cours de
sa vie, qu'il s'est fait lâcher entier et indécis, aux plus hardis
juges. Je crois des hommes plus mal aisément la constance
que toute autre chose, et rien plus aisément que l'inconstance.
Qui en jugerait en détail et distinctement, pièce à pièce, ren-
contrerait plus souvent à dire vrai.

En toute l'ancienneté il est malaisé de choisir une douzaine d'hommes, qui aient dressé leur vie à un certain et
assuré train, qui est le principal but de la sagesse. Car, pour
la comprendre tout en un mot, dit un ancien, et pour embrasser en une toutes les règles de notre vie, c'est vouloir, et
ne vouloir pas toujours même chose : « Je ne daignerais, dit-
il, ajouter, pourvu que la volonté soit juste ; car si elle n'est
juste, il est impossible qu'elle soit toujours une. » De vrai,
j'ai autrefois appris que le vice, ce n'est que dérèglement
et faute de mesure ; et par conséquent, il est impossible d'y
attacher la constance.

---

1. Il s'agit de l'auteur comique Publius Syrus, cité par Aulu-Gelle (vers 130-180).

Démosthène aurait dit que le commencement de toute ver-
tu, c'est la réflexion et la délibération, et sa fin et sa perfection, la
constance. Si nous décidions de la voie à prendre par le raisonnement, nous prendrions la meilleure ; mais personne n'y pense :

> Il veut, il ne veut plus ; puis il veut de nouveau la même
> chose ;
> Il hésite, et sa vie est une perpétuelle contradiction.
> Horace, Épîtres, I, 2, v. 98.

Ce que nous faisons d'ordinaire, c'est suivre les variations de
notre désir, à gauche, à droite, vers le haut, vers le bas, là où le
vent des circonstances nous emporte. Nous ne pensons à ce que
nous voulons qu'à l'instant où nous le voulons, et nous changeons, comme cet animal qui prend la couleur de l'endroit où on
le pose. Ce que nous nous sommes proposé de faire à l'instant,
nous le changeons aussitôt, et aussitôt encore, nous revenons
sur nos pas. Tout cela n'est qu'agitation et inconstance :

> Nous sommes agités comme une marionnette
> de bois par les muscles d'un autre.
> Horace, Satires, II, 7, v. 82.

Nous n'allons pas de nous-mêmes : on nous emporte ;
comme les choses qui flottent, tantôt doucement, tantôt violemment, selon que l'eau est agitée ou calme.

> Ne voit-on pas que chaque homme ignore ce qu'il veut,
> Qu'il cherche sans cesse, et bouge continuellement,
> Comme s'il pouvait ainsi décharger son fardeau ?
> Lucrèce, De la nature des choses, III, v. 1070.

À chaque jour son idée nouvelle : notre humeur change au
gré du temps,

> Les pensées des hommes ressemblent à ces rayons
> Changeants dont Jupiter a fécondé la terre lui-même.
> Homère, Odyssée, XVIII, v. 135-136.

C'est un mot de Démosthène, dit-on, que le commencement de toute vertu, c'est consultation et délibération, et la fin et perfection, constance. Si par discours nous entreprenions certaine voie, nous la prendrions la plus belle, mais nul n'y a pensé,

> *Quod petiit, spernit, repetit quod nuper omisit,*
> *Æstuat, et vitæ disconvenit ordine toto* [1].

Notre façon ordinaire c'est d'aller après les inclinations de notre appétit, à gauche, à dextre, contremont, contrebas, selon que le vent des occasions nous emporte. Nous ne pensons ce que nous voulons, qu'à l'instant que nous le voulons, et changeons comme cet animal [2] qui prend la couleur du lieu où on le couche. Ce que nous avons à cette heure proposé, nous le changeons tantôt, et tantôt encore retournons sur nos pas ; ce n'est que branle et inconstance :

> *Ducimur ut nervis alienis mobile lignum* [3].

Nous n'allons pas, on nous emporte, comme les choses qui flottent, ores doucement, ores avec violence, selon que l'eau est ireuse ou bonasse,

> *Nonne videmus*
> *Quid sibi quisque velit nescire, et quærere semper,*
> *Commutare locum quasi onus deponere possit* [4] ?

Chaque jour nouvelle fantasie, et se meuvent nos humeurs avec les mouvements du temps.

> *Tales sunt hominum mentes, quali pater ipse*
> *Juppiter auctifero lustravit lumine terras* [5].

---

1. Horace, *Épîtres*, I, 2, v. 98.

2. Allusion au poulpe ou au caméléon, empruntée à Plutarque.

3. Horace, *Satires*, II, 7, v. 82.

4. Lucrèce, *De la nature des choses*, III, v. 1070.

5. Homère, *Odyssée*, XVIII, v. 135-136.

Nous flottons entre diverses opinions ; nous ne voulons rien librement, rien absolument, rien constamment.

Celui qui saurait édicter et s'imposer mentalement des lois et une organisation claires, ferait montre toujours et partout d'une conduite égale à elle-même, grâce à un ordre et une relation adéquates entre ses principes et les choses réelles. Empédocle avait remarqué, au contraire, chez les gens d'Agrigente cette incohérence : ils s'abandonnaient aux délices de la vie comme s'ils devaient mourir le lendemain, et bâtissaient pourtant comme s'ils ne devaient jamais mourir.

On expliquerait facilement la vie d'un homme ainsi réglé. Comme on le voit pour Caton d'Utique : qui a frappé une seule touche du clavier a tout frappé ; voilà une harmonie de sons bien accordés, et qu'on ne peut nier. Et chez nous, à l'inverse, autant d'actions, autant de jugements particuliers. Le plus sûr, selon moi, serait de les rapporter aux circonstances, sans chercher plus loin, et sans en tirer de conclusion.

Pendant les troubles qui ont agité notre malheureuse société, on me rapporta qu'une fille, tout près de l'endroit où je me trouvais, s'était jetée d'une fenêtre pour échapper aux violences d'un voyou de soldat qui était son hôte ; elle ne s'était pas tuée dans sa chute, et pour aller au bout de sa tentative, avait voulu se trancher la gorge avec un couteau. On l'en avait empêchée, mais sans toutefois l'empêcher de se blesser gravement. Elle reconnaissait elle-même que le soldat ne l'avait encore harcelée que par des paroles, des sollicitations et des cadeaux, mais qu'elle avait eu peur qu'il en vînt pour finir à la contraindre. Et cela avec les mots, la contenance et le sang témoignant de sa vertu, à la façon d'une autre Lucrèce.

Nous flottons entre divers avis ; nous ne voulons rien librement, rien absolument, rien constamment.

À qui aurait prescrit et établi certaines lois et certaine police en sa tête, nous verrions tout par tout en sa vie reluire une équalité de mœurs, un ordre, et une relation infaillible des unes choses aux autres[1]. (Empédocles remarquait cette difformité aux Agrigentins, qu'ils s'abandonnaient aux délices, comme s'ils avaient lendemain à mourir, et bâtissaient comme si jamais ils ne devaient mourir.)

Le discours en[2] serait bien aisé à faire. Comme il se voit du jeune Caton : qui en a touché une marche, a tout touché ; c'est une harmonie de sons très accordants, qui ne se peut démentir. À nous, au rebours, autant d'actions, autant faut-il de jugements particuliers. Le plus sûr, à mon opinion, serait de les rapporter aux circonstances voisines, sans entrer en plus longue recherche, et sans en conclure autre conséquence.

Pendant les débauches[3] de notre pauvre état, on me rapporta qu'une fille de bien près de là où j'étais, s'était précipitée du haut d'une fenêtre pour éviter la force d'un bélître de soldat, son hôte ; elle ne s'était pas tuée à la chute, et pour redoubler son entreprise, s'était voulu donner d'un couteau par la gorge, mais on l'en avait empêchée, toutefois après s'y être bien fort blessée. Elle-même confessait que le soldat ne l'avait encore pressée que de requêtes, sollicitations, et présents, mais qu'elle avait eu peur qu'enfin il en vînt à la contrainte ; et là-dessus les paroles, la contenance, et ce sang témoin de sa vertu, à la vraie façon d'une autre Lucrèce[4].

---

1. **Des unes choses aux autres** : des choses les unes aux autres.

2. **En** : renvoie à « à qui aurait prescrit » des lois.

3. Allusion aux guerres civiles de Religion en France.

4. **Lucrèce**, épouse de Lucius Tarquinius Collatinus, est un modèle de vertu romaine : après avoir été violée par Sextus Tarquin, elle préféra se donner la mort.

105   Or j'ai appris qu'en réalité, avant et depuis les faits, elle avait été une fille plutôt facile... Comme le dit le conte : tout beau et honnête que vous soyez, quand vous ne serez pas parvenu à vos fins, n'en concluez pas trop vite à une chasteté à toute épreuve chez votre maîtresse : cela ne veut pas dire que le
110   muletier n'y trouve son compte.

       Antigonos ayant pris en affection un de ses soldats, pour son courage et sa vaillance, ordonna à ses médecins de le soigner pour une maladie cachée et qui le tourmentait de longue date. S'apercevant, après sa guérison, qu'il allait avec beaucoup
115   moins d'entrain au combat, il lui demanda ce qui l'avait ainsi transformé et rendu poltron. «Vous-même, sire, lui répondit-il, en m'ayant ôté les maux pour lesquels je ne tenais pas à la vie.»

       Le soldat de Lucullus qui avait été dévalisé par les enne-
120   mis, se vengea d'eux en les attaquant de belle façon. Quand il se fut remplumé de ce qu'il avait perdu, Lucullus, qui l'avait pris en estime, voulut le charger d'une entreprise hasardeuse, en recourant aux exhortations les plus belles qu'il pouvait imaginer :

125   *Avec des mots qui auraient fait d'un poltron*
           un courageux.
           Horace, *Épîtres*, II, 2, v. 36.

       – Employez-y, répondit-il, quelque pauvre soldat dévalisé !

           Tout rustaud qu'il fut, il répondit :
           Il ira où tu veux, celui qui a perdu sa bourse.
           Horace, *Épîtres*, II, 2, v. 39.

130   Et il refusa catégoriquement d'y aller.

       On raconte que Mahomet, quand il vit ses troupes enfoncées par les Hongrois, sans que Hassan, chef de ses janissaires,

Or j'ai su à la vérité, qu'avant et depuis elle avait été garce de non si difficile composition. Comme dit le conte, tout beau et honnête que vous êtes, quand vous aurez failli votre pointe[1], n'en concluez pas incontinent une chasteté inviolable en votre maîtresse : ce n'est pas à dire que le muletier n'y trouve son heure.

Antigonus, ayant pris en affection un de ses soldats pour sa vertu et vaillance, commanda à ses médecins de le panser d'une maladie longue et intérieure qui l'avait tourmenté longtemps ; et s'apercevant après sa guérison qu'il allait beaucoup plus froidement aux affaires, lui demanda qui l'avait ainsi changé et encouardi : « Vous-même, Sire, lui répondit-il, m'ayant déchargé des maux pour lesquels je ne tenais compte de ma vie. »

Le soldat de Lucullus ayant été dévalisé par les ennemis, fit sur eux pour se revancher une belle entreprise. Quand il se fut remplumé de sa perte, Lucullus, l'ayant pris en bonne opinion, l'employait à quelque exploit hasardeux par toutes les plus belles remontrances de quoi il se pouvait aviser :

Verbis quæ timido quoque possent addere mentem[2].

« Employez-y, répondit-il, quelque misérable soldat dévalisé » :

(quantumvis rusticus ibit,
Ibit eo, quo vis, qui zonam perdidit, inquit)[3]

et refusa résolument d'y aller.

Quand nous lisons que Mahomet ayant outrageusement rudoyé Chasan, chef de ses Janissaires[4], de ce qu'il voyait sa

---

1. Failli votre pointe : échoué en amour.

2. Horace, *Épîtres*, II, 2, v. 36.

3. Horace, *Épîtres*, II, 2, v. 39.

4. Janissaires : soldats d'élite de l'armée ottomane.

fasse preuve de grande détermination dans le combat, avait outrageusement rudoyé ce dernier. Alors Hassan, pour toute
135 réponse, alla seul se ruer furieusement, dans l'état où il était, les armes à la main, sur le premier groupe d'ennemis qui se présenta, où il disparut. Quand on lit cela, on se dit que ce n'est peut-être pas tant une manière de se justifier qu'un changement d'avis, ni tant une vaillance naturelle qu'un nouveau
140 dépit.

Ne soyez pas étonné de trouver aujourd'hui si poltron celui que vous avez vu hier si courageux : la colère, la nécessité, la compagnie, le vin, ou même le son d'une trompette, lui avaient donné du cœur au ventre. Et ce courage n'est pas dû
145 à la raison ; ce sont les circonstances qui l'ont affermi. Ce n'est donc pas étonnant si des circonstances contraires le rendent différent.

Cette variation et cette contradiction que l'on peut voir en nous, si changeantes, ont conduit certains à imaginer que nous
150 avons deux âmes, et d'autres, deux forces, qui nous accompagnent et nous font mouvoir, chacune à sa façon, l'une vers le bien, l'autre vers le mal. Car ils pensent qu'une diversité si soudaine peut difficilement être associée à un sujet simple.

Ce n'est pas seulement le vent des événements qui m'agite
155 selon sa direction : je m'agite et me trouble moi-même aussi du fait de l'instabilité de ma situation, et celui qui s'observe ne se trouve guère deux fois dans le même état. Je donne à mon âme tantôt un visage, tantôt un autre, selon que je la tourne d'un côté ou de l'autre. Si je parle de moi de diverses façons, c'est que
160 je me regarde diversement. Toutes les contradictions s'y retrouvent, d'une façon ou d'une autre : timide et insolent ; chaste et luxurieux ; bavard et taciturne ; actif et languissant ; intelligent et obtus ; morose et enjoué ; menteur et honnête ; savant et

troupe enfoncée par les Hongres, et lui se porter [1] lâchement au combat, Chasan alla pour toute réponse se ruer furieusement seul en l'état qu'il était, les armes au poing, dans le premier corps des ennemis qui se présenta, où il fut soudain englouti ; ce n'est à l'aventure [2] pas tant justification que ravisement, ni tant prouesse naturelle qu'un nouveau dépit.

Celui que vous vîtes hier si aventureux, ne trouvez pas étrange de le voir aussi poltron le lendemain : ou la colère, ou la nécessité, ou la compagnie, ou le vin, ou le son d'une trompette lui avait mis le cœur au ventre ; ce n'est pas un cœur ainsi formé par discours, ces circonstances le lui ont fermi ; ce n'est pas merveille, si le voilà devenu autre par autres circonstances contraires.

Cette variation et contradiction qui se voit en nous, si souple, a fait qu'aucuns nous songent deux âmes, d'autres deux puissances qui nous accompagnent et agitent chacune à sa mode, vers le bien l'une, l'autre vers le mal, une si brusque diversité ne se pouvant bien assortir à un sujet simple.

Non seulement le vent des accidents me remue selon son inclination, mais en outre je me remue et trouble moi-même par l'instabilité de ma posture ; et qui y regarde primement [3], ne se trouve guère deux fois en même état. Je donne à mon âme tantôt un visage, tantôt un autre, selon le côté où je la couche. Si je parle diversement de moi, c'est que je me regarde diversement. Toutes les contrariétés s'y trouvent, selon quelque tour et en quelque façon. Honteux, insolent, chaste, luxurieux, bavard, taciturne, laborieux [4], délicat, ingénieux, hébété, chagrin, débonnaire [5], menteur, véritable, savant,

---

1. **Se porter** : se comporter.
2. **À l'aventure** : peut-être.
3. **Primement** : attentivement.
4. **Laborieux** : dur à la peine.
5. **Débonnaire** : aimable.

ignorant; prodigue et avare... Je vois tout cela en moi, en quelque
sorte, selon l'angle sous lequel je m'examine. Quiconque s'examine attentivement découvre en lui-même, et jusqu'en son
propre jugement, cette versatilité et cette discordance. Je ne
peux rien dire de moi absolument, simplement et solidement,
sans confusion et sans mélange, d'un seul mot. *Distinguo* est
l'élément le plus universel de ma logique.

Je suis convaincu qu'il faut dire du bien de ce qui est bien, et
suis plutôt enclin à présenter les choses qui peuvent l'être sous
un jour favorable. La bizarrerie de notre condition fait que
nous sommes souvent poussés, par le vice lui-même, à faire ce
qui serait un bien, si bien faire ne se définissait que par la seule
intention. Car d'un acte courageux on ne doit pas conclure
que son auteur est vaillant : celui qui le serait vraiment le
serait toujours et en toutes circonstances. Si chez un homme
ce courage était habituel et non un accès passager, il ferait de
lui quelqu'un de prêt à toutes les éventualités, qu'il soit seul
ou en compagnie, en champ clos comme à la bataille – car,
quoi qu'on en dise, il n'y a pas un courage pour la ville et un
autre pour la guerre. Il supporterait aussi courageusement une
maladie dans son lit qu'une blessure à la guerre, et ne craindrait pas plus de mourir dans sa maison qu'au combat. Nous
ne verrions pas le même homme se jeter dans une brèche avec
une mâle assurance, et se désoler ensuite, comme une femme,
de la perte d'un procès ou d'un fils.

ignorant, et libéral[1] et avare et prodigue : tout cela je le vois en moi aucunement, selon que je me vire ; et quiconque s'étudie bien attentivement, trouve en soi, voire et[2] en son jugement même, cette volubilité et discordance. Je n'ai rien à dire de moi, entièrement, simplement, et solidement, sans confusion et sans mélange, ni en un mot. *Distinguo*[3] est le plus universel membre de ma Logique.

Encore que je sois toujours d'avis de dire du bien le bien, et d'interpréter plutôt en bonne part les choses qui le peuvent être, si est-ce que l'étrangeté de notre condition porte que nous soyons souvent par le vice même poussés à bien faire, si le bien faire ne se jugeait par la seule intention. Par quoi un fait courageux ne doit pas conclure[4] un homme vaillant : celui qui le serait bien à point, il le serait toujours, et à toutes occasions. Si c'était une habitude de vertu, et non une saillie, elle rendrait un homme pareillement résolu à tous accidents, tel seul qu'en compagnie, tel en camp clos[5] qu'en une bataille ; car quoi qu'on dise, il n'y a pas autre vaillance sur le pavé et autre au camp. Aussi courageusement porterait-il une maladie en son lit, qu'une blessure au camp, et ne craindrait non plus la mort en sa maison qu'en un assaut. Nous ne verrions pas un même homme donner dans la brèche[6] d'une brave assurance, et se tourmenter après, comme une femme, de la perte d'un procès ou d'un fils.

---

1. Libéral : généreux.

2. Voire et : jusqu'en.

3. *Distinguo* : en latin, « je distingue ». Allusion à un mode de raisonnement présenté comme une mesure de précaution pour répondre à la difficulté de vouloir dire la contradiction de l'homme, toujours compliquée par l'inconstance de ses actions et son absence de cohérence. Le *distinguo* empêche tout discours à portée universelle en interdisant de généraliser un raisonnement parti d'un cas particulier.

4. Conclure : faire conclure à.

5. Allusion au duel qui se déroulait en champ clos.

6. Brèche : première ligne de combat.

Quand on est lâche devant l'infamie, et ferme face à la pauvreté, faible devant le scalpel du chirurgien, mais intrépide contre les épées adverses, ce sont les actes qu'il faut louer, non leur auteur.

Nombre de Grecs, dit Cicéron, craignent la vue de l'ennemi, mais se montrent fermes face aux maladies. Chez les Cimbres et les Celtibères, c'est tout le contraire. « Rien ne peut être uniforme, en effet, qui ne repose sur un principe ferme. »

Il n'est pas de vaillance plus extrême, en son genre, que celle d'Alexandre ; mais elle ne l'est que dans son genre, ni assez complète, ni universelle. Aussi incomparable qu'elle soit, elle a pourtant des taches : c'est ainsi qu'on le voit tellement perturbé par les plus légers soupçons envers les siens qui voudraient attenter à sa vie, et se comporter dans ses investigations d'une façon si violente et si injuste, mû par une crainte qui met sa raison sens dessus dessous. De même, les superstitions dont il faisait grand cas donnent de lui une image quelque peu pusillanime. Et l'excès de repentir dont il fit montre lors du meurtre de Clytus, témoigne aussi du côté changeant de son caractère.

Notre comportement n'est qu'un assemblage de pièces rapportées et nous voulons gagner des honneurs sous des couleurs usurpées. La vertu ne veut être pratiquée que pour elle-même ; et si on emprunte parfois son masque dans un autre but, elle nous l'arrache aussitôt du visage. C'est une teinture vive et tenace, et quand l'âme s'en est imprégnée, on ne peut l'en séparer sans qu'elle emporte le morceau avec elle. Voilà pourquoi pour juger d'un homme, il faut suivre longtemps et soigneusement sa trace ; si la constance de son

Quand, étant lâche à l'infamie[1], il est ferme à la pauvreté ; quand, étant mou contre les rasoirs des barbiers, il se trouve raide contre les épées des adversaires, l'action est louable, non pas l'homme.

Plusieurs Grecs, dit Cicéron, ne peuvent voir les ennemis et se trouvent constants aux maladies. Les Cimbres et Celtibériens tout au rebours. *Nihil enim potest esse æquabile, quod non a certa ratione proficiscatur*[2].

Il n'est point de vaillance plus extrême en son espèce que celle d'Alexandre ; mais elle n'est qu'en espèce[3], ni assez pleine par tout, et universelle. Toute incomparable qu'elle est, si a-t-elle encore ses taches ; qui fait que nous le voyons se troubler si éperdument aux plus légers soupçons qu'il prend des machinations des siens contre sa vie, et se porter en cette recherche d'une si véhémente et indiscrète injustice, et d'une crainte qui subvertit sa raison naturelle. La superstition aussi, de quoi il était si fort atteint, porte quelque image de pusillanimité. Et l'excès de la pénitence qu'il fit du meurtre de Clytus[4] est aussi témoignage de l'inégalité de son courage.

Notre fait, ce ne sont que pièces rapportées, et voulons acquérir un honneur à fausses enseignes. La vertu ne veut être suivie que pour elle-même ; et si on emprunte parfois son masque pour autre occasion, elle nous l'arrache aussitôt du visage. C'est une vive et forte teinture, quand l'âme en est une fois abreuvée, et qui ne s'en va qu'elle n'emporte la pièce. Voilà pourquoi, pour juger d'un homme, il faut suivre longuement et curieusement sa trace ; si la constance ne s'y

---

1. À l'infamie : face au déshonneur.

2. Cicéron, *Tusculanes*, II, XXVII, 65.

3. En espèce : particulière, et non universelle.

4. Sous l'emprise du vin, Alexandre tua Clytus, un de ses officiers à qui il devait la vie, pour l'avoir critiqué.

comportement ne se maintient d'elle-même, « [comme chez] celui qui, après examen, a déterminé la route à suivre », si la variété des circonstances le fait changer de pas (ou plutôt :
220 changer de route, car on peut hâter le pas ou ralentir), alors laissez-le aller, car il s'en va « à vau-le-vent », comme le dit la devise de notre Talbot.

Ce n'est pas étonnant, dit un auteur ancien, que le hasard ait tant d'influence sur nous, puisque nous vivons au gré du
225 hasard. Celui qui n'a pas fixé d'avance, en gros, une direction à son existence ne peut pas organiser ses actes dans le détail. À qui n'a pas en tête le plan de l'ensemble, il est impossible de disposer les éléments. À quoi bon faire provision de couleurs, si l'on ne sait ce qu'on va peindre ? Personne ne fait le plan
230 général de sa vie : nous n'y réfléchissons qu'au coup par coup. L'archer doit d'abord savoir où viser, pour bien placer sa main, l'arc, la corde, la flèche et donner l'impulsion convenable.

Nos projets échouent parce qu'ils n'ont pas de direction ni de but. Aucun vent n'est favorable pour celui qui n'a pas de
235 port de destination ! Je ne souscris pas au jugement qui fut rendu en faveur de Sophocle contre son fils qui l'accusait : ce n'est pas en voyant une de ses tragédies que l'on pouvait affirmer qu'il était compétent dans l'administration de sa maison.

Je ne trouve pas non plus que la conjecture faite par les
240 Pariens, qu'on avait envoyés pour faire des réformes chez les Milésiens, ait été suffisante pour justifier les conséquences qu'ils en tirèrent. En visitant l'île, ils avaient remarqué les terres les mieux cultivées et les maisons de campagne les mieux entretenues, et

maintient de son seul fondement, *cui vivendi via considerata atque provisa est*[1], si la variété des occurrences lui fait changer de pas (je dis[2] de voie, car le pas s'en peut ou hâter ou appesantir), laissez-le courre: celui-là s'en va à vau[3] le vent, comme dit la devise de notre Talebot[4].

Ce n'est pas merveille, dit un ancien[5], que le hasard puisse tant sur nous, puisque nous vivons par hasard. À qui n'a dressé en gros sa vie à une certaine fin, il est impossible de disposer les actions particulières. Il est impossible de ranger les pièces, à qui n'a une forme du total en sa tête. À quoi faire la provision des couleurs, à qui ne sait ce qu'il a à peindre? Aucun ne fait certain dessein de sa vie, et n'en délibérons qu'à parcelles. L'archer doit premièrement savoir où il vise, et puis y accommoder la main, l'arc, la corde, la flèche, et les mouvements.

Nos conseils fourvoient, parce qu'ils n'ont pas d'adresse et de but. Nul vent fait pour celui qui n'a point de port destiné. Je ne suis pas d'avis de ce jugement qu'on fit pour Sophocle, de l'avoir argumenté suffisant[6] au maniement des choses domestiques[7], contre l'accusation de son fils, pour avoir vu l'une de ses tragédies.

Ni ne trouve la conjecture[8] des Pariens, envoyés pour réformer les Milésiens, suffisante à la conséquence qu'ils en tirèrent. Visitant l'île, ils remarquaient les terres mieux cultivées et maisons champêtres mieux gouvernées. Et ayant

---

1. Cicéron, *Paradoxes,* V, I, 34.

2. Je dis: je devrais dire.

3. À vau: au gré.

4. John Talebot (ou Talbot): capitaine anglais mort en 1453, dont le dernier combat eut lieu dans la région de Montaigne.

5. Ancien: auteur antique, ici Sénèque.

6. Argumenté suffisant: estimé capable.

7. Domestiques: privées.

8. Conjecture: conclusion.

avaient noté les noms de leurs maîtres. Quand ils tinrent l'assem-
245   blée des citoyens de la ville, ils nommèrent ces gens-là comme
nouveaux gouverneurs et magistrats, estimant que s'ils étaient
soigneux de leurs affaires privées, ils le seraient aussi des affaires
publiques.

Nous sommes tous faits de pièces et de morceaux, d'un arran-
250   gement si varié et de forme si changeante, que chaque élément,
à chaque instant, joue son rôle. Et il y a autant de différence
entre nous et nous-mêmes qu'entre nous et un autre. « Sois sûr
qu'il est bien difficile d'être toujours un seul et le même. »

Puisque l'ambition peut enseigner aux hommes la vaillance,
255   la tempérance, la libéralité, et même la justice ; puisque la
cupidité peut instiller au cœur d'un banal employé, élevé dans
l'ombre et dans l'oisiveté, assez d'assurance pour le faire se
jeter très loin de chez lui, à la merci des vagues et de la colère de Neptune, sur un frêle esquif – et qu'elle peut enseigner
260   aussi la discrétion et la prudence ; puisque Vénus elle-même
suscite résolution et hardiesse dans la jeunesse encore soumise
à la « discipline » et aux verges, et aguerrit le tendre cœur des
jeunes filles dans le giron de leurs mères,

> Conduite par Vénus, la jeune fille, furtive,
265   Au milieu de ses gardiens couchés et endormis,
> Et seule dans les ténèbres, va rejoindre son amant.
> Tibulle, *Élégies*, II, 1, v. 75 et sq.

ce n'est pas faire preuve de grande intelligence que de nous
juger seulement d'après nos comportements extérieurs : il faut
sonder plus profond, et voir quels sont les ressorts qui met-
270   tent l'ensemble en mouvement. Mais c'est une entreprise bien
hasardeuse – et je voudrais que moins de gens s'en mêlent.

enregistré le nom des maîtres d'icelles, comme[1] ils eurent fait l'assemblée des citoyens en la ville, ils nommèrent ces maîtres-là pour nouveaux gouverneurs et magistrats ; jugeant que, soigneux de leurs affaires privées, ils le seraient des publiques.

Nous sommes tous de lopins, et d'une contexture si informe et diverse, que chaque pièce, chaque moment, fait son jeu. Et se trouve autant de différence de nous à nous-mêmes, que de nous à autrui. *Magnam rem puta, unum hominem agere*[2].

Puisque l'ambition peut apprendre aux hommes, et la vaillance, et la tempérance, et la libéralité[3], voire et la justice ; puisque l'avarice peut planter au courage d'un garçon de boutique, nourri à l'ombre et à l'oisiveté, l'assurance de se jeter si loin du foyer domestique, à la merci des vagues et de Neptune courroucé, dans un frêle bateau, et qu'elle apprend encore la discrétion et la prudence[4] ; et que Vénus même fournit de résolution et de hardiesse la jeunesse encore sous la discipline et la verge[5], et gendarme le tendre cœur des pucelles au giron de leurs mères :

> *Hac duce custodes furtim transgressa jacentes*
> *Ad juvenem tenebris sola puella venit*[6].

ce n'est pas tour de rassis entendement de nous juger simplement par nos actions de dehors : il faut sonder jusqu'au dedans, et voir par quels ressorts se donne le branle. Mais d'autant que[7] c'est une hasardeuse et haute entreprise, je voudrais que moins de gens s'en mêlassent.

---

1. Comme : quand.

2. Sénèque, *Lettres à Lucilius,* CXX.

3. Libéralité : générosité.

4. La discrétion et la prudence : le discernement et la sagesse.

5. Verge : baguette (du maître).

6. Tibulle, *Élégies*, II, 1, v. 75 *et seq.*

7. D'autant que : vu que.

Sur les exercices

Il est difficile pour le raisonnement et l'instruction, même si nous ajoutons foi à ce qu'ils nous disent, de nous conduire jusqu'à l'action, si nous n'exerçons pas notre âme, par des expériences, à prendre l'allure à laquelle nous voulons la faire aller; sans ces expériences, quand le moment sera venu de la faire agir, elle se trouvera bien embarrassée. Voilà pourquoi ceux des philosophes qui ont cherché à atteindre la qualité la plus haute ne se sont pas contentés d'attendre tranquillement et à l'abri les difficultés du sort, de peur que celles-ci ne surviennent alors qu'ils seraient encore inexpérimentés et novices dans ce combat. Au contraire, ils ont pris les devants, et se sont lancés volontairement à l'épreuve des difficultés. Les uns ont abandonné leurs richesses pour s'entraîner à vivre dans une pauvreté volontaire. Les autres ont recherché le travail physique, une vie austère et pénible, pour s'endurcir contre les maux et mieux supporter la fatigue. D'autres encore se sont privés des parties du corps les plus précieuses, comme celles de la génération, ou les yeux, de peur que leur usage trop agréable et trop doux ne vienne à relâcher et attendrir la fermeté de leur âme.

Mais à mourir, ce qui est la plus grande tâche que nous ayons à accomplir, les exercices pratiques ne sont d'aucun secours... On peut bien, par l'expérience et l'habitude, se fortifier contre

De l'exercitation

L'expérience seule est cette « exercitation », c'est-à-dire cet exercice : elle peut même préparer à la mort, comme en témoigne ici Montaigne lors d'un accident de cheval, fondateur pour la genèse des Essais. C'est aussi l'occasion pour lui d'en tirer une leçon de sagesse et de mieux approcher son « humaine condition ».

Il est malaisé que le discours et l'instruction, encore que notre créance s'y applique volontiers, soient assez puissants pour nous acheminer jusqu'à l'action, si outre cela nous n'exerçons et formons notre âme par expérience au train auquel nous la voulons ranger : autrement quand elle sera au propre des effets, elle s'y trouvera sans doute empêchée. Voilà pourquoi, parmi les philosophes, ceux qui ont voulu atteindre à quelque plus grande excellence, ne se sont pas contentés d'attendre à couvert et en repos les rigueurs de la fortune, de peur qu'elle ne les surprît inexpérimentés et nouveaux au combat ; ains ils lui sont allés au-devant, et se sont jetés à escient à la preuve des difficultés. Les uns en ont abandonné les richesses, pour s'exercer à une pauvreté volontaire ; les autres ont recherché le labeur et une austérité de vie pénible, pour se durcir au mal et au travail : d'autres se sont privés des parties du corps les plus chères, comme de la vue et des membres propres à la génération[1], de peur que leur service trop plaisant et trop mou, ne relâchât et n'attendrît la fermeté de leur âme.

Mais à mourir, qui est la plus grande besogne que nous ayons à faire, l'exercitation ne nous y peut aider. On se peut par usage et par expérience fortifier contre les douleurs, la

---

1. **Génération** : procréation.

les douleurs, la honte, la misère, et autres semblables accidents. Mais s'agissant de la mort, nous n'avons droit qu'à un seul essai. Et nous sommes tous des apprentis lorsque nous la rencontrons.

Il s'est trouvé, autrefois, des hommes qui savaient si bien économiser le temps qu'ils avaient à vivre qu'ils ont essayé de goûter et de savourer la mort elle-même ; et ils ont appliqué leur esprit à tenter de voir ce qu'était ce passage. Mais ils ne sont pas revenus nous en donner des nouvelles.

> Nul ne se réveille quand l'a saisi
> Le froid repos de la mort.
> Lucrèce, *De la nature des choses*, III, v. 942-943.

Canius Julius, noble Romain, doué d'un courage et d'une fermeté extraordinaires, avait été condamné à mort par ce maraud de Caligula. Après avoir donné plusieurs fois déjà des preuves de sa résolution, et alors qu'il était sur le point d'être remis aux mains du bourreau, un philosophe de ses amis lui demanda : « Eh bien, Canius, en quelle disposition se trouve, en ce moment, votre âme ? Que fait-elle ? Et à quoi pensez-vous ? » « Je pensais », lui répondit-il, « ayant rassemblé mes forces, à me tenir prêt pour essayer de voir si, en cet instant de la mort, si court, si bref, je pourrais observer quelque déplacement de l'âme, et savoir si elle éprouvera quelque chose du fait de sa sortie ; et si j'apprends là-dessus quelque chose, je voudrais revenir ensuite, si je le puis, en avertir mes amis. » Voilà quelqu'un qui philosophait, non seulement jusqu'à la mort, mais pendant la mort même. Quelle belle assurance, quelle noblesse de cœur, de vouloir que sa mort lui serve de leçon, et d'être capable de penser à autre chose en une affaire si grave !

honte, l'indigence, et tels autres accidents ; mais quant à la mort, nous ne la pouvons essayer qu'une fois ; nous y sommes tous apprentis, quand nous y venons.

Il s'est trouvé anciennement[1] des hommes si excellents ménagers[2] du temps, qu'ils ont essayé en la mort même de la goûter et savourer, et ont bandé leur esprit pour voir que c'était de ce passage ; mais ils ne sont pas revenus nous en dire les nouvelles :

> *nemo expergitus extat*
> *Frigida quem semel est vitai pausa sequuta*[3].

Canius Julius, noble Romain, de vertu et fermeté singulière, ayant été condamné à la mort par ce maraud de Caligula, outre plusieurs merveilleuses[4] preuves qu'il donna de sa résolution[5], comme il était sur le point de souffrir la main du bourreau, un philosophe son ami lui demanda : « Eh bien Canius, en quelle démarche est à cette heure votre âme ? que fait-elle ? en quels pensements êtes-vous ? » « Je pensais, lui répondit-il, à me tenir prêt et bandé de toute ma force, pour voir si, en cet instant de la mort, si court et si bref, je pourrai apercevoir quelque délogement de l'âme, et si elle aura quelque ressentiment de son issue pour, si j'en apprends quelque chose, en revenir donner après, si je puis, avertissement à mes amis. » Celui-ci philosophe non seulement jusqu'à la mort, mais en la mort même. Quelle assurance était-ce, et quelle fierté de courage, de vouloir que sa mort lui servît de leçon, et avoir loisir de penser ailleurs en une si grande affaire ?

---

1. **Anciennement** : dans l'Antiquité.

2. **Ménagers** : soucieux.

3. Lucrèce, *De la nature des choses*, III, v. 942-943.

4. **Merveilleuses** : étonnantes.

5. **Résolution** : fermeté.

Il gardait cet empire sur son âme à l'heure de la mort.
Lucain, *La Pharsale*, VIII, v. 636.

Il me semble pourtant qu'il existe un moyen de l'apprivoiser, et en quelque sorte, de l'essayer. Nous pouvons en faire l'expérience, sinon entière et parfaite, mais au moins telle qu'elle ne soit pas inutile, et qu'elle nous rende plus fort et plus sûr de nous. Si nous ne pouvons l'atteindre, nous pouvons l'approcher, nous pouvons la reconnaître ; et si nous ne parvenons pas jusqu'au cœur même de la place, nous en verrons au moins les avenues qui y conduisent.

Ce n'est pas sans raison qu'on nous fait observer notre sommeil : il a quelque ressemblance avec la mort. Comme nous passons facilement de la veille au sommeil ! Et comme nous perdons facilement conscience de la lumière et de nous-mêmes ! Le sommeil pourrait peut-être passer pour inutile et contre nature, puisqu'il nous prive de tout sentiment ; mais la nature nous apprend qu'elle nous a fait aussi bien pour mourir que pour vivre, et dès la naissance, elle nous donne la représentation de cet état dans lequel elle nous conservera éternellement après elle, pour nous y habituer, et nous en ôter la crainte.

Mais ceux dont le cœur a lâché à la suite d'un accident violent, et qui ont perdu connaissance, ceux-là, à mon avis, ont bien failli voir son véritable visage ; car en ce qui concerne le moment et l'endroit du passage lui-même, il y a peu de chances pour qu'il puisse causer quelque souffrance ou quelque ennui, car nous ne pouvons éprouver aucun sentiment en dehors de la durée. Il nous faut du temps pour souffrir, et celui de la mort est si court, si précipité, qu'il nous est impossible de la

Jus hoc animi morientis habebat[1].

Il me semble toutefois qu'il y a quelque façon de nous apprivoiser à elle, et de l'essayer aucunement. Nous en pouvons avoir expérience, sinon entière et parfaite, au moins telle qu'elle ne soit pas inutile, et qui nous rende plus fortifiés et assurés. Si nous ne la pouvons joindre, nous la pouvons approcher, nous la pouvons reconnaître ; et si nous ne donnons jusqu'à son fort, au moins verrons-nous et en pratiquerons les avenues[2].

Ce n'est pas sans raison qu'on nous fait regarder à notre sommeil même, pour la ressemblance qu'il a de la mort. Combien facilement nous passons du veiller au dormir, avec combien peu d'intérêt[3] nous perdons la connaissance de la lumière et de nous ! À l'aventure pourrait sembler inutile et contre nature la faculté du sommeil, qui nous prive de toute action et de tout sentiment, n'était que, par icelui[4], nature nous instruit qu'elle nous a pareillement faits pour mourir que pour vivre, et, dès la vie, nous présente l'éternel état qu'elle nous garde après icelle[5], pour nous y accoutumer et nous en ôter la crainte.

Mais ceux qui sont tombés par quelque violent accident en défaillance de cœur, et qui y ont perdu tous sentiments, ceux-là à mon avis ont été bien près de voir son vrai et naturel visage ; car quant à l'instant et au point du passage, il n'est pas à craindre qu'il porte avec soi aucun travail ou déplaisir, d'autant que nous ne pouvons avoir nul sentiment sans loisir. Nos souffrances ont besoin de temps, qui est si court et si précipité en la mort qu'il faut nécessairement

---

1. Lucain, *La Pharsale*, VIII, v. 636.

2. Avenues : accès. « Fort » et « avenues » relèvent d'une métaphore militaire.

3. Intérêt : souci.

4. N'était que par icelui : si ce n'est que par lui (le sommeil).

5. Icelle : la vie.

ressentir... Ce sont ses « travaux d'approche » que nous avons
à craindre, et de ceux-là nous pouvons acquérir l'expérience.

Bien des choses semblent plus grandes dans notre imagination qu'elles ne le sont en réalité. J'ai passé une bonne partie de
ma vie en parfaite santé – non seulement parfaite, mais vigoureuse, et même bouillante. Me sentir ainsi plein de verdeur et
de joie de vivre me faisait considérer les maladies comme des
choses tellement horribles que quand j'en ai fait l'expérience,
j'ai trouvé leurs atteintes légères et faibles en comparaison de
ce que je redoutais.

Voici quelque chose que je ressens tous les jours : si je suis
bien au chaud dans une pièce confortable pendant une nuit
orageuse où souffle la tempête, je m'inquiète et m'afflige pour
ceux qui sont dehors à ce moment-là. Y suis-je moi-même,
que je n'ai même pas envie d'être ailleurs !...

Le simple fait d'être toujours confiné dans une pièce me
semblait quelque chose d'insupportable ; j'y fus contraint
brutalement durant une semaine, puis un mois, agité, mal en
point, et bien faible. Et j'ai constaté que quand j'étais en bonne
santé, je trouvais les malades bien plus à plaindre que je ne
l'étais moi-même à leur place, et que l'idée que je m'en faisais
augmentait de moitié ou presque la réalité et la vérité de cet
état. J'espère qu'il en sera de même pour la mort, et qu'elle
ne mérite ni la peine que je prends à m'y préparer, ni les secours que je recherche pour en amortir le choc. Mais on ne sait
jamais... on ne peut jamais trop s'en prémunir.

Pendant notre troisième guerre de Religion, ou la deuxième
(je ne m'en souviens plus très bien !), j'étais allé un jour me promener à une lieue de ma demeure, qui se trouve être au beau

qu'elle soit insensible. Ce sont les approches que nous avons à craindre ; et celles-là peuvent tomber en expérience.

Plusieurs choses nous semblent plus grandes par imagination que par effet. J'ai passé une bonne partie de mon âge en une parfaite et entière santé : je dis non seulement entière, mais encore allègre et bouillante. Cet état plein de verdeur et de fête me faisait trouver si horrible la considération des maladies, que, quand je suis venu à les expérimenter, j'ai trouvé leurs pointures [1] molles et lâches au prix de ma crainte.

Voici que j'éprouve tous les jours : suis-je à couvert chaudement dans une bonne salle, pendant qu'il se passe une nuit orageuse et tempéteuse, je m'étonne et m'afflige pour ceux qui sont lors en la campagne ; y suis-je moi-même, je ne désire pas seulement d'être ailleurs.

Cela seul, d'être toujours enfermé dans une chambre, me semblait insupportable ; je fus incontinent dressé à y être une semaine, et un mois, plein d'émotion, d'altération et de faiblesse. Et ai trouvé que, lors de ma santé, je plaignais les malades beaucoup plus que je ne me trouve à plaindre moi-même quand j'en suis ; et que la force de mon appréhension enchérissait près de moitié l'essence et vérité de la chose. J'espère qu'il m'en adviendra de même de la mort, et qu'elle ne vaut pas la peine que je prends à tant d'apprêts que je dresse et tant de secours que j'appelle et assemble pour en soutenir l'effort. Mais à toutes aventures nous ne pouvons nous donner trop d'avantage.

Pendant nos troisièmes troubles, ou deuxièmes [2] (il ne me souvient pas bien de cela), m'étant allé un jour promener à une lieue de chez moi, qui suis assis dans le moiau de tout

---

1. **Pointures** : piqures.

2. Durant les deuxième (1567-1568) et troisième (1569-1570) guerres de Religion, le château de Montaigne est au milieu du conflit : il y prend part en avril 1569.

milieu de tous les troubles occasionnés par les guerres civiles qui sévissent en France. Je pensais être en sécurité, étant si près de chez moi, que je n'avais pas besoin d'un meilleur équipage : j'avais pris un cheval docile, mais pas très sûr. Comme je revenais, et que je tentais de faire faire à ce cheval quelque chose à quoi il n'était pas encore bien préparé, un de mes gens, grand et fort, monté sur un puissant roussin dont la bouche ne ressentait plus rien, mais au demeurant frais et vigoureux, cet homme, dis-je, pour faire le malin et devancer ses compagnons, poussa la bête à bride abattue droit dans le chemin que je suivais, et vint fondre comme un colosse sur le petit homme sur son petit cheval, et le foudroyer de toute sa force et de son poids, nous projetant l'un et l'autre, cul par-dessus tête... Et voilà le cheval étalé, tout étourdi, et moi à dix ou douze pas de là, étendu sur le dos, le visage tout meurtri et écorché, l'épée que j'avais à la main ayant valsé à dix pas de là au moins, ma ceinture mise en pièces, et incapable de faire un mouvement ou de ressentir quoi que ce soit, non plus qu'une souche. (C'est le seul évanouissement que j'aie jamais connu jusqu'à maintenant.)

Ceux qui étaient avec moi, après avoir essayé par tous les moyens de me faire revenir à moi, me tenant pour mort, me prirent dans leurs bras et m'emportèrent, avec bien des difficultés, jusqu'à ma demeure, qui était à environ une demi-lieue de là. Sur le chemin, après avoir été considéré comme trépassé pendant deux heures au moins, je commençai à bouger et respirer : mon estomac était tellement rempli de sang que pour pouvoir l'en décharger, la nature avait eu besoin de ressusciter ses forces. On me remit sur mes pieds, je rendis un plein seau de sang, à gros bouillons, et plusieurs fois le long du chemin,

le trouble des guerres civiles de France ; estimant être en toute sûreté, et si voisin de ma retraite[1] que je n'avais point besoin de meilleur équipage, j'avais pris un cheval bien aisé, mais non guère ferme. À mon retour, une occasion soudaine s'étant présentée de m'aider de ce cheval à un service qui n'était pas bien de son usage, un de mes gens, grand et fort, monté sur un puissant roussin[2] qui avait une bouche désespérée[3], frais au demeurant et vigoureux, pour faire le hardi et devancer ses compagnons, vint à le pousser à toute bride droit dans ma route, et fondre comme un colosse sur le petit homme et petit cheval[4], et le foudroyer de sa roideur et de sa pesanteur, nous envoyant l'un et l'autre les pieds contremont : si que voilà le cheval abattu et couché tout étourdi, moi dix ou douze pas au-delà, étendu à la renverse, le visage tout meurtri et tout écorché, mon épée que j'avais à la main, à plus de dix pas au-delà, ma ceinture en pièces, n'ayant ni mouvement, ni sentiment, non plus qu'une souche. C'est le seul évanouissement que j'aie senti jusqu'à cette heure.

Ceux qui étaient avec moi, après avoir essayé par tous les moyens qu'ils purent de me faire revenir, me tenant pour mort, me prirent entre leurs bras, et m'emportaient avec beaucoup de difficulté en ma maison, qui était loin de là environ une demi-lieue Française. Sur le chemin, et après avoir été plus de deux grosses heures tenu pour trépassé, je commençai à me mouvoir et respirer ; car il était tombé si grande abondance de sang dans mon estomac, que, pour l'en décharger, nature eut besoin de ressusciter ses forces. On me dressa sur mes pieds, où je rendis un plein seau de bouillons de sang pur, et plusieurs fois par le chemin, il m'en fallut faire de même.

---

1. **Ma retraite** : ma demeure.

2. **Roussin** : cheval de ferme.

3. **Désespérée** : qui n'obéissait pas au mors.

4. **C**'est-à-dire Montaigne sur son cheval.

il en fut de même. Par ce moyen, je commençai à reprendre un peu de vie, mais ce ne fut que peu à peu, et cela prit si long-
140 temps que mes premières sensations étaient beaucoup plus proches de la mort que de la vie.

> *Car l'âme, encore peu assurée de son retour,*
> *Ébranlée qu'elle est, ne peut s'affermir.*
> Le Tasse, *Jérusalem délivrée*, XII, 74.

Ce souvenir fortement gravé dans mon âme, qui me montre
145 le visage de la mort et ce qu'elle peut être si proche de la vérité, me réconcilie en quelque sorte avec elle. Quand je recommen-çai à y voir, ma vue était si trouble, si faible, si morte en somme que je ne discernais encore rien d'autre que la lumière,

> *Comme un homme qui tantôt ouvre les yeux et tantôt*
150 > *les referme,*
> *Moitié endormi, moitié éveillé.*
> Le Tasse, *Jérusalem délivrée*, VIII, 26.

Quant aux fonctions de l'esprit, elles renaissaient en même temps que celles du corps. Je m'aperçus que j'étais tout ensanglanté : mon pourpoint était taché partout du sang que
155 j'avais rendu. La première pensée qui me vint, ce fut que j'avais reçu un coup d'arquebuse en pleine tête. Et de fait, on tirait beaucoup autour de nous. Il me semblait que ma vie ne s'ac-crochait plus qu'au bord de mes lèvres, et je fermais les yeux pour mieux, me semblait-il, la pousser dehors ; je prenais plai-
160 sir à m'alanguir et à me laisser aller. Cette idée ne faisait que flotter à la surface de mon esprit, elle était aussi molle et aussi faible que tout le reste ; mais en vérité, non seulement elle était exempte de déplaisir, mais elle avait même cette douceur que ressentent ceux qui se laissent glisser dans le sommeil.
165 Je crois que c'est dans cet état que se trouvent ceux que l'on voit, défaillants de faiblesse, à l'agonie ; et je considère que

Par là je commençai à reprendre un peu de vie, mais ce fut par les menus et par un si long trait de temps que mes premiers sentiments étaient beaucoup plus approchant de la mort que de la vie.

> *Perche dubbiosa anchor del suo ritorno,*
> *Non s'assecura attonita la mente*[1].

Cette recordation que j'en ai fort empreinte en mon âme, me représentant son visage et son idée[2] si près du naturel, me concilie aucunement à elle. Quand je commençai à y voir, ce fut d'une vue si trouble, si faible, et si morte, que je ne discernais encore rien que la lumière,

> *come quel ch'or apre, or chiude*
> *Gli occhi, mezzo tra'l sonno e l'esser desto*[3].

Quant aux fonctions de l'âme, elles naissaient avec même progrès que celles du corps. Je me vis tout sanglant, car mon pourpoint était taché partout du sang que j'avais rendu. La première pensée qui me vint, ce fut que j'avais une arquebusade en la tête ; de vrai, en même temps, il s'en tirait plusieurs autour de nous. Il me semblait que ma vie ne me tenait plus qu'au bout des lèvres ; je fermais les yeux pour aider (ce me semblait) à la pousser hors, et prenais plaisir à m'alanguir et à me laisser aller. C'était une imagination[4] qui ne faisait que nager superficiellement en mon âme, aussi tendre et aussi faible que tout le reste ; mais à la vérité non seulement exempte de déplaisir, ains mêlée à cette douceur que sentent ceux qui se laissent glisser au sommeil.

Je crois que c'est ce même état où se trouvent ceux qu'on voit, défaillants de faiblesse, en l'agonie de la mort ; et tiens

---

1. Le Tasse, *Jérusalem délivrée*, XII, 74.

2. Idée : image.

3. Le Tasse, *Jérusalem délivrée*, VIII, 26.

4. Imagination : idée.

nous avons tort de les plaindre, pensant qu'ils sont en proie aux pires douleurs, ou l'esprit agité de pensées pénibles. J'ai toujours pensé, contre l'opinion de beaucoup d'autres, et
170 même d'Étienne de La Boétie, que ceux que nous voyons ainsi renversés et comme assoupis à l'approche de leur fin, ou accablés par la longueur de la maladie, ou par une attaque d'apoplexie, ou par l'épilepsie...

175 *Souvent, cédant devant son mal,*
Sous nos yeux et comme frappé par la foudre,
Un homme s'écroule ; il écume, gémit et tremble ;
Il délire, se raidit, se tord, halète et s'épuise en convulsions.
Lucrèce, *De la nature des choses*, III, v. 487 sq.

... ou encore ceux qui sont blessés à la tête, et que nous en-
180 tendons gémir ou pousser par moments des soupirs à fendre l'âme, et bien que nous puissions en obtenir quelques signes qui semblent montrer qu'ils ont encore leurs esprits, de même que les quelques mouvements que nous leur voyons faire – j'ai toujours pensé, dis-je, qu'ils avaient l'esprit et le corps comme
185 ensevelis et endormis.

Il vit et ne le sait même pas.
Ovide, *Tristes*, I, 3, v. 12.

Je ne pouvais croire qu'avec des membres aussi abîmés, et des sens aussi défaillants, l'esprit puisse trouver en lui-même assez de forces pour se maintenir conscient ; de ce fait, aucun
190 raisonnement ne devait venir les tourmenter, et leur faire ressentir la misère de leur condition ; par conséquent, ils n'étaient pas vraiment à plaindre.

Je n'imagine pas d'état plus insupportable que celui d'avoir l'âme vivante mais mal en point, sans pouvoir se manifester ;
195 c'est ce que je dirais de ceux que l'on envoie au supplice après

que nous les plaignons sans cause, estimant qu'ils soient agités de grièves douleurs, ou avoir l'âme pressée de cogitations pénibles. Ç'a été toujours mon avis, contre l'opinion de plusieurs, et même d'Étienne de La Boétie, que ceux que nous voyons ainsi renversés et assoupis aux approches de leur fin, ou accablés de la longueur du mal, ou par l'accident d'une apoplexie, ou mal caduc,

> *vi morbi sæpe coactus*
> *Ante oculos aliquis nostros ut fulminis ictu*
> *Concidit, et spumas agit, ingemit, et fremit artus,*
> *Desipit, extentat nervos, torquetur, anhelat,*
> *Inconstanter et in jactando membra fatigat[1],*

ou blessés en la tête, que nous oyons rommeler, et rendre parfois des soupirs tranchants, quoique nous en tirions aucuns signes par où il semble qu'il leur reste encore de la connaissance[2], et quelques mouvements que nous leur voyons faire du corps ; j'ai toujours pensé, dis-je, qu'ils avaient et l'âme et le corps ensevelis et endormis.

> *Vivit et est vitae nescius ipse suæ[3].*

Et ne pouvais croire qu'à un si grand étonnement de membres et si grande défaillance des sens, l'âme pût maintenir aucune force au-dedans pour se reconnaître ; et que, par ainsi, ils n'avaient aucun discours qui les tourmentât, et qui leur pût faire juger et sentir la misère de leur condition, et que, par conséquent, ils n'étaient pas fort à plaindre.

Je n'imagine aucun état pour moi si insupportable et horrible que d'avoir l'âme vive et affligée, sans moyen de se déclarer ; comme je dirais de ceux qu'on envoie au supplice, leur ayant

---

1. Lucrèce, *De la nature des choses*, III, v. 487 *et seq.*
2. **Connaissance** : conscience.
3. Ovide, *Tristes*, I, 3, v. 12.

leur avoir coupé la langue, sauf qu'en ce genre de mort, la plus muette semble la plus digne, si elle s'accompagne d'un visage ferme et grave. Mais c'est le cas encore de ces pauvres prisonniers tombés entre les mains des horribles bourreaux que sont
200 les soldats de notre époque, qui les tourmentent par toutes sortes de cruautés pour les contraindre à promettre une rançon excessive, qu'ils ne pourront honorer, et qui sont maintenus dans une situation et en un lieu où ils ne disposent d'aucun moyen d'exprimer ni de faire connaître leurs souffrances
205 physiques et morales. Les poètes ont imaginé quelques dieux favorables à la délivrance de ceux qui connaissent ainsi une mort qui tarde à venir :

> *J'ai reçu l'ordre d'apporter au Dieu des Enfers*
> *Son tribut, et je te délivre de ton corps.*
> Virgile, *Énéide*, IV, v. 702.

210 Les quelques mots et réponses brèves et incohérentes qu'on arrache parfois aux prisonniers à force de leur crier dans les oreilles et de les rudoyer, les mouvements qui semblent exprimer quelque consentement à ce qu'on leur demande, tout cela ne signifie nullement qu'ils vivent, du moins qu'ils
215 vivent vraiment. C'est ce qui nous arrive à nous aussi quand nous sommes au bord du sommeil, avant qu'il se soit complètement emparé de nous ; nous ressentons comme en un songe ce qui se passe autour de nous, nous entendons les voix d'une oreille vague et incertaine, comme si elles ne parvenaient qu'au
220 bord de l'âme, et les réponses que nous faisons aux dernières paroles qu'on nous a adressées, si elles ont un sens, le doivent en grande partie au hasard.

Et maintenant que j'ai réellement éprouvé cela, il ne fait plus de doute pour moi que j'en avais bien jugé auparavant. Et tout
225 d'abord, parce que bien qu'étant évanoui, je m'abîmais les ongles à vouloir ouvrir mon pourpoint (je ne portais pas d'armure) sans

coupé la langue, si ce n'était qu'en cette sorte de mort, la plus muette me semble la mieux séante, si elle est accompagnée d'un ferme visage et grave. Et comme ces misérables prisonniers qui tombent ès mains des vilains bourreaux soldats de ce temps, desquels ils sont tourmentés[1] de toute espèce de cruel traitement pour les contraindre à quelque rançon excessive et impossible, tenus cependant en condition et en lieu où ils n'ont moyen quelconque d'expression et signification de leurs pensées et de leur misère. Les Poètes ont feint quelques dieux favorables à la délivrance de ceux qui traînaient ainsi une mort languissante :

> *Hunc ego Diti*
> *Sacrum jussa fero, teque isto corpore solvo*[2].

Et les voix et réponses courtes et décousues qu'on leur arrache à force de crier autour de leurs oreilles et de les tempêter, ou des mouvements qui semblent avoir quelque consentement à ce qu'on leur demande, ce n'est pas témoignage qu'ils vivent pourtant[3], au moins une vie entière. Il nous advient aussi sur le bégaiement du sommeil, avant qu'il nous ait du tout saisis, de sentir comme en songe ce qui se fait autour de nous, et suivre les voix d'une ouïe trouble et incertaine qui semble ne donner qu'aux bords de l'âme ; et faisons des réponses, à la suite des dernières paroles qu'on nous a dites, qui ont plus de fortune que de sens.

Or, à présent que je l'ai essayé par effet[4], je ne fais nul doute que je n'en ai bien jugé jusqu'à cette heure. Car premièrement étant tout évanoui, je me travaillais[5] d'entrouvrir mon pourpoint à beaux ongles (car j'étais désarmé) et si sais

---

1. Tourmentés : torturés.

2. Virgile, *Énéide*, IV, v. 702.

3. Pourtant : pour autant.

4. Effet : expérience.

5. Je me travaillais : je m'efforçais.

même avoir pourtant conscience d'être blessé : c'est qu'il y a des mouvements qui se produisent en nous, et qui ne relèvent pas de notre décision.

230
> À demi-morts, les doigts s'agitent
> Comme pour saisir encore l'épée.
> Virgile, Énéide, X, v. 396.

Ceux qui tombent jettent ainsi les bras en avant, par une impulsion naturelle : nos membres se prêtent ainsi assistance et ont des mouvements indépendants de notre volonté.

235
> On dit que les chars armés de faux coupent si vite les membres qu'on en voit des morceaux s'agiter à terre avant même que la douleur – tant le coup est rapide – ait eu le temps de parvenir à l'âme.
> Lucrèce, De la nature des choses, III, 642.

Mon estomac étant encombré de tout ce sang caillé, mes
240 mains s'y portaient d'elles-mêmes, comme elles le font souvent à un endroit qui nous démange, contre l'avis de notre volonté. Il y a beaucoup d'animaux, et même des hommes, dont on voit les muscles se contracter et remuer après leur mort. Chacun sait par expérience qu'il y a des parties de son corps qui se met-
245 tent en mouvement, se dressent et s'affaissent, bien souvent sans sa permission. Or ces mouvements que nous subissons, qui ne nous affectent qu'en surface – « par l'écorce » pourrait-on dire –, ne peuvent prétendre nous appartenir : pour que ce soient vraiment les nôtres, il faut que l'individu y soit tout en-
250 tier engagé ; et les douleurs que ressent le pied ou la main pendant que nous dormons ne font pas vraiment partie de nous.

Comme j'approchais de chez moi, où la nouvelle de ma chute était déjà parvenue, et que les gens de ma famille arrivaient, avec les cris habituels pour ce genre de choses, non seulement
255 je répondis par quelques mots à ce qu'on me demandait, mais de plus, on raconte que j'ai pensé à commander qu'on donnât

que je ne sentais en l'imagination rien qui me blessât : car il y a plusieurs mouvements en nous, qui ne partent pas de notre ordonnance.

Semianimesque micant digiti, ferrumque retractant [1].

Ceux qui tombent, élancent ainsi les bras au-devant de leur chute, par une naturelle impulsion qui fait que nos membres se prêtent des offices et ont des agitations à part de notre discours :

Falciferos memorant currus abscindere membra,
Ut tremere in terra videatur ab artubus, id quod
Decidit abscissum, cum mens tamen atque homini vis
Mobilitate mali non quit sentire dolorem [2].

J'avais mon estomac pressé de ce sang caillé, mes mains y couraient d'elles-mêmes, comme elles font souvent où il nous démange, contre l'avis de notre volonté. Il y a plusieurs animaux, et des hommes mêmes, après qu'ils sont trépassés, auxquels on voit resserrer et remuer des muscles. Chacun sait par expérience qu'il y a des parties qui se branlent, dressent et couchent souvent sans son congé. Or ces passions [3] qui ne nous touchent que par l'écorce, ne se peuvent dire nôtres : pour les faire nôtres, il faut que l'homme y soit engagé tout entier ; et les douleurs que le pied ou la main sentent pendant que nous dormons, ne sont pas à nous.

Comme j'approchai de chez moi, où l'alarme de ma chute avait déjà couru, et que ceux de ma famille [4] m'eurent rencontré avec les cris accoutumés en telles choses, non seulement je répondais quelque mot à ce qu'on me demandait, mais encore ils disent que je m'avisai de commander qu'on donnât

---

1. Virgile, *Énéide*, X, v. 396.
2. Lucrèce, *De la nature des choses*, III, 642.
3. **Passions** : souffrances.
4. **Famille** : parents et serviteurs.

un cheval à ma femme, que je voyais s'empêtrer et se démener sur le chemin qui est pentu et malaisé... Il semble que cette idée aurait dû provenir d'un esprit éveillé – et pourtant le
260 mien ne l'était pas du tout. En fait mes pensées étaient comme vides, nébuleuses, provoquées par les sensations venant des yeux et des oreilles : elles ne venaient pas réellement de moi. Je ne savais ni d'où je venais, ni où j'allais, je ne pouvais apprécier ni considérer ce qu'on me demandait, ce n'étaient que les
265 faibles effets que les sens produisent d'eux-mêmes, comme par habitude ; et ce que l'esprit y apportait, c'était en songe, très légèrement concerné, comme léché seulement, et irrigué par les molles impressions venues des sens.

Mon état, pendant ce temps, était en vérité très doux et
270 paisible ; je ne ressentais aucune affliction ni pour autrui ni pour moi : c'était de la langueur et une extrême faiblesse, sans aucune douleur. Je vis ma maison sans la reconnaître. Quand on m'eut couché, ce repos me procura une infinie douceur, car j'avais été rudement tiraillé par ces pauvres gens qui avaient
275 pris la peine de me porter sur leurs bras, par un long et très mauvais chemin, et fatigués les uns après les autres, avaient dû se relayer deux ou trois fois. On me présenta alors force remèdes, dont je ne pris aucun, persuadé que j'étais d'avoir été mortellement blessé à la tête. Et c'eût été, sans mentir, une
280 mort bienheureuse, car la faiblesse de mon raisonnement m'empêchait d'en avoir conscience, et celle de mon corps d'en rien ressentir. Je me laissais couler si doucement, si facilement et si agréablement, que je ne connais guère d'action moins pénible que celle-là.

285 　　　*Lorsqu'enfin mes sens reprirent quelque vigueur*
　　　Ovide, *Tristes*, I, III, 14,

c'est-à-dire deux ou trois heures plus tard, je sentis revenir brutalement mes douleurs, tous mes membres ayant été comme mou-

un cheval à ma femme, que je voyais s'empêtrer et se tracasser dans le chemin, qui est montueux et malaisé. Il semble que cette considération dût partir d'une âme éveillée, si est-ce que je n'y étais aucunement ; c'étaient des pensements vains, en nue[1], qui étaient émus par les sens des yeux et des oreilles : ils ne venaient pas de chez moi. Je ne savais pourtant ni d'où je venais, ni où j'allais, ni ne pouvais peser et considérer ce qu'on me demandait : ce sont de légers effets, que les sens produisaient d'eux-mêmes, comme d'un usage ; ce que l'âme y prêtait, c'était en songe, touchée bien légèrement, et comme léchée seulement et arrosée par la molle impression des sens.

Cependant mon assiette était à la vérité très douce et paisible ; je n'avais affliction ni pour autrui ni pour moi ; c'était une langueur et une extrême faiblesse, sans aucune douleur. Je vis ma maison sans la reconnaître. Quand on m'eut couché, je sentis une infinie douceur à ce repos, car j'avais été vilainement tirassé par ces pauvres gens, qui avaient pris la peine de me porter sur leurs bras par un long et très mauvais chemin, et s'y étaient lassés deux ou trois fois les uns après les autres. On me présenta force remèdes, de quoi je n'en reçus aucun, tenant pour certain que j'étais blessé à mort par la tête. C'eût été sans mentir une mort bien heureuse, car la faiblesse de mon discours me gardait d'en rien juger, et celle du corps d'en rien sentir. Je me laissais couler si doucement, et d'une façon si molle et si aisée que je ne sens guère autre action moins pesante que celle-là était. Quand je vins à revivre, et à reprendre mes forces,

Ut tandem sensus convaluere mei[2],

qui fut deux ou trois heures après, je me sentis tout d'un train[3] rengager aux douleurs, ayant les membres tout

---

1. **En nue** : en l'air.
2. Ovide, *Tristes*, I, III, 14.
3. **Tout d'un train** : en même temps.

lus et froissés par ma chute, et je m'en trouvai si mal les deux ou
trois nuits suivantes que je crus pour le coup mourir encore une
290 fois, mais d'une mort plus aiguë celle-là – et je ressens encore aujourd'hui les séquelles de ce traumatisme. Je ne veux pas oublier
ceci: la dernière chose que je parvins à retrouver, ce fut le souvenir de cet accident; et je me fis redire plusieurs fois où j'allais,
d'où je venais, à quelle heure cela m'était arrivé, avant de parvenir
295 à comprendre ce qui s'était passé. Quant à la façon dont j'étais
tombé, on me la cachait, par faveur pour celui qui en avait été
la cause, et on m'en inventait d'autres. Mais longtemps après, un
matin, quand ma mémoire parvint à s'entrouvrir et à me représenter l'état dans lequel je m'étais trouvé au moment où j'avais aper-
300 çu ce cheval fondant sur moi (car je l'avais vu sur mes talons, et
m'étais tenu pour mort, mais cette idée avait été si soudaine que
la peur n'avait pas eu le loisir de s'y introduire), il me sembla qu'un
éclair venait me frapper l'âme et que je revenais de l'autre monde.

Le récit d'un événement aussi banal serait au demeurant
305 assez dérisoire, n'était l'enseignement que j'en ai tiré pour moi-
même; car en vérité, pour s'habituer à la mort, je trouve qu'il
n'est pas de meilleur moyen que de s'en approcher. Or, comme
dit Pline, chacun est pour soi-même un très bon sujet d'étude,
pourvu qu'il soit capable de s'examiner de près. Ce que je rap-
310 porte ici, ce n'est pas ce que je crois, mais ce que j'ai éprouvé;
ce n'est pas la leçon d'autrui, mais la mienne.

Il ne faut pourtant pas m'en vouloir si je la fais connaître. Car
ce qui m'est utile peut aussi être utile aux autres, à l'occasion. Et
de toute façon, je ne fais de tort à personne, puisque je me sers
315 seulement de ce qui m'appartient. Et si je dis des sottises, c'est
à mes dépens, et sans dommage pour quiconque: c'est une
divagation qui mourra avec moi, et sera sans conséquences.
On ne connaît que deux ou trois écrivains de l'Antiquité qui
aient emprunté ce chemin; et on ne peut pas dire s'ils avaient
320 traité le sujet comme je le fais ici, puisque nous ne connaissons

moulus et froissés de ma chute, et en fus si mal deux ou trois nuits après, que j'en cuidai remourir encore un coup, mais d'une mort plus vive, et me sens encore de la secousse de cette froissure. Je ne veux pas oublier ceci, que la dernière chose en quoi je me pus remettre, ce fut la souvenance de cet accident; et me fis redire plusieurs fois où j'allais, d'où je venais, à quelle heure cela m'était advenu, avant que de le pouvoir concevoir. Quant à la façon de ma chute, on me la cachait, en faveur de celui qui en avait été cause, et m'en forgeait on d'autres. Mais longtemps après, et le lendemain, quand ma mémoire vint à s'entrouvrir et me représenter l'état où je m'étais trouvé en l'instant que j'avais aperçu ce cheval fondant sur moi (car je l'avais vu à mes talons et me tins pour mort, mais ce pensement avait été si soudain que la peur n'eut pas loisir de s'y engendrer), il me sembla que c'était un éclair qui me frappait l'âme de secousse et que je revenais de l'autre monde.

Ce conte d'un événement si léger est assez vain, n'était l'instruction que j'en ai tirée pour moi; car, à la vérité, pour s'apprivoiser à la mort, je trouve qu'il n'y a que de s'en avoisiner. Or, comme dit Pline, chacun est à soi-même une très bonne discipline, pourvu qu'il ait la suffisance de s'épier de près. Ce n'est pas ici ma doctrine, c'est mon étude; et n'est pas la leçon d'autrui, c'est la mienne.

Et ne me doit-on pourtant savoir mauvais gré, si je la communique. Ce qui me sert, peut aussi par accident servir à un autre. Au demeurant, je ne gâte rien, je n'use que du mien. Et si je fais le fol, c'est à mes dépens, et sans l'intérêt de personne : car c'est en folie qui meurt en moi, qui n'a point de suite. Nous n'avons nouvelles que de deux ou trois anciens qui aient battu ce chemin; et si ne pouvons dire si c'est du tout [1] en pareille manière à celle-ci, n'en connaissant que les

---

1. **Du tout** : complètement.

que leurs noms : personne après eux ne s'est lancé sur leurs traces. C'est une délicate entreprise, et plus encore qu'il n'y paraît, que de suivre une allure aussi vagabonde que celle de notre esprit, de pénétrer les profondeurs opaques de ses replis 325 internes, de distinguer et de saisir au vol tant de menues apparences dans son agitation. Et c'est un passe-temps nouveau et extraordinaire, qui nous arrache aux occupations communes de ce monde, et même aux plus importantes d'entre elles.

Il y a plusieurs années que je suis moi-même le seul objet 330 de mes pensées, que je n'examine et n'étudie que moi. Et si je m'intéresse à autre chose, c'est pour l'appliquer aussitôt à moi-même, le faire en quelque sorte entrer en moi. Et je ne pense pas avoir tort si, comme on le fait pour d'autres sciences incomparablement moins utiles, je fais part aux autres de ce que 335 j'ai appris dans celle-ci – bien que je ne sois guère satisfait de mes progrès en la matière. Il n'est rien d'aussi difficile à décrire que soi-même, ni de moins utile, pourtant. Mais encore faut-il se coiffer, encore faut-il s'apprêter et s'arranger avant de se montrer en public. Je me prépare donc sans cesse, puisque je 340 me décris sans cesse. Il est d'usage de considérer comme mal le fait de parler de soi, et on l'interdit obstinément par haine de la vantardise qui semble toujours s'attacher à ce que l'on dit de soi-même. Au lieu de moucher l'enfant, on lui arrache le nez !

> *La peur de la faute nous pousse au crime.*
> Horace, *Art poétique*, 31.

345 Je trouve plus de mal que de bien à ce remède. Mais quand bien même il serait vrai qu'il y ait nécessairement de la présomption dans le fait de vouloir entretenir les gens à propos de soi, si je respecte mon dessein d'ensemble, je ne dois pas refuser quelque chose qui montre cette disposition maladive, 350 puisqu'elle est en moi... Et je ne dois pas cacher cette faute-là, que je ne me contente pas de pratiquer, mais que je confesse

noms. Nul depuis ne s'est jeté sur leur trace. C'est une épineuse entreprise, et plus qu'il ne semble, de suivre une allure si vagabonde que celle de notre esprit ; de pénétrer les profondeurs opaques de ses replis internes ; de choisir et arrêter[1] tant de menus airs de ses agitations. Et est un amusement nouveau et extraordinaire, qui nous retire des occupations communes du monde, oui, et des plus recommandées.

Il y a plusieurs années que je n'ai que moi pour visée à mes pensées, que je ne contrôle et étudie que moi. Et, si j'étudie autre chose, c'est pour soudain le coucher sur moi, ou en moi, pour mieux dire. Et ne me semble point faillir, si, comme il se fait des autres sciences, sans comparaison moins utiles, je fais part de ce que j'ai appris en celle-ci ; quoique je ne me contente guère du progrès que j'y ai fait. Il n'est description pareille en difficulté à la description de soi-même, ni certes en utilité. Encore se faut-il testonner, encore se faut-il ordonner et ranger pour sortir en place. Or je me pare sans cesse, car je me décris sans cesse. La coutume a fait le parler de soi vicieux, et le prohibe obstinément en haine de la vantance qui semble toujours être attachée aux propres[2] témoignages. Au lieu qu'on doit moucher l'enfant, cela s'appelle l'énaser,

In vitium ducit culpæ fuga[3].

Je trouve plus de mal que de bien à ce remède. Mais, quand il serait vrai que ce fût nécessairement présomption d'entretenir le peuple de soi, je ne dois pas, suivant mon général dessein, refuser une action qui publie[4] cette maladive qualité, puisqu'elle est en moi ; et ne dois cacher cette faute que j'ai non seulement en usage, mais en profession.

---

1. Arrêter : fixer.

2. Propres : personnels.

3. Horace, *Art poétique*, 31.

4. Publie : rend public.

publiquement. Et d'ailleurs, pour dire ce que j'en pense, on a tort de condamner le vin sous prétexte que certains s'enivrent : on ne peut abuser que des bonnes choses ! Et je considère que cette
355 règle ne concerne que la faiblesse du commun des mortels : c'est une bride pour les veaux, dont ni les saints (qui parlent d'eux-mêmes si haut et fort), ni les philosophes, ni les théologiens ne font usage... Je ne m'en sers donc pas non plus, moi qui ne suis pourtant aussi peu l'un que l'autre. S'ils n'écrivent pas délibéré-
360 ment sur eux-mêmes, cela ne les empêche pas, quand l'occasion s'en trouve, de se pousser bien en vue sur l'estrade.

De quoi parle le plus Socrate, sinon de lui-même ? À quoi amène-t-il le plus souvent ses disciples à parler, sinon d'eux-mêmes ? Plutôt que de la leçon tirée de leur livre, n'est-ce pas
365 du mouvement et de l'état de leur âme ? Nous nous dévoilons religieusement à Dieu, et à notre confesseur, comme nos voisins le font devant tout le monde. Mais nous ne disons, me répondra-t-on, que les choses dont nous nous accusons. C'est donc que nous disons tout ! Car notre vertu elle-même est coupable,
370 et sujette au repentir. Mon métier et mon art, c'est de vivre. Que celui qui me défend d'en parler selon l'idée, l'expérience et la pratique que j'en ai, ordonne à l'architecte de parler des bâti-ments non pas selon ses conceptions, mais selon celles de son voisin, selon la science d'un autre et non selon la sienne !.... Si
375 c'est de la gloriole que de faire connaître soi-même ses mérites, pourquoi Cicéron ne met-il pas en avant ceux d'Hortensius et Hortensius ceux de Cicéron ?

Peut-être attend-on que je témoigne de moi par des œuvres et des actes, et pas seulement par des paroles ? Mais ce que je décris,

Toutefois, à dire ce que j'en crois, cette coutume a tort de condamner le vin, parce que plusieurs s'y enivrent. On ne peut abuser que des choses qui sont bonnes. Et crois de cette règle qu'elle ne regarde que la populaire défaillance : ce sont brides à veaux [1], desquelles ni les Saints, que nous oyons [2] si hautement parler d'eux, ni les Philosophes, ni les Théologiens ne se brident. Ne fais-je, moi, quoique je sois aussi peu l'un que l'autre. S'ils n'en écrivent à point nommé, au moins, quand l'occasion les y porte, ne feignent-ils pas de se jeter bien avant sur le trottoir [3].

De quoi traite Socrate plus largement que de soi ? À quoi achemine-t-il plus souvent les propos de ses disciples, qu'à parler d'eux, non pas de la leçon de leur livre, mais de l'être et branle de leur âme ? Nous nous disons religieusement à Dieu, et à notre confesseur, comme nos voisins [4] à tout le peuple. Mais nous n'en disons, me répondra-t-on, que les accusations. Nous disons donc tout : car notre vertu même est fautière et repentable. Mon métier et mon art, c'est vivre. Qui me défend d'en parler selon mon sens, expérience et usage, qu'il ordonne à l'architecte de parler des bâtiments non selon soi, mais selon son voisin, selon la science d'un autre, non selon la sienne. Si c'est gloire [5] de soi-même publier ses valeurs, que ne met Cicéron en avant l'éloquence de Hortensius, Hortensius celle de Cicéron [6] ?

À l'aventure entendent-ils que je témoigne de moi par ouvrages et effets, non nuement par des paroles. Je peins

---

1. C'est-à-dire que ce sont de fausses raisons, les veaux n'ayant pas de bride.
2. **Oyons** : entendons.
3. **Trottoir** : piste de trot ; image hippique.
4. Allusion aux protestants qui se confessent publiquement.
5. **Gloire** : orgueil.
6. **Hortensius** (114-150 av. J.-C.), célèbre orateur romain, était l'adversaire de Cicéron dans le procès de Verrès, qu'il perdit.

380 ce sont surtout mes cogitations, sujet informe, qui ne peut guère
avoir de retombées palpables. C'est tout juste si je puis les faire
entrer dans des paroles, qui sont surtout faites d'air. Des hommes,
parmi les plus savants et les plus dévots, ont vécu en évitant
d'exercer toute action visible. Mes faits et gestes en diraient plus
385 long sur le hasard que sur moi-même. Ils témoignent de leur rôle,
et non du mien, si ce n'est de façon conjecturale et incertaine,
comme des échantillons d'un aspect particulier. Je m'expose au
contraire tout entier, comme un « écorché » sur lequel on verrait
d'un seul coup d'œil les veines, les muscles, les tendons, chacun
390 à sa place. En parlant de la toux, je montrais une partie de moi-
même ; et avec l'effet de la pâleur ou des battements du cœur une
autre, avec plus ou moins de certitude.

Ce ne sont pas mes actes que je décris : c'est moi, c'est mon
essence même. Je considère qu'il faut être prudent quand on
395 se juge soi-même, et se montrer fort consciencieux pour en
témoigner, soit en bien, soit en mal, indifféremment. Si j'avais
le sentiment d'être vraiment bon et sage, ou presque, je le pro-
clamerais à tue-tête. C'est une sottise, et non de la modestie,
que d'en dire moins sur soi que ce que la vérité exige. Se payer
400 moins qu'on ne le vaut, c'est être lâche ou pusillanime selon
Aristote. Aucune vertu ne se fait valoir par le mensonge, et la
vérité n'est jamais un bon terreau pour l'erreur. Parler de soi
plus qu'il ne faut, ce n'est pas toujours de la présomption, mais
bien souvent de la sottise. Se complaire outre mesure dans ce
405 qu'on est, tomber amoureux de soi-même de façon immodérée, voilà à mon avis la substance de ce vice qu'est la présomption. Le remède suprême pour le guérir, c'est de faire tout le
contraire de ce que nous ordonnent ceux qui, en défendant de
parler de soi, défendent encore plus de penser sur soi.

principalement mes cogitations[1], sujet informe, qui ne peut tomber en production ouvragère. À toute[2] peine le puis-je coucher en ce corps aéré de la voix. Des plus sages hommes, et des plus dévots, ont vécu fuyant tous apparents effets. Les effets diraient plus de la fortune que de moi. Ils témoignent leur rôle, non pas le mien, si ce n'est conjecturalement et incertainement : échantillons d'une montre particulière. Je m'étale entier : c'est un *skeletos*[3] où, d'une vue, les veines, les muscles, les tendons paraissent, chaque pièce en son siège. L'effet[4] de la toux en produisait[5] une partie ; l'effet de la pâleur ou battement de cœur une autre, et douteusement.

Ce ne sont mes gestes que j'écris, c'est moi, c'est mon essence. Je tiens qu'il faut être prudent à estimer de soi, et pareillement consciencieux à en témoigner, soit bas, soit haut, indifféremment. Si je me semblais bon et sage tout à fait, je l'entonnerais à pleine tête. De dire moins de soi qu'il n'y en a, c'est sottise, non modestie ; se payer de moins qu'on ne vaut, c'est lâcheté et pusillanimité selon Aristote. Nulle vertu ne s'aide de la fausseté, et la vérité n'est jamais matière d'erreur. De dire de soi plus qu'il n'y en a, ce n'est pas toujours présomption, c'est encore souvent sottise. Se complaire outre mesure de ce qu'on est, en tomber en amour de soi indiscrète, est, à mon avis, la substance de ce vice[6]. Le suprême remède à le guérir, c'est faire tout le rebours de ce que ceux ici ordonnent, qui, en défendant le parler de soi, défendent par conséquent encore plus de penser à soi.

---

1. Cogitations : pensées.

2. Toute : grande.

3. *Skeletos* : en grec, « squelette ». Terme de médecine désignant une représentation anatomique.

4. Effet : action.

5. Produisait : manifestait.

6. C'est-à-dire de l'orgueil.

410   C'est en la pensée que réside l'orgueil : la langue ne peut y prendre qu'une faible part. S'occuper de soi, pour ces gens-là, c'est comme se complaire en soi-même ; se fréquenter, avoir des rapports avec soi-même, c'est pour eux trop s'aimer. C'est possible. Mais cet excès ne naît que chez ceux qui ne s'exa-
415 minent que superficiellement, qui se jugent d'après la réussite de leurs affaires, qui nomment rêverie et oisiveté le fait de s'occuper de soi, et qui considèrent que former son caractère et acquérir de l'étoffe c'est bâtir des « châteaux en Espagne ». Ils se prennent pour une chose extérieure et étrangère à eux-
420 mêmes.

    Si quelqu'un s'enivre de la connaissance qu'il a de lui-même, parce qu'il regarde au-dessous de lui, qu'il tourne les yeux vers le haut, vers les siècles passés, il « baissera les cornes » en y trouvant tant de milliers d'esprits qui foulent le sien aux pieds.
425 Si sa vaillance le conduit à quelque flatteuse présomption, qu'il se souvienne des vies de Scipion, d'Épaminondas, de tant d'armées, de tant de peuples, qui le laissent si loin derrière eux. Nulle qualité particulière ne fera s'enorgueillir celui qui tien-dra compte en même temps de tant d'autres manières d'être,
430 imparfaites et faibles, qui sont en lui, et au bout du compte, le néant de la condition humaine.

    Parce que seul Socrate avait vraiment fait sien le précepte de son Dieu : « se connaître », et que par le biais de cette étude il en était arrivé à se mépriser, lui seul fut estimé digne du nom
435 de Sage. Que celui qui se connaîtra de cette façon se fasse har-diment connaître, et de vive voix.

L'orgueil gît en la pensée : la langue n'y peut avoir qu'une bien légère part. De s'amuser à soi, il leur semble que c'est se plaire en soi ; de se hanter et pratiquer, que c'est se trop chérir. Mais cet excès naît seulement en ceux qui ne se tâtent que superficiellement, qui se voient après leurs affaires [1], qui appellent rêverie et oisiveté de s'entretenir de soi, et s'étoffer et bâtir, faire des châteaux en Espagne : s'estimant chose tierce et étrangère à eux-mêmes.

Si quelqu'un s'enivre de sa science, regardant sous soi, qu'il tourne les yeux au-dessus vers les siècles passés, il baissera les cornes [2], y trouvant tant de milliers d'esprits qui le foulent aux pieds. S'il entre en quelque flatteuse présomption de sa vaillance, qu'il se ramentoive les vies de Scipion [3], d'Épaminondas [4], de tant d'armées, de tant de peuples, qui le laissent si loin derrière eux. Nulle particulière qualité n'enorgueillira celui qui mettra quand et quand en compte tant d'imparfaites et faibles qualités autres qui sont en lui, et au bout, la nihilité de l'humaine condition.

Parce que Socrate avait seul mordu à certes [5] au précepte de son Dieu [6], de se connaître, et par cette étude était arrivé à se mépriser, il fut estimé seul digne du nom de Sage. Qui se connaîtra ainsi, qu'il se donne hardiment à connaître par sa bouche.

---

1. **Affaires** : occupations.

2. C'est-à-dire qu'il s'humiliera.

3. **Scipion l'Africain**, vainqueur d'Hannibal, et **Scipion Émilien** qui détruisit Carthage.

4. **Épaminondas** (mort en 362 av. J.-C.) : grand général thébain.

5. **À certes** : sérieusement.

6. **Son Dieu** : Apollon. Allusion au précepte « Connais-toi toi-même », maxime gravée au fronton du temple d'Apollon à Delphes.

Du démenti

Oui – mais on me dira que ce projet de se servir de soi-même comme sujet de livre serait tout de même excusable pour des hommes exceptionnels et célèbres, qui auraient suscité le désir d'être connus à cause de leur réputation. C'est certain et je le reconnais. Je sais bien que pour voir un homme ordinaire, c'est à peine si un artisan quittera des yeux son ouvrage, alors que pour un grand personnage connu, il lui suffit d'arriver en ville, et voilà que les ateliers et les boutiques se vident ! Il n'est pas bien de se faire remarquer, sauf pour celui qui offre de bonnes raisons d'être imité, et dont la vie et les idées peuvent servir de modèle. César et Xénophon disposaient, par la grandeur de leurs exploits, d'une base solide et justifiée sur laquelle fonder et affermir leur récit. On regrettera pour cette raison de ne pas connaître le journal du grand Alexandre, ni les Commentaires qu'Auguste, Caton, Sylla, Brutus et d'autres avaient laissés de leurs actions. S'agissant de tels personnages, on aime et étudie leurs portraits, même en bronze ou en pierre.

Voici une remarque très juste, mais qui me concerne très peu :

Du démentir [1]

Montaigne réaffirme le rapport consubstantiel qui le lie à son œuvre, réfutant toute accusation de vanité parce qu'il se fonde sur la vérité de son être. Ce qui lui permet d'aborder la question du mensonge : dans un monde envahi de menteurs, il revendique la sincérité et manifeste son désir d'une confiance mutuelle entre les hommes.

Voire mais, on me dira que ce dessein de se servir de soi pour sujet à écrire serait excusable à des hommes rares et fameux qui, par leur réputation, auraient donné quelque désir de leur connaissance. Il est certain, je l'avoue ; et sais bien que, pour voir un homme de la commune façon, à peine qu'un artisan lève les yeux de sa besogne, là où, pour voir un personnage grand et signalé arriver en une ville, les ouvroirs et les boutiques s'abandonnent. Il messied à tout autre de se faire connaître qu'à celui qui a de quoi se faire imiter, et duquel la vie et les opinions peuvent servir de patron. César et Xénophon ont eu de quoi fonder et fermir leur narration en la grandeur de leurs faits [2] comme en une base juste et solide. Ainsi sont à souhaiter les papiers journaux [3] du grand Alexandre, les Commentaires qu'Auguste, Caton, Sylla, Brutus, et autres avaient laissés de leurs gestes. De telles gens, on aime et étudie les figures, en cuivre même et en pierre.

Cette remontrance [4] est très vraie, mais elle ne me touche que bien peu :

---

1. Démentir : accusation de mensonge. Terme du vocabulaire du duel : le *démenti* était l'injure la plus grave qu'un gentilhomme pût recevoir.

2. Faits : exploits. César les a racontés dans *La Guerre des Gaules* et Xénophon dans l'*Anabase*.

3. Papiers journaux : mémoires.

4. Remontrance : objection.

> *Je ne fais la lecture qu'à mes amis, et s'ils le demandent,*
> *non en tout lieu, devant n'importe qui. Mais bien d'autres*
> *déclament leurs écrits au forum et même aux bains*
> *publics !*
>
> Horace, *Satires*, I, 4, v. 73-75.

25   Je n'élève pas ici une statue pour qu'elle soit mise au carrefour d'une ville, ou dans une église, ou sur une place publique :

> *Je ne cherche pas à gonfler*
> *Mes pages de balivernes,*
> *Je parle en tête à tête.*
>
> Perse, *Satires*, V, 19.

30   Elle est à mettre dans un coin de bibliothèque, pour distraire un voisin, un parent, un ami, qui aura plaisir à m'y retrouver et renouer avec moi à travers elle. Les autres ont eu le courage de parler d'eux parce qu'ils y ont trouvé un sujet digne et riche ; moi, à l'inverse, c'est pour l'avoir trouvé si stérile et si
35   maigre qu'on ne peut y soupçonner aucun sujet d'ostentation. Je juge volontiers les actions des autres. Mais des miennes, il y a peu à dire, tant elles sont inexistantes. Je ne trouve pas assez de bien en moi que je ne puisse le dire sans en rougir.

Quel plaisir ce serait pour moi que d'entendre ainsi quelqu'un
40   évoquer la façon de vivre, le visage, l'attitude, les paroles les plus courantes et la destinée de mes ancêtres ! Et comme j'y serais attentif ! Ce serait vraiment faire preuve d'une mauvaise nature que d'avoir du dédain envers les portraits de nos amis et prédécesseurs, la forme de leurs vêtements et de leurs armes. Je conserve
45   d'eux l'écriture, le sceau, le livre d'heures, une épée qui leur appartenait et dont ils se sont servis, et je n'ai pas enlevé de mon cabinet de travail les longues badines que mon père tenait d'habitude

Non recito cuiquam, nisi amicis, idque rogatus.
Non ubivis, coramve quibuslibet. In medio qui
Scripta foro recitent sunt multi, quique lavantes[1].

Je ne dresse pas ici une statue à planter au carrefour d'une ville, ou dans une Église, ou place publique :

Non equidem hoc studeo, bullatis ut mihi nugis
Pagina turgescat :
Secreti loquimur[2].

C'est pour le coin d'une librairie, et pour en amuser un voisin, un parent, un ami qui aura plaisir à me racointer et repratiquer en cette image. Les autres ont pris cœur de parler d'eux pour y avoir trouvé le sujet digne et riche ; moi, au rebours, pour l'avoir trouvé si stérile et si maigre qu'il n'y peut échoir soupçon d'ostentation. Je juge volontiers des actions d'autrui ; des miennes, je donne peu à juger, à cause de leur nihilité[3]. Je ne trouve pas tant de bien en moi que je ne le puisse dire sans rougir.

Quel contentement me serait-ce d'ouïr ainsi quelqu'un qui me récitât les mœurs, le visage, la contenance, les plus communes paroles et les fortunes de mes ancêtres, combien j'y serais attentif. Vraiment cela partirait d'une mauvaise nature, d'avoir à mépris les portraits mêmes de nos amis et prédécesseurs, la forme de leurs vêtements et de leurs armes. J'en conserve l'écriture, le seing, des heures et une épée péculière[4] qui leur a servi, et n'ai point chassé de mon cabinet des longues gaules[5] que mon père portait ordinairement

---

1. Horace, *Satires*, I, 4, v. 73-75.
2. Perse, *Satires*, V, 19.
3. **Nihilité** : néant.
4. **Péculière** : personnelle.
5. **Gaules** : cannes.

à la main. « L'habit d'un père, son anneau, sont d'autant plus chers à ses enfants qu'ils avaient plus d'affection pour lui. »

50 　Si toutefois ma postérité a d'autres goûts, j'aurai bien de quoi prendre ma revanche : ils ne sauraient faire moins grand cas de moi que je n'en ferai d'eux en ce temps-là !... La seule concession que je fasse au public, c'est d'en passer par l'imprimerie, plus vive et plus aisée ; et en récompense, je pourrai toujours
55 servir à emballer quelque motte de beurre au marché !

> *Que les thons et les olives ne manquent pas d'emballage...*
> Martial, *Épigrammes*, XIII, I.

> *Et je fournirai souvent aux maquereaux leur ample tunique.*
> Catulle, *Poèmes*, XCIV, 8.

60 　Et quand personne ne me lirait, aurais-je perdu mon temps d'avoir consacré tant d'heures oisives à des pensées si utiles et si agréables ? Moulant cette figure d'après moi-même, il m'a fallu si souvent me façonner et mettre de l'ordre en moi pour m'extraire que le modèle s'en est affermi, et en quelque sorte,
65 formé lui-même. En me peignant pour les autres, je me suis peint avec des couleurs plus nettes que celles qui étaient les miennes au début. Je n'ai pas plus fait mon livre que mon livre ne m'a fait. C'est un livre consubstantiel à son auteur : il ne s'occupe que de moi, il fait partie de ma vie ; il n'a pas d'autre
70 objectif ni de but extérieur à lui-même comme tous les autres livres.

en la main. *Paterna vestis et annulus, tanto charior est posteris, quanto erga parentes major affectus*[1].

Si toutefois ma postérité est d'autre appétit, j'aurai bien de quoi me revancher : car ils ne sauraient faire moins de compte de moi que j'en ferai d'eux en ce temps-là[2]. Tout le commerce que j'ai en ceci[3] avec le public, c'est que j'emprunte les outils de son écriture, plus soudaine et plus aisée : En récompense, j'empêcherai peut-être que quelque coin[4] de beurre ne se fonde au marché.

> *Ne toga cordyllis, ne penula desit olivis*[5],
> *Et laxas scombris sæpe dabo tunicas*[6].

Et quand personne ne me lira, ai-je perdu mon temps de m'être entretenu tant d'heures oisives à pensements si utiles et agréables ? Moulant sur moi cette figure[7], il m'a fallu si souvent me testonner[8] et composer pour m'extraire, que le patron s'en est fermi et aucunement formé soi-même. Me peignant pour autrui, je me suis peint en moi de couleurs plus nettes que n'étaient les miennes premières. Je n'ai pas plus fait mon livre que mon livre m'a fait. Livre consubstantiel à son auteur : d'une occupation propre, membre de ma vie ; non d'une occupation et fin tierce et étrangère, comme tous autres livres.

---

1. Saint Augustin, *Cité de Dieu*, I, XIII : « Le vêtement d'un père et son anneau sont d'autant plus chers à ses enfants qu'ils ont plus d'affection pour leurs parents. »

2. En ce temps-là : à ce moment-là.

3. En ceci : dans ce livre.

4. Coin : morceau. Allusion aux pages des mauvais livres qui pourraient servir de papier d'emballage.

5. Martial, *Épigrammes*, XIII, 1.

6. Catulle, *Poèmes*, XCIV, 8.

7. Figure : portrait.

8. Testonner : coiffer.

Ai-je perdu mon temps pour m'être ainsi examiné de façon aussi continue et avec un tel soin ? Ceux qui se regardent seulement en pensée et en paroles, un instant en passant, ne
75 s'examinent pas si profondément, ne pénètrent pas aussi loin en eux-mêmes que celui qui en fait son étude, son œuvre, et comme son métier, en s'engageant à en tenir le registre permanent, de toute sa foi et de toutes ses forces. Les plaisirs les plus délicieux se savourent à l'intérieur, ils évitent de laisser une
80 trace d'eux-mêmes ; ils évitent d'être vus, non seulement de la foule, mais d'un seul.

Combien de fois ce travail m'a-t-il détourné de réflexions ennuyeuses ! Et il faut compter au nombre des pensées ennuyeuses toutes celles qui sont frivoles. La nature nous a
85 dotés d'une grande capacité de nous mettre à part dans nos réflexions ; et elle nous y convie souvent, pour nous apprendre que nous nous devons en partie à la société, mais aussi pour la meilleure part à nous-mêmes. Pour calmer mon imagination et la faire rêver sur quelque projet organisé, pour lui éviter de se
90 perdre et divaguer au vent, il suffit de donner corps à tant de menues pensées qui se présentent à elle et en tenir le registre. Je prête l'oreille à mes rêveries parce que j'ai à les enregistrer. Combien de fois, agacé par quelque action que la civilité et la raison m'interdisaient de critiquer ouvertement, m'en suis-je
95 soulagé ici, non sans l'arrière-pensée d'en instruire le public ! Et certes, ces coups de badine poétiques :

> Zon sur l'œil, zon sur le groin,
> Zon sur le dos du Sagoin,

s'impriment encore mieux sur le papier qu'en la chair vive. Et que
100 dire, sinon que je prête un peu plus attentivement l'oreille aux livres

Ai-je perdu mon temps, de m'être rendu compte de moi si continuellement, si curieusement ? Car ceux qui se repassent par fantaisie seulement et par langue, quelque heure, ne s'examinent pas si primement, ni ne se pénètrent, comme celui qui en fait son étude, son ouvrage et son métier, qui s'engage à un registre de durée, de toute sa foi, de toute sa force. Les plus délicieux plaisirs, si[1] se digèrent-ils au-dedans ; fuient à laisser trace de soi et fuient la vue, non seulement du peuple, mais d'un autre.

Combien de fois m'a cette besogne diverti de cogitations ennuyeuses ? Et doivent être comptées pour ennuyeuses toutes les frivoles.) Nature nous a étrennés d'une large faculté à nous entretenir à part[2], et nous y appelle souvent pour nous apprendre que nous nous devons en partie à la société, mais en la meilleure partie à nous. Aux fins de ranger ma fantaisie à rêver même par quelque ordre et projet, et la garder de se perdre et extravaguer au vent, il n'est que de donner corps et mettre en registre tant de menues pensées qui se présentent à elle. J'écoute[3] à mes rêveries parce que j'ai à les enrôler. Quantes fois, étant marri de quelque action que la civilité et la raison me prohibaient de reprendre à découvert, m'en suis-je ici dégorgé, non sans dessein de publique instruction ! Et si, ces verges poétiques :

> *Zon dessus l'œil, zon sur le groin,*
> *Zon sur le dos du Sagouin*[4] *!*

s'impriment encore mieux en papier qu'en la chair vive. Quoi, si je prête un peu plus attentivement l'oreille aux livres,

---

1. Si : certes.

2. À part : en nous-mêmes.

3. J'écoute : je prête attention.

4. Clément Marot (1496-1544), *Le Valet de Marot contre Sagon* (1537). Jeu de mot entre Sagon, nom d'un poète, et « sagouin », petit singe.

depuis que je suis à l'affût pour essayer d'en dérober quelque chose afin d'en émailler ou étayer le mien ?

Je n'ai nullement étudié pour faire un livre, mais j'ai étudié un peu parce que je l'avais fait ; si du moins c'est étudier qu'ef-
105 fleurer et pincer, par la tête ou par les pieds, tantôt un auteur, tantôt un autre. Et nullement pour former mes opinions, déjà formées depuis longtemps, mais bien pour les soutenir, les aider et les servir.

Mais qui peut-on croire quand il parle de lui, dans une
110 époque aussi corrompue ? Il en est peu, ou même pas, que nous puissions croire quand ils parlent des autres, situation dans laquelle, pourtant, on a moins d'intérêt à mentir. La pre-mière étape de la corruption des mœurs, c'est le bannissement de la vérité, car, comme le disait Pindare, être véridique, c'est
115 le début d'une grande vertu ; et c'est la première chose que Platon demande au gouverneur de sa République. La vérité, de nos jours, ce n'est pas ce qui est, mais ce dont les autres sont persuadés. De même que nous appelons « monnaie » non seulement celle qui est légale, mais aussi la fausse, qui a cours
120 aussi. Notre nation se voit reprocher ce vice depuis longtemps : Salvien de Marseille, qui vivait du temps de Valentinien, dit que, chez les Français, mentir et se parjurer n'est pas un vice, mais une façon de parler... Celui qui voudrait renchérir sur ce témoignage pourrait dire que désormais c'est même pour eux
125 une vertu. On s'y entraîne, on s'y habitue, comme à un exercice honorable, car la dissimulation est l'une des plus remarquables qualités de ce siècle.

Je me suis souvent demandé d'où pouvait naître cette cou-tume que nous observons si scrupuleusement, de nous sentir
130 plus vivement offensés par le reproche qui nous est fait de ce vice, si banal pour nous, que par aucun autre, et comment il se fait que ce soit là l'injure la plus extrême que l'on puisse proférer à notre encontre que de nous reprocher d'être men-

depuis que je guette si j'en pourrai friponner quelque chose
de quoi émailler ou étayer le mien ?

Je n'ai aucunement étudié pour faire un livre, mais
j'ai aucunement étudié pour ce que je l'avais fait ; si c'est
aucunement étudier qu'effleurer et pincer, par la tête ou par
les pieds, tantôt un auteur, tantôt un autre ; nullement pour
former mes opinions ; oui pour les assister, piéça formées,
seconder et servir.

Mais à qui croirons-nous parlant de soi, en une saison si
gâtée ? vu qu'il en est peu, ou point, à qui nous puissions
croire parlant d'autrui, où il y a moins d'intérêt à mentir. Le
premier trait de la corruption des mœurs, c'est le bannissement de la vérité ; car, comme disait Pindare, l'être véritable [1]
est le commencement d'une grande vertu, et le premier
article que Platon demande au gouverneur de sa république.
Notre vérité de maintenant, ce n'est pas ce qui est, mais ce
qui se persuade à autrui : comme nous appelons monnaie,
non celle qui est loyale seulement, mais la fausse aussi, qui a
mise. Notre nation est de longtemps reprochée de ce vice : car
Salvianus Massiliensis [2], qui était du temps de l'Empereur
Valentinien, dit qu'aux Français le mentir et se parjurer n'est
pas vice, mais une façon de parler. Qui voudrait enchérir sur
ce témoignage, il pourrait dire que ce leur est à présent vertu.
On s'y forme, on s'y façonne, comme à un exercice d'honneur,
car la dissimulation est des plus notables qualités [3] de ce siècle.

Ainsi j'ai souvent considéré d'où pouvait naître cette coutume, que nous observons si religieusement, de nous sentir
plus aigrement offensés du reproche de ce vice, qui nous est si
ordinaire, que de nul autre ; et que ce soit l'extrême injure qu'on
nous puisse faire de parole, que de nous reprocher le mensonge.

---

1. L'être véritable : être sincère.
2. Salvien de Marseille, prêtre du Vᵉ siècle.
3. Qualités : manières d'être.

teur. Mais en fait, je trouve naturel de se défendre surtout des
135   défauts dont nous sommes les plus chargés. On dirait qu'en
étant touchés par cette accusation, en nous excitant à son
propos, nous nous déchargeons quelque peu de la faute. Si
nous la supportons effectivement, au moins pouvons-nous
la condamner en apparence. Mais n'est-ce pas parce que ce
140   reproche semble englober aussi la couardise et la lâcheté de
cœur ? Et est-il plus évidente couardise et lâcheté que de renier
sa parole ? Et pire encore : de nier ce que l'on sait ?

C'est vice bien laid que le mensonge ; un vice qu'un Ancien dépeint de façon très honteuse quand il dit que c'est un
145   témoignage de mépris envers Dieu, et en même temps de
crainte envers les hommes. Il n'est pas possible d'en représenter
plus complètement l'horreur, la bassesse et la turpitude. Car
que peut-on imaginer de plus laid que de craindre les hommes
et de braver Dieu ? Nos relations sociales étant fondées sur la
150   parole, celui qui la fausse trahit aussi la société elle-même.
C'est le seul outil grâce auquel nous pouvons communiquer
nos volontés et nos pensées ; c'est l'interprète de notre âme.
S'il nous fait défaut, nous ne tenons plus ensemble, nous ne
nous connaissons plus. S'il nous trompe, toutes nos relations
155   sont rompues, tous les liens de notre société se délient du
même coup.

Certains peuples des Indes nouvelles (peu importent leurs
noms, car ils n'existent plus ; la désolation due à cette conquête,
d'un genre extraordinaire et inouï, s'est étendue jusqu'à l'aboli-
160   tion complète des noms et de l'ancienne topographie des lieux),
certains peuples, donc, offraient à leurs dieux du sang humain,

Sur cela, je trouve qu'il est naturel de se défendre le plus des défauts de quoi nous sommes le plus entachés. Il semble qu'en nous ressentant de l'accusation, et nous en émouvant, nous nous déchargeons aucunement de la coulpe ; si nous l'avons par effet, au moins nous la condamnons par apparence. Serait-ce pas aussi que ce reproche semble envelopper la couardise et lâcheté de cœur ? En est-il de plus expresse que se dédire de sa parole ? quoi, se dédire de sa propre science ?

C'est un vilain vice que le mentir ; et qu'un ancien peint bien honteusement quand il dit que c'est donner témoignage de mépriser Dieu, et quand et quand de craindre les hommes. Il n'est pas possible d'en représenter[1] plus richement l'horreur, la vilité, et le dérèglement. Car que peut-on imaginer plus vilain que d'être couard à l'endroit des hommes, et brave à l'endroit de Dieu ? Notre intelligence[2] se conduisant par la seule voie de la parole, celui qui la fausse, trahit la société publique. C'est le seul outil par le moyen duquel se communiquent nos volontés et nos pensées ; c'est le truchement de notre âme : s'il nous faut, nous ne nous tenons plus, nous ne nous entreconnaissons plus. S'il nous trompe, il rompt tout notre commerce et dissout toutes les liaisons de notre police[3].

Certaines nations des nouvelles Indes (on n'a que faire d'en remarquer[4] les noms, ils ne sont plus ; car jusqu'à l'entière abolition des noms et ancienne connaissance des lieux s'est étendue la désolation de cette conquête, d'un merveilleux[5] exemple et inouï) offraient à leurs Dieux du sang humain,

---

1. Représenter : exprimer.

2. Intelligence : faculté de se comprendre mutuellement.

3. Police : organisation politique.

4. Remarquer : connaître.

5. Merveilleux : étonnant.

mais seulement tiré de la langue et des oreilles, en guise d'expiation du péché de mensonge, entendu ou proféré. Un joyeux convive de Grèce dirait que les enfants s'amusent avec les osselets, et les hommes avec les mots.

165

Quant à nos diverses façons d'user du démenti, et ce que sont les lois de l'honneur pour nous dans tout cela, avec les changements qu'elles ont connus, je remets à une autre fois le soin de dire ce que j'en sais. J'apprendrai entre-temps, si je le peux, à quel moment prit naissance cette coutume de soupeser et mesurer aussi exactement les mots et d'en faire dépendre notre honneur, car il est facile de voir qu'elle n'était pas en usage chez les anciens Grecs et Romains. Il m'a souvent semblé étrange et inouï de les voir s'infliger des démentis et s'injurier sans que pourtant cela donne lieu à une véritable querelle. Leurs règles de conduite empruntaient des voies différentes des nôtres. On appelle César tantôt « voleur », tantôt « ivrogne », à son nez et à sa barbe. On peut voir avec quelle liberté ils s'invectivent les uns les autres, je veux dire : les plus grands chefs de guerre de l'une et de l'autre de ces deux nations, où les paroles sont vengées par des paroles, sans que cela tire autrement à conséquence.

170

175

180

mais non autre que tiré de leur langue et oreilles, pour expiation du péché de mensonge, tant ouï que prononcé. Ce bon compagnon de Grèce[1] disait que les enfants s'amusent par les osselets, les hommes par les paroles.

Quant aux divers usages de nos démentirs, et les lois de notre honneur en cela, et les changements qu'elles ont reçus, je remets à une autre fois d'en dire ce que j'en sais ; et apprendrai cependant, si je puis, en quel temps prit commencement cette coutume de si exactement peser et mesurer les paroles, et d'y attacher notre honneur, car il est aisé à juger qu'elle n'était pas anciennement entre les Romains et les Grecs. Et m'a semblé souvent nouveau et étrange de les voir se démentir[2] et s'injurier, sans entrer pourtant[3] en querelle[4]. Les lois de leur devoir prenaient quelque autre voie que les nôtres. On appelle César tantôt voleur, tantôt ivrogne, à sa barbe. Nous voyons la liberté des invectives qu'ils font les uns contre les autres ; je dis les plus grands chefs de guerre de l'une et l'autre nation, où les paroles se revanchent seulement par les paroles, et ne se tirent à autre conséquence.

---

1. Allusion à Plutarque (46-120), dans ses *Œuvres morales*.

2. **Se démentir** : s'accuser de mensonge.

3. **Pourtant** : pour autant.

4. Allusion au duel, souvent dû à une accusation de mensonge.

Livre III

Sur le repentir

Les autres écrivains forment l'homme ; moi je le raconte, et j'en montre un en particulier, bien mal formé. Si j'avais à le façonner de nouveau, je le ferais vraiment différent de ce qu'il est : mais voilà, il est ainsi fait. Les traits que je lui prête ne sont pas faux, bien qu'ils changent et se diversifient. Le monde n'est qu'une perpétuelle balançoire ; toutes choses s'y balancent sans cesse : la terre, les rochers du Caucase, les pyramides d'Égypte – par un mouvement général, et par leur mouvement propre. La constance elle-même n'est en fait qu'un mouvement plus languissant. Je ne puis être sûr de mon objet d'étude : il avance en vacillant, en chancelant, comme sous l'effet d'une ivresse naturelle. Je le prends comme il est, au moment où je m'intéresse à lui. Je ne peins pas l'être, je peins la trace de son passage ; non le passage d'un âge à l'autre, ou comme dit le peuple, de sept ans en sept ans, mais de jour en jour, de minute en minute. Et je dois toujours mettre mon histoire à jour ! Il se peut que je change bientôt, non seulement à cause d'un coup du sort, mais intentionnellement : mon livre est le registre des événements divers et changeants, d'idées en suspens, et même à l'occasion, contraires, soit que je sois moi-même un autre, soit que je traite mes sujets dans d'autres circonstances ou sous un angle différent. Si bien qu'il m'arrive de me contredire, mais

Livre III

Du repentir

Montaigne offre ici, non sans audace, une sagesse à la mesure de l'humanité : la vertu est présentée comme la fidélité à sa nature propre (même dans le vice !) et le repentir, impossible à l'homme, est réduit à une illusion ou, pire, une hypocrite cérémonie sociale.

Les autres forment l'homme, je le récite, et en représente un particulier bien mal formé, et lequel, si j'avais à façonner de nouveau, je ferais vraiment bien autre qu'il n'est ; meshui [1] c'est fait. Or les traits de ma peinture ne se fourvoient point, quoiqu'ils se changent et diversifient. Le monde n'est qu'une branloire pérenne. Toutes choses y branlent sans cesse, la terre, les rochers du Caucase, les pyramides d'Égypte, et du branle public et du leur. La constance même n'est autre chose qu'un branle plus languissant. Je ne puis assurer mon objet : il va trouble et chancelant, d'une ivresse naturelle. Je le prends en ce point, comme il est, en l'instant que je m'amuse à lui. Je ne peins pas l'être, je peins le passage : non un passage d'âge en autre, ou, comme dit le peuple, de sept en sept ans, mais de jour en jour, de minute en minute. Il faut accommoder mon histoire à l'heure. Je pourrai tantôt changer, non de fortune seulement, mais aussi d'intention. C'est un contrôle [2] de divers et muables accidents et d'imaginations irrésolues et, quand il y échoit, contraires ; soit que je sois autre moi-même, soit que je saisisse les sujets par autres circonstances et considérations. Tant y a que je me contre-

---

1. Meshui : désormais.
2. Contrôle : registre.

comme le disait Démade, la vérité, elle, je ne la contredis pas.
Si mon esprit pouvait se fixer, je ne me remettrais pas sans
cesse en cause, je prendrais des décisions ; mais il est toujours en apprentissage et à faire ses preuves.

Je présente ici une vie humble et sans lustre ; c'est sans
importance, car on peut rattacher aussi bien toute la philosophie morale à une vie simple et discrète qu'à une vie faite
d'une plus riche étoffe : chacun porte en lui-même la forme
entière de la condition humaine.

Les auteurs se font connaître au public par quelque trait
particulier et original. Je suis le premier à le faire par l'univer-
salité de mon être, en tant que Michel de Montaigne, et non
comme grammairien ou poète, ou juriste. Si les gens se plai-
gnent de ce que je parle trop de moi, moi je me plains de ce
qu'ils ne pensent même pas à eux.

Mais est-il légitime que moi, si attaché à ma vie privée, je
prétende me faire connaître des autres ? Est-il légitime également de présenter dans le monde où la forme et l'art ont
tant d'importance et d'autorité, des productions spontanées,
crues et simples, dues à une nature encore bien faible ? N'est-ce
pas vouloir bâtir une muraille sans pierres, ou quelque chose
du même genre, que de faire des livres sans être savant ? Les
inventions musicales obéissent aux règles de l'art, les miennes
au hasard. Je respecte les principes au moins en cela que jamais personne ne traita un sujet qu'il comprît et connût mieux
que moi celui auquel je me consacre, et que je suis là-dessus
l'homme le plus savant qui soit en vie. Et par ailleurs, jamais
personne ne pénétra plus avant en sa matière, ni n'en examina
plus précisément les éléments et les conséquences, et ne parvint
plus exactement et plus complètement au but qu'il avait fixé à
son entreprise. Pour la parfaire, je n'ai besoin que d'y mettre de
la fidélité au modèle, et elle y est la plus sincère et la plus pure

dis bien à l'aventure, mais la vérité, comme disait Démade[1], je ne la contredis point. Si mon âme pouvait prendre pied, je ne m'essaierais pas, je me résoudrais ; elle est toujours en apprentissage, et en épreuve.

Je propose une vie basse et sans lustre : c'est tout un. On attache aussi bien toute la philosophie morale à une vie populaire[2] et privée qu'à une vie de plus riche étoffe ; chaque homme porte la forme entière de l'humaine condition.

Les auteurs se communiquent au peuple par quelque marque spéciale et étrangère ; moi le premier, par mon être universel, comme Michel de Montaigne, non comme grammairien ou poète, ou jurisconsulte. Si le monde se plaint de quoi je parle trop de moi, je me plains de quoi il ne pense seulement pas à soi.

Mais est-ce raison que, si particulier en usage, je prétende me rendre public en connaissance ? Est-il aussi raison que je produise au monde[3], où la façon et l'art ont tant de crédit et de commandement, des effets de nature et crus et simples, et d'une nature encore bien faiblette ? Est-ce pas faire une muraille sans pierre, ou chose semblable, que de bâtir des livres sans science ? Les fantaisies de la musique sont conduites par art, les miennes par sort. Au moins j'ai ceci selon la discipline, que jamais homme ne traita sujet qu'il entendît ni connût mieux que je fais celui que j'ai entrepris, et qu'en celui-là je suis le plus savant homme qui vive. Secondement, que jamais aucun ne pénétra en sa matière plus avant, ni en éplucha plus particulièrement les membres et suites ; et n'arriva plus exactement et pleinement à la fin qu'il s'était proposée à sa besogne. Pour la parfaire, je n'ai besoin d'y apporter que la fidélité ; celle-là y est, la plus sincère et pure qui

---

1. **Démade** : orateur et homme politique athénien du IVe siècle av. J.-C.

2. **Populaire** : ordinaire.

3. **Que je produise au monde** : que je publie.

possible. Je dis vrai, non pas autant que je le voudrais, mais autant que j'ose le dire, et je l'ose un peu plus en vieillissant, car il semble que les usages concèdent à cet âge-là un peu plus de liberté pour bavasser et pour parler de soi. Il ne risque pas de se produire ici ce que je vois souvent, à savoir que l'artisan et sa besogne ne se ressemblent pas : un homme dont la fréquentation est si agréable a-t-il écrit des choses aussi sottes ? Ou bien des écrits si savants émanent-ils de quelqu'un dont la fréquentation est si décevante ? Quelqu'un dont la conversation est fort ordinaire et les écrits de grande valeur est quelqu'un qui tire sa qualité de quelque chose d'extérieur à lui-même. Un savant n'est pas savant en tout ; mais celui qui a du talent en a en tout, même dans ce qu'il ignore.

Ici, nous allons d'une même allure, et nous sommes conformes l'un à l'autre, mon livre et moi. Ailleurs, on peut recommander ou critiquer l'ouvrage indépendamment de son auteur. Ici, au contraire, qui touche à l'un touche à l'autre. Celui qui en jugera sans le connaître se fera plus de tort qu'il ne m'en fera, et celui qui en aura pris connaissance m'aura entièrement satisfait. Outre mon mérite, je serai heureux si j'obtiens seulement cette part de l'approbation publique, en faisant sentir aux gens intelligents que j'aurais pu faire mon profit de la science si j'en avais eu, et que je méritais un meilleur secours de la part de ma mémoire.

Présentons ici des excuses pour ce que je dis souvent, à savoir que je me repens rarement, et que ma conscience est contente d'elle, non comme le serait celle d'un ange ou d'un cheval, mais en tant que conscience d'homme. Et j'ajoute toujours ce refrain, non comme un refrain de pure convention, mais d'essentielle et naturelle soumission : je parle en questionnant, et comme un ignorant, m'en rapportant pour finir, purement et simplement, aux opinions communes et légitimes. Je n'enseigne point, je raconte.

se trouve. Je dis vrai, non pas tout mon saoul, mais autant que je l'ose dire ; et l'ose un peu plus en vieillissant, car il semble que la coutume concède à cet âge, plus de liberté de bavasser et d'indiscrétion à parler de soi. Il ne peut advenir ici ce que je vois advenir souvent, que l'artisan et sa besogne se contrarient : un homme de si honnête conversation a-t-il fait un si sot écrit ? Ou, des écrits si savants sont-ils partis d'un homme de si faible conversation ? qui a un entretien commun et ses écrits rares, c'est-à-dire[1] que sa capacité est en lieu d'où il l'emprunte, et non en lui ? Un personnage savant n'est pas savant partout ; mais le suffisant est partout suffisant, et à ignorer même.

Ici nous allons conformément et tout d'un train, mon livre et moi. Ailleurs, on peut recommander et accuser[2] l'ouvrage à part de l'ouvrier ; ici, non : qui touche l'un, touche l'autre. Celui qui en jugera sans le connaître, se fera plus de tort qu'à moi ; celui qui l'aura connu, m'a du tout satisfait. Heureux outre mon mérite, si j'ai seulement cette part à l'approbation publique, que je fasse sentir aux gens d'entendement que j'étais capable de faire mon profit de la science, si j'en eusse eu, et que je méritais que la mémoire me secourût mieux.

Excusons ici ce que je dis souvent, que je me repens rarement, et que ma conscience se contente de soi, non comme de la conscience d'un ange ou d'un cheval, mais comme de la conscience d'un homme. Ajoutant toujours ce refrain, non un refrain de cérémonie, mais de naïve et essentielle soumission : que je parle enquérant[3] et ignorant, me rapportant de la résolution[4], purement et simplement, aux créances communes et légitimes. Je n'enseigne point, je raconte.

---

1. **C'est-à-dire** : cela signifie.
2. **Accuser** : critiquer dans les deux sens de « louer » ou « blâmer ».
3. **Enquérant** : en cherchant à savoir.
4. **Résolution** : conclusion.

Il n'est pas de vice véritable qui ne soit choquant, et qu'un jugement intègre n'accuse ; sa laideur et ses inconvénients sont tellement visibles que ceux qui voient en lui le pur produit de la bêtise et de l'ignorance ont peut-être raison, tant il est difficile d'imaginer qu'on puisse le connaître sans le haïr. La méchanceté absorbe la plus grande part de son propre venin, et s'en empoisonne. Le vice laisse comme un ulcère dans la chair, et un remords dans l'âme, et celle-ci toujours s'égratigne et s'ensanglante elle-même. C'est que si la raison efface les autres tristesses et douleurs, elle engendre celles du repentir, qui sont d'autant plus graves qu'elles viennent de l'intérieur, comme le froid et le chaud que l'on ressent dans la fièvre sont pires que ceux qui nous viennent de l'extérieur. Je considère comme des vices (mais chacun selon son importance), non seulement ceux que condamnent la raison et la Nature, mais également ceux qui relèvent de l'opinion des hommes, même fausse ou erronée, dans la mesure où les lois et les usages lui ont conféré autorité.

De la même manière, il n'est pas de conduite louable qui ne réjouisse une personne bien née. Il y a assurément je ne sais quelle satisfaction que l'on éprouve à bien agir, qui nous réjouit en nous-mêmes, et une noble fierté qui accompagne la bonne conscience. Une âme vicieuse mais courageuse peut probablement s'armer pour sa sécurité, mais ce contentement de soi, elle ne peut certainement pas l'obtenir. Ce n'est pas un mince plaisir que de se sentir préservé de la contagion d'une époque aussi corrompue, et de se dire : « Si l'on voyait jusqu'au fond de mon âme, on ne me trouverait même pas coupable, ni de l'affliction ou de la ruine de personne, ni de vengeance ou d'envie, ni d'atteinte publique aux lois, ni de subversion ou de troubles de l'ordre, ni de manquement à ma parole. Et bien que la licence de ce temps le permette et l'enseigne à chacun de nous, je n'ai pourtant mis la main ni sur les biens, ni dans la bourse de personne en France, et je n'ai vécu que sur la mienne, en temps de guerre comme en temps de paix. Je n'ai

Il n'est vice véritablement vice qui n'offense, et qu'un jugement entier n'accuse ; car il a de la laideur et incommodité si apparente, qu'à l'aventure ceux-là ont raison qui disent qu'il est principalement produit par bêtise et ignorance. Tant est-il malaisé d'imaginer qu'on le connaisse sans le haïr. La malice hume la plupart de son propre venin et s'en empoisonne. Le vice laisse, comme un ulcère en la chair, une repentance en l'âme, qui toujours s'égratigne et s'ensanglante elle-même. Car la raison efface les autres tristesses et douleurs, mais elle engendre celle de la repentance, qui est plus griève, d'autant qu'elle naît au-dedans ; comme le froid et le chaud des fièvres est plus poignant que celui qui vient du dehors. Je tiens pour vices (mais chacun selon sa mesure) non seulement ceux que la raison et la nature condamnent, mais ceux aussi que l'opinion des hommes a forgés, voire fausse et erronée, si les lois et l'usage l'autorisent.

Il n'est, pareillement, bonté qui ne réjouisse une nature bien née. Il y a certes je ne sais quelle congratulation de bien faire qui nous réjouit en nous-mêmes, et une fierté généreuse qui accompagne la bonne conscience. Une âme courageusement vicieuse se peut à l'aventure garnir de sécurité, mais de cette complaisance et satisfaction elle ne s'en peut fournir. Ce n'est pas un léger plaisir de se sentir préservé de la contagion d'un siècle si gâté, et de dire en soi : « Qui me verrait jusque dans l'âme, encore ne me trouverait-il coupable, ni de l'affliction et ruine de personne, ni de vengeance ou d'envie, ni d'offense publique des lois, ni de nouvelleté[1] et de trouble, ni de faute à ma parole, et quoi que la licence du temps permît et apprît à chacun, si n'ai-je mis la main ni ès biens, ni en la bourse d'homme Français, et n'ai vécu que sur la mienne, non plus en guerre qu'en paix, ni ne me suis servi du travail

---

1. **Nouvelleté** : désir de changement politique, de révolution.

jamais non plus utilisé le travail de personne sans le payer. » Ces témoignages de la conscience font plaisir, et cette réjouissance naturelle est pour nous un grand bienfait ; c'est aussi le seul paiement qui ne nous fasse jamais défaut.

125   Attendre la récompense de ses actions vertueuses de l'approbation des autres, c'est la fonder sur quelque chose de trop incertain et trop trouble ; et notamment à une époque aussi corrompue et ignorante que la nôtre, l'estime que vous porte le peuple est plutôt une injure. À qui se fier pour savoir ce 130 qui est louable ? Que Dieu me garde d'être un homme de bien selon la description élogieuse que je vois chacun faire chaque jour pour lui-même ! « Les vices d'autrefois sont devenus les mœurs d'aujourd'hui. » Certains de mes amis ont parfois entrepris de me critiquer et me reprendre à cœur ouvert, soit 135 de leur propre mouvement, soit que je le leur aie demandé ; ils pensaient ainsi accomplir un devoir qui, pour une âme bien faite, l'emporte sur tous les autres services rendus par amitié, non seulement par son utilité, mais même par sa gentillesse. Je l'ai toujours accueilli les bras ouverts, avec courtoisie et recon-140 naissance. Mais si j'en parle aujourd'hui en conscience, je puis dire que j'ai souvent trouvé leurs louanges et leurs reproches si peu adéquats, que je n'aurais guère fait plus mal, en faisant mal à ma façon, plutôt que de bien faire selon eux. Et nous autres, justement, qui avons une vie intérieure que nous sommes les 145 seuls à connaître, nous devons nous bâtir un modèle intérieur qui soit la pierre de touche de nos actes, et en fonction de lui, tantôt nous féliciter, tantôt nous réprimander. J'ai mes propres lois et mon tribunal pour juger de moi, et je m'y réfère plus qu'à d'autres. Si je limite mes actes en fonction 150 des autres, je ne les élargis qu'en fonction de moi. Il n'y a que vous qui sachiez si vous êtes lâche et cruel, ou loyal et plein de dévotion : les autres ne vous voient pas, ils vous devinent, et en fonction de conjectures incertaines, car ils voient moins votre

de personne, sans loyer. » Ces témoignages de la conscience plaisent, et nous est grand bénéfice que cette éjouissance naturelle, et le seul paiement qui jamais ne nous manque.

De fonder la récompense des actions vertueuses sur l'approbation d'autrui, c'est prendre un trop incertain et trouble fondement, signamment en un siècle corrompu et ignorant, comme celui-ci, la bonne estime du peuple est injurieuse. Á qui vous fiez-vous de voir ce qui est louable ? Dieu me garde d'être homme de bien selon la description que je vois faire tous les jours par honneur à chacun de soi. *Quæ fuerant vitia, mores sunt*[1]. Tels de mes amis ont parfois entrepris de me chapitrer et mercurialiser[2] à cœur ouvert, ou de leur propre mouvement, ou semons[3] par moi, comme d'un office qui, à une âme bien faite, non en utilité seulement, mais en douceur aussi, surpasse tous les offices de l'amitié. Je l'ai toujours accueilli des bras de la courtoisie et reconnaissance les plus ouverts. Mais, à en parler à cette heure en conscience, j'ai souvent trouvé en leurs reproches et louanges tant de fausse mesure que je n'eusse guère failli de faillir plutôt que de bien faire à leur mode. Nous autres principalement, qui vivons une vie privée qui n'est en montre[4] qu'à nous, devons avoir établi un patron au-dedans, auquel toucher[5] nos actions, et, selon icelui, nous caresser tantôt, tantôt nous châtier. J'ai mes lois et ma cour pour juger de moi, et m'y adresse plus qu'ailleurs. Je restreins bien selon autrui mes actions, mais je ne les étends que selon moi. Il n'y a que vous qui sache si vous êtes lâche et cruel, ou loyal et dévotieux ; les autres ne vous voient point, ils vous devinent par conjectures incertaines ; ils voient non

---

1. Sénèque, *Lettres à Lucilius*, XXXIX, 6.

2. Mercurialiser : réprimander.

3. Semons : invités.

4. En montre : visible.

5. Toucher : évaluer.

vraie nature que ce que vous en montrez. C'est pourquoi vous
155 ne devez pas vous fier à leur jugement, mais au vôtre. « C'est de
votre jugement que vous devez vous servir. La conscience de
la vertu et du vice pèse d'un grand poids ; si vous la supprimez,
c'est tout qui est par terre. »

On dit que le repentir suit de près le péché ; mais cela ne
160 semble pas concerner le péché quand il est à son plus haut
point, celui qui loge en nous-mêmes comme chez lui. On peut
désavouer et renier les vices qui nous prennent par surprise et
vers lesquels nous emportent les passions ; mais ceux qui sont
enracinés en nous par une longue habitude, et ancrés dans une
165 volonté forte et vigoureuse, ceux-là ne se laissent pas aisément
combattre. Le repentir n'est, pour notre volonté, qu'une façon
de se dédire, une opposition qui se manifeste dans nos pensées, et qui nous fait aller dans tous les sens. En voici un, par
exemple, qui s'interroge sur sa vertu passée et sa continence :

170 *Pourquoi mes pensées d'aujourd'hui ne sont-elles pas*
celles de ma jeunesse ? Et pourquoi maintenant que je
pense ainsi, mes joues ne redeviennent-elles pas comme
autrefois ?
Horace, *Odes*, IV, 10.

C'est une vie d'une rare qualité que celle qui est bien ordon-
175 née jusque dans l'intimité. Chacun peut jouer son rôle et se
présenter comme un honnête homme sur l'estrade ; mais être
bien réglé au-dedans de lui, au fond de son cœur, où tout nous
est permis et tout est caché, c'est là l'important. Le degré suivant, c'est de l'être chez soi, dans ses actions ordinaires, pour
180 lesquelles nous n'avons de comptes à rendre à personne : là où
rien n'est affecté, où il n'y a rien d'artificiel. C'est pourquoi Bias
décrivait ainsi la bonne tenue d'une maison : « celle où le maître
est en lui-même tel qu'il est au dehors, par crainte de la loi

tant votre naturel que votre art. Par ainsi, ne vous tenez pas à leur sentence, tenez-vous à la vôtre. *Tuo tibi judicio est utendum*[1]. *Virtutis et vitiorum grave ipsius conscientiæ pondus est : qua sublata, jacent omnia*[2].

Mais ce qu'on dit, que la repentance suit de près le péché, ne semble pas regarder le péché qui est en son haut appareil, qui loge en nous comme en son propre domicile. On peut désavouer et dédire les vices qui nous surprennent et vers lesquels les passions nous emportent ; mais ceux qui par longue habitude sont enracinés et ancrés en une volonté forte et vigoureuse, ne sont sujets à contradiction. Le repentir n'est qu'une dédite de notre volonté et opposition de nos fantaisies, qui nous promène à tout sens. Il fait désavouer à celui-là sa vertu passée et sa continence.

> *Quæ mens est hodie, cur eadem non puero fuit,*
> *Vel cur his animis incolumes non redeunt genæ*[3] *?*

C'est une vie exquise, celle qui se maintient en ordre jusqu'en son privé. Chacun peut avoir part au batelage[4] et représenter un honnête personnage en l'échafaud[5], mais au-dedans et en sa poitrine, où tout nous est loisible, où tout est caché, d'y être réglé, c'est le point. Le voisin degré, c'est de l'être en sa maison, en ses actions ordinaires, desquelles nous n'avons à rendre raison à personne ; où il n'y a point d'étude, point d'artifice. Et pourtant Bias[6], peignant un excellent état de famille : « De laquelle, dit-il, le maître soit tel au-dedans, par lui-même, comme il est au-dehors par la crainte de la loi

---

1. Cicéron, *Tusculanes,* II, XXVI, 63.

2. Cicéron, *De la nature des dieux*, III, XXXV, 85.

3. Horace, *Odes*, IV, 10.

4. Batelage : spectacle.

5. Échafaud : scène de théâtre.

6. Bias de Priène, l'un des Sept Sages de la Grèce archaïque, vécut au VIe siècle avant J.-C.

et de ce que peuvent dire les gens. » Et Julius Drusus à qui des
185 ouvriers proposaient pour trois mille écus de modifier sa maison de telle façon que les voisins n'aient plus sur elle la vue qu'ils
avaient jusqu'alors, eut cette belle formule : « Je vous en donnerai six mille, pour que vous fassiez en sorte que tout le monde
ait vue sur elle de tous les côtés. » On peut aussi noter l'habi-
190 tude d'Agésilas, qui consistait à loger dans les Églises quand
il était en voyage, afin que le peuple et les dieux eux-mêmes
puissent l'observer jusque dans ses comportements privés.
Tel homme a été extraordinaire pour le public et chez lequel
sa femme et son valet n'ont rien vu du tout de remarquable.
195 Peu d'hommes ont été admirés par les gens de leur maison.

Nul n'est prophète, non seulement chez lui, mais en son
pays ; voilà ce que nous apprend l'histoire. Il en est de même
pour les choses sans importance, et mon humble exemple est
à l'image de ce qu'il en est pour les grands. Dans mon pays de
200 Gascogne, on trouve amusant que je sois imprimé ; plus on
est loin de chez moi quand on me découvre, plus ma réputation est grande. En Guyenne, je paie les imprimeurs ; ailleurs,
ce sont eux qui me paient. C'est sur ce phénomène que se fondent ceux qui se cachent quand ils sont vivants et bien là, pour
205 qu'on les admire comme s'ils étaient morts et disparus. J'aime
mieux être moins prisé, et je ne m'offre au public que pour
l'estime que cela me vaut. Quand je quitterai le monde, il sera
quitte envers moi.

Celui que le peuple reconduit avec admiration jusqu'à sa
210 porte après une cérémonie publique abandonne son rôle avec
sa robe : il retombe d'autant plus bas qu'il s'était élevé plus haut.
Chez lui, à l'intérieur, tout est en désordre et médiocre. Si une
règle les régissait, il faudrait avoir un jugement bien vif et bien

et du dire des hommes. » Et fut une digne parole de Julius Drusus[1] aux ouvriers qui lui offraient pour trois mille écus mettre sa maison en tel point que ses voisins n'y auraient plus la vue qu'ils y avaient : « Je vous en donnerai, dit-il, six mille, et faites que chacun y voie de toutes parts. » On remarque avec honneur l'usage d'Agésilas[2], de prendre en voyageant son logis dans les Églises, afin que le peuple et les dieux mêmes vissent dans ses actions privées. Tel a été miraculeux au monde, auquel sa femme et son valet n'ont rien vu seulement de remarquable. Peu d'hommes ont été admirés par leurs domestiques.

Nul a été prophète non seulement en sa maison, mais en son pays, dit l'expérience des histoires. De même aux choses de néant. Et en ce bas exemple se voit l'image des grands. En mon climat de Gascogne, on tient pour drôlerie de me voir imprimé. D'autant que la connaissance qu'on prend de moi s'éloigne de mon gîte, j'en vaux d'autant mieux. J'achète les Imprimeurs en Guyenne, ailleurs ils m'achètent. Sur cet accident se fondent ceux qui se cachent, vivants et présents, pour se mettre en crédit, trépassés et absents. J'aime mieux en[3] avoir moins. Et ne me jette au monde que pour la part que j'en tire. Au partir de là[4], je l'en quitte.

Le peuple reconvoie celui-là, d'un acte public, avec étonnement, jusqu'à sa porte ; il laisse avec sa robe ce rôle, il en retombe d'autant plus bas qu'il s'était plus haut monté. Au-dedans, chez lui, tout est tumultuaire et vil. Quand le règlement s'y trouverait, il faut un jugement vif et bien trié pour

---

1. Julius Drusus : tribun du peuple du Ier siècle avant J.-C., connu pour ses mesures démocratiques.

2. Agésilas (444-360 av. J.-C.) : roi de Sparte dont Plutarque raconte la vie dans sa *Vie d'Agésilas*.

3. En : renvoie au crédit.

4. Au partir de là : à ma mort.

aigu pour la discerner dans des actes aussi humbles et privés.
215 À cela s'ajoute que l'ordre est une vertu morne et sombre : forcer une brèche, conduire une ambassade, diriger un peuple, voilà des actions éclatantes ; réprimander, rire, vendre, payer, aimer, haïr, s'entretenir avec ses proches et avec soi-même, tranquillement et avec justesse, ne pas se laisser aller, ne pas
220 se contredire, voilà qui est plus difficile et moins remarquable.

Dans une vie « retirée », on doit faire face, quoi qu'on en dise, à des devoirs aussi difficiles et aussi étendus – et même plus – que dans les autres. Aristote dit que les personnes privées servent mieux la vertu et au prix de plus grands efforts
225 que ne le font ceux qui occupent des postes importants. Nous nous préparons aux événements importants plus par amour de la gloire que par devoir. Et la plus courte voie pour parvenir à la gloire, ce serait de faire par devoir ce que nous faisons pour la gloire. Ainsi la vertu d'Alexandre, si théâtrale, me
230 semble présenter moins de vigueur que celle de Socrate qui s'y emploie de façon plus humble et plus obscure. J'imagine aisément Socrate à la place d'Alexandre – et je ne peux mettre Alexandre à la place de Socrate. Si l'on demande au premier ce qu'il sait faire, il répondra : « Subjuguer le monde. » Et l'autre :
235 « Mener une vie humaine selon sa condition naturelle », ce qui demande une science bien plus générale, plus difficile, et mieux fondée.

La valeur de l'âme ne consiste pas à aller très haut, mais de
240 façon bien réglée. Sa grandeur ne se montre pas dans la grandeur, mais dans les choses courantes. Ceux qui nous jugent et nous évaluent en profondeur ne font pas grand cas de l'éclat de nos actions publiques : ils ne voient en elles que les filets d'eau

l'apercevoir en ces actions basses et privées. Joint que l'ordre est une vertu morne et sombre. Gagner une brèche[1], conduire une ambassade, régir un peuple, ce sont actions éclatantes. Tancer, rire, vendre, payer, aimer, haïr et converser avec les siens et avec soi-même doucement et justement, ne relâcher point, ne se démentir point, c'est chose plus rare, plus difficile et moins remarquable.

Les vies retirées soutiennent par là, quoi qu'on dise, des devoirs autant ou plus âpres et tendus que ne font les autres vies. Et les privés, dit Aristote[2], servent la vertu plus difficilement et hautement que ne font ceux qui sont en magistrats. Nous nous préparons aux occasions éminentes plus par gloire que par conscience. La plus courte façon d'arriver à la gloire, ce serait faire pour la conscience ce que nous faisons pour la gloire. Et la vertu d'Alexandre me semble représenter assez[3] moins de vigueur en son théâtre, que ne fait celle de Socrate en cette exercitation[4] basse et obscure. Je conçois aisément Socrate en la place d'Alexandre ; Alexandre en celle de Socrate, je ne puis. Qui demandera à celui-là ce qu'il sait faire, il répondra : « Subjuguer le monde » ; qui le demandera à celui-ci, il dira : « Mener l'humaine vie conformément à sa naturelle condition », science bien plus générale, plus pesante et plus légitime.

Le prix de l'âme ne consiste pas à aller haut, mais ordonnément. Sa grandeur ne s'exerce pas en la grandeur, c'est en la médiocrité[5]. Ainsi que ceux qui nous jugent et touchent au-dedans, ne font pas grand recette de la lueur de nos actions publiques, et voient que ce ne sont que filets et pointes d'eau

---

1. **Brèche** : assaut.

2. **Aristote** (384-322 av. J.-C.) écrit cela dans *Politique*, III, IV.

3. **Assez** : beaucoup.

4. **Excercitation** : exercice.

5. Le terme est pris ici dans son sens étymologique de « juste milieu ».

et des vaguelettes jaillies d'un fond au demeurant boueux et
245 lourd. De même, ceux qui nous jugent par cette belle apparence extérieure en tirent eux aussi des conclusions quant à
notre constitution interne, et ne peuvent associer des facultés ordinaires, semblables aux leurs, à celles qui les étonnent
tant chez nous, parce qu'elles sont hors de leur portée. C'est
250 pourquoi nous donnons aux démons des formes étranges. Qui
ne donne à Tamerlan des sourcils très marqués, des narines
grandes ouvertes, un visage affreux et une taille démesurée,
comme est démesurée l'image qu'il s'est forgée de lui par sa
renommée ? Si l'on m'avait présenté Érasme autrefois, j'aurais
255 eu beaucoup de mal à ne pas prendre pour des adages et des
maximes tout ce qu'il aurait dit à son valet et à son hôtesse.
Nous imaginons bien plus facilement un artisan sur sa chaise
percée ou sur sa femme qu'un grand Président, vénérable dans
son maintien et sa compétence. Il nous semble que ceux qui
260 occupent des trônes si élevés ne s'abaissent pas jusqu'à vivre
tout simplement.

De même que les âmes vicieuses sont souvent incitées
à bien faire par quelque impulsion extérieure, de même les
vertueuses le sont à mal faire. Il faut donc les juger sur leur
265 état normal, quand elles sont « chez elles », s'il leur arrive d'y
être, ou du moins quand elles sont dans l'état le plus voisin
du repos, et dans leur état natif. Les inclinations naturelles
sont favorisées et renforcées par l'éducation, mais on ne peut
guère les changer, ni les surmonter. J'en ai connu mille, de mon
270 temps, qui ont glissé vers la vertu ou vers le vice, malgré des
leçons contraires.

fine rejaillies d'un fond au demeurant limoneux et pesant. En pareil cas, ceux qui nous jugent par cette brave apparence du dehors, concluent de même de notre constitution interne, et ne peuvent accoupler des facultés populaires et pareilles aux leurs à ces autres facultés qui les étonnent, si loin de leur visée. Ainsi donnons-nous aux démons des formes sauvages[1]. Et qui non, à Tamerlan[2] des sourcils élevés, des naseaux ouverts, un visage affreux et une taille démesurée, comme est la taille de l'imagination qu'il en a conçue par le bruit de son nom ? Qui m'eût fait voir Érasme[3] autrefois, il eût été malaisé que je n'eusse pris pour adages et apophtegmes tout ce qu'il eût dit à son valet et à son hôtesse. Nous imaginons bien plus sortablement un artisan sur sa garde-robe[4] ou sur sa femme qu'un grand Président, vénérable par son maintien et suffisance. Il nous semble que de ces hauts trônes ils ne s'abaissent pas jusqu'à vivre.

Comme les âmes vicieuses sont incitées souvent à bien faire par quelque impulsion étrangère, aussi sont les vertueuses à faire mal. Il les faut donc juger par leur état rassis[5], quand elles sont chez elles, si quelquefois elles y sont ; ou au moins quand elles sont plus voisines du repos et de leur naïve assiette. Les inclinations naturelles s'aident et fortifient par institution ; mais elles ne se changent guère et surmontent. Mille natures, de mon temps, ont échappé vers la vertu ou vers le vice, au travers d'une discipline contraire.

---

1. Allusion à la représentation des démons dans l'art religieux du Moyen Âge et de la Renaissance.

2. Tamerlan (1336-1405) : célèbre et cruel conquérant mongol.

3. Érasme (1469-1536) : grand humaniste hollandais, auteur des *Adages* (1500) et des *Apophtegmes* (1531) amplement utilisés par Montaigne, qui se moque ici de son modèle.

4. Garde-robe : chaise percée, toilettes.

5. État rassis : au repos.

> *Ainsi les fauves ayant oublié les forêts,*
> *Se sont adoucis en captivité et perdu leur regard*
> *menaçant ;*
275 > *Ils ont appris à supporter l'homme. Mais si un peu de sang*
> *Vient à toucher leur gueule, alors leur rage*
> *Et leur férocité se réveillent,*
> *Leur gosier enfle au goût du sang et ils épargnent à peine*
> *Dans leur colère le maître épouvanté.*
> Lucain, *La Pharsale*, v. 237 et sq.

280   On n'extirpe pas ces façons d'être originelles, on les recouvre, on les cache. Le latin m'est comme naturel, je le comprends mieux que le français, mais cela fait quarante ans que je ne m'en suis pas servi pour parler, et guère pour écrire. Pourtant, sous le coup d'émotions extrêmes et soudaines où je suis 285 tombé deux ou trois fois dans ma vie, par exemple quand je vis mon père en bonne santé tomber soudain sur moi à la renverse, évanoui, les premiers mots qui me vinrent du fond des entrailles étaient latins, la Nature jaillissant et s'exprimant de force, malgré une si longue pratique contraire. Et on rencontre 290 cela chez bien d'autres.

Ceux qui ont essayé, à notre époque, de réformer les mœurs des gens selon de nouvelles façons de penser, ont réformé les vices apparents ; mais ceux de la nature profonde, ils les ont laissés tels quels, si même ils ne les ont augmentés. Et l'augmenta- 295 tion est en effet à craindre, car on se dispense volontiers de tout autre effort pour bien faire au nom de ces changements superficiels, qui coûtent moins et auxquels on accorde un plus grand mérite. C'est ainsi que l'on satisfait à bon marché les autres vices qui nous sont naturels, consubstantiels et internes. Regardez 300 un peu comment cela affecte notre expérience. Pour peu que l'on s'écoute, il n'est personne qui ne se découvre une forme

Sic ubi desuetae silvis in carcere clausæ :
Mansuevere feræ, et vultus posuere minaces,
Atque hominem didicere pati, si torrida parvus
Venit in ora cruor, redeunt rabiesque furorque,
Admonitæque tument gustato sanguine fauces,
Fervet, et a trepido vix abstinet ira magistro [1].

On n'extirpe pas ces qualités originelles, on les couvre, on les cache. Le langage latin m'est comme naturel, je l'entends mieux que le Français [2]; mais il y a quarante ans que je ne m'en suis du tout point servi à parler, ni à écrire [3]. Si est-ce qu'à des extrêmes et soudaines émotions, où je suis tombé deux ou trois fois en ma vie, et l'une, voyant mon père tout sain se renverser sur moi, pâmé, j'ai toujours élancé du fond des entrailles les premières paroles Latines : Nature se sourdant et s'exprimant à force, à l'encontre d'un long usage ; et cet exemple se dit d'assez d'autres.

Ceux qui ont essayé de raviser les mœurs du monde [4], de mon temps, par nouvelles opinions, réforment les vices de l'apparence ; ceux de l'essence, ils les laissent là, s'ils ne les augmentent ; et l'augmentation y est à craindre : on se séjourne volontiers de tout autre bien faire, sur ces réformations externes, de moindre coût et de plus grand mérite ; et satisfait-on à bon marché par là les autres vices naturels consubstantiels et intestins. Regardez un peu comment s'en porte notre expérience : il n'est personne, s'il s'écoute, qui ne découvre en soi une forme

---

1. Lucain, *La Pharsale*, IV, v. 237 *et sq.*

2. Pour Montaigne, le latin est une langue quasi maternelle : dès son plus jeune âge, et sur la requête de son père, son précepteur ne s'adressait à lui qu'en latin qu'il parlait donc comme une langue vivante. Par ailleurs, dans sa région natale, c'est le gascon qui est utilisé, et non le français, ce qui explique cette formule.

3. Montaigne passe ici sous silence ses années universitaires où il a dû pratiquer le latin, langue obligatoire.

4. Allusion aux réformés.

propre, une forme dominante, qui lutte contre l'éducation et contre la tempête des impressions qui lui sont contraires. En ce qui me concerne, je ne me sens guère agité de secousses : je me 305 tiens presque toujours à ma place, comme font les corps lourds et pesants. Si je ne suis pas toujours dans mon état normal, j'en suis toujours tout près : mes écarts de conduite ne m'entraînent guère loin ; je n'y trouve rien de bien étrange ni d'extrême, mais je me ravise toujours de façon saine et vigoureuse.

310 La véritable condamnation, qui concerne la façon de vivre ordinaire de nos contemporains, c'est que même lorsqu'ils se retirent du monde, leur vie est encore pleine de corruption et de saletés ; ils n'ont de leur amendement qu'une idée confuse, leur pénitence est déficiente et blâmable, presque autant que 315 leur péché. Certains, à force d'être attachés au vice par un lien naturel, ou par une longue accoutumance, n'en voient même plus la laideur. Il en est d'autres (dont je fais partie) à qui le vice pèse, mais qui le compensent par le plaisir ou autre chose, et le supportent et même s'y prêtent sous certaines conditions : 320 mais lâchement et vicieusement malgré tout. On pourrait peut-être imaginer une situation si extrême que le plaisir excuserait le péché en toute justice, comme nous l'admettons pour l'utilité. Non seulement si ce péché était occasionnel, et sans intention de le commettre (comme dans le cas d'un larcin), 325 mais même lorsqu'il est présent dans l'acte lui-même, comme dans le cas des relations charnelles avec les femmes, où l'incitation est violente, et même parfois invincible, dit-on.

Sur les terres d'un de mes parents, un jour que j'étais en Armagnac, j'ai rencontré un paysan que tout le monde appelle 330 « le larron ». Il racontait ainsi ce qu'avait été sa vie : né mendiant,

sienne, une forme maîtresse, qui lutte contre l'institution, et contre la tempête des passions qui lui sont contraires. De moi, je ne me sens guère agiter par secousse, je me trouve quasi toujours en ma place, comme font les corps lourds et pesants. Si je ne suis chez moi, j'en suis toujours bien près : mes débauches ne m'emportent pas fort loin ; il n'y a rien d'extrême et d'étrange, et si[1] ai des ravisements sains et vigoureux.

La vraie condamnation, et qui touche la commune façon de nos hommes, c'est que leur retraite même est pleine de corruption et d'ordure ; l'idée de leur amendement, chaffourrée[2] ; leur pénitence, malade et en coulpe, autant à peu près que leur péché. Aucuns, ou pour être collés au vice d'une attache naturelle, ou par longue accoutumance, n'en trouvent plus la laideur. À d'autres (duquel régiment je suis) le vice pèse, mais ils le contrebalancent avec le plaisir ou autre occasion, et le souffrent et s'y prêtent à certain prix ; vicieusement pourtant et lâchement. Si[3], se pourrait-il à l'aventure imaginer si éloignée disproportion de mesure où avec justice le plaisir excuserait le péché, comme nous disons de l'utilité. Non seulement s'il était accidentel et hors du péché, comme au larcin, mais en l'exercice même d'icelui[4], comme en l'accointance des femmes, où l'incitation est violente et, dit-on, parfois invincible.

En la terre d'un mien parent, l'autre jour que j'étais en Armagnac, je vis un paysan que chacun surnomme le Larron[5]. Il faisait ainsi le conte de sa vie : qu'étant né mendiant,

1. **Et si** : et pourtant.
2. **Chaffourrée** : confuse.
3. **Si** : mais.
4. **D'icelui** : de celui-ci.
5. Le Larron d'Armagnac fournit un exemple d'autobiographie (il fait le « conte de sa vie ») qui s'oppose totalement au récit pénitentiel, puisque le récit qu'il livre est sans repentir.

et constatant qu'à gagner son pain en travaillant de ses mains il ne parviendrait jamais à échapper vraiment à l'indigence, il avait décidé de se mettre à voler. Il avait passé toute sa jeunesse à faire ce métier, en toute sécurité, grâce à sa force physique, car s'il moissonnait et vendangeait les terres d'autrui, il le faisait au loin, et en si grande quantité qu'on ne pouvait imaginer qu'un seul homme pût emporter tout cela en une nuit sur ses épaules ; et il prenait en outre le soin de répartir équitablement et sur un grand territoire les dommages qu'il causait, si bien qu'ils en étaient plus supportables pour chacun en particulier. Il se considère aujourd'hui comme riche pour un homme de sa condition, grâce à ce trafic qu'il reconnaît ouvertement. Et pour se mettre d'accord avec Dieu pour tout ce qu'il a ainsi acquis, il dit qu'il se consacre maintenant tous les jours à satisfaire par ses bienfaits les successeurs de ceux qu'il a volés, et que s'il n'y parvient pas complètement lui-même (car il ne peut pas tous les satisfaire à la fois), il en chargera ses héritiers, selon l'estimation, de lui seule connue, du tort qu'il a causé à chacun. Selon la description qu'il en fait, vraie ou fausse, on voit que cet homme considère le vol comme une action malhonnête, et le déteste, mais moins que l'indigence ; il s'en repent spontanément, mais d'un autre côté, dans la mesure où sa faute est ainsi contrebalancée et compensée, il ne s'en repent pas. Cette attitude-là n'est pas la même que celle qui est causée par l'habitude du vice, et qui nous amène à le considérer comme normal ; ce n'est pas non plus ce souffle impétueux qui aveugle notre âme par ses secousses et nous fait basculer en un instant, avec notre jugement et tout le reste, sous la domination du vice.

Je fais d'ordinaire à fond tout ce que je fais, et je suis tout d'une pièce. Je ne fais guère de choses qui soient cachées et se dérobent à ma raison, qui ne soient à peu près conduites par

335

340

345

350

355

360

et trouvant qu'à gagner son pain au travail de ses mains il n'arriverait jamais à se fortifier assez contre l'indigence, il s'avisa de se faire larron; et avait employé à ce métier toute sa jeunesse en sûreté, par le moyen de sa force corporelle; car il moissonnait et vendangeait des terres d'autrui, mais c'était au loin et à si gros monceaux qu'il était inimaginable qu'un homme en eût tant rapporté en une nuit sur ses épaules; et avait soin, outre cela, d'égaler et disperser le dommage qu'il faisait, si que la foule[1] était moins importable[2] à chaque particulier. Il se trouve à cette heure, en sa vieillesse, riche pour un homme de sa condition, merci à cette trafique[3], de laquelle il se confesse ouvertement. Et pour s'accommoder avec Dieu de ses acquêts, il dit être tous les jours après à satisfaire[4] par bienfaits aux successeurs de ceux qu'il a dérobés; et, s'il n'achève (car d'y pourvoir tout à la fois, il ne peut), qu'il en chargera ses héritiers, à la raison de la science qu'il a lui seul du mal qu'il a fait à chacun. Par cette description, soit vraie ou fausse, celui-ci regarde le larcin comme action déshonnête et le hait, mais moins que l'indigence; s'en repent bien simplement, mais, en tant qu'elle était ainsi contrebalancée et compensée, il ne s'en repent pas. Cela, ce n'est pas cette habitude qui nous incorpore au vice et y conforme notre entendement même, ni n'est ce vent impétueux qui va troublant et aveuglant à secousses notre âme et nous précipite pour l'heure, jugement et tout, en la puissance du vice.

Je fais coutumièrement entier ce que je fais et marche tout d'une pièce; je n'ai guère de mouvement qui se cache et dérobe à ma raison, et qui ne se conduise à peu près par le

---

1. **Foule** : dégât.

2. **Importable** : insupportable.

3. **Trafique** : métier.

4. **Satisfaire** : réparer sa faute.

le consentement de moi-même tout entier, sans divisions ou querelles intestines ; à mon jugement incombe complètement la faute ou la louange. Et la faute qu'il a ressentie une fois, il la
365 ressent toujours : il est le même presque depuis ma naissance, il a les mêmes inclinations, il suit la même route, avec la même force. En fait d'idées générales, celles que j'ai adoptées dès l'enfance sont celles que j'ai toujours conservées par la suite.

Laissons de côté les péchés impétueux, prompts et sou-
370 dains. Mais en ce qui concerne les autres, tant de fois répétés, examinés, décidés, les péchés que l'on peut dire « de tempérament », liés à la profession ou aux occupations, je ne parviens pas à concevoir qu'ils se soient incrustés aussi longtemps dans le même cœur, sans que la raison et la conscience de celui chez
375 qui ils sont le veuillent constamment et l'accepte ainsi ; et le repentir que cet individu se vante de connaître à certains moments déterminés, j'ai un peu de mal à le concevoir et à l'imaginer.

Je ne suis pas l'école de Pythagore quand elle prétend que
380 les hommes prennent une âme nouvelle en s'approchant des statues des dieux pour recueillir leurs oracles ; sauf si cela signifie qu'il faut bien que cette âme soit différente, nouvelle, et comme provisoire, car la nôtre ne présente guère les marques de purification et de propreté qui conviennent à
385 cette cérémonie.

Ceux qui se vantent de connaître le repentir sont tout à fait à l'opposé des préceptes stoïques, puisque ceux-ci nous ordonnent bien de corriger les imperfections et les vices que nous

consentement de toutes mes parties, sans division, sans sédition intestine [1] ; mon jugement en a la coulpe ou la louange entière ; et la coulpe qu'il a une fois, il l'a toujours, car quasi dès sa naissance il est un : même inclination, même route, même force. Et en matière d'opinions universelles, dès l'enfance je me logeai au point où j'avais à me tenir.

Il y a des péchés impétueux, prompts et subits, laissons-les à part. Mais en ces autres péchés à tant de fois repris, délibérés et consultés, ou péchés de complexion, ou péchés de profession et de vacation, je ne puis pas concevoir qu'ils soient plantés si longtemps en un même courage, sans que la raison et la conscience de celui qui les possède, le veuille constamment, et l'entende ainsi ; et le repentir qu'il se vante lui en venir à certain instant prescrit [2], m'est un peu dur à imaginer et former.

Je ne suis pas la secte de Pythagore [3], que les hommes prennent une âme nouvelle quand ils approchent des simulacres [4] des Dieux pour recueillir leurs oracles. Sinon qu'il voulût dire cela même, qu'il faut bien qu'elle soit étrangère, nouvelle, et prêtée pour le temps, la nôtre montrant si peu de signe de purification et netteté condigne à cet office.

Ils font tout à l'opposite des préceptes Stoïques [5], qui nous ordonnent bien de corriger les imperfections et vices que

---

1. Intestine : intérieure.

2. Allusion au moment de la confession, celle qui précède l'extrême-onction ou celle que l'Église catholique rendait obligatoire au moins une fois par an, à Pâques.

3. Pythagore (VIᵉ av. J.-C.) était un penseur essentiellement religieux, bien qu'on le connaisse de nos jours pour son théorème mathématique, dont l'attribution est pourtant incertaine. La **secte de Pythagore** renvoie au mouvement qu'il a fondé, dominé par l'ascétisme, la purification et un grand nombre d'interdits.

4. Simulacres : images ou statues.

5. Montaigne se réfère ici aux préceptes stoïciens de Sénèque exposés dans ses *Lettres à Lucilius* et *De la tranquillité de l'âme*, et engageant à une réforme morale dans le respect du repos de l'âme.

390 reconnaissons en nous, mais nous défendent d'en altérer le repos de notre âme. Ces gens-là nous font croire qu'ils éprouvent un grand regret et un grand remords au dedans d'eux-mêmes, mais s'ils s'amendent, se corrigent, ou s'interrompent, ils ne nous en montrent rien. Or il n'est pas de guérison possible si l'on ne se délivre pas de son mal. Si le repentir était mis sur

395 l'un des plateaux de la balance, il l'emporterait sur le péché. Je ne trouve aucune attitude aussi aisée à contrefaire que la dévotion, si l'on n'y conforme pas sa conduite et sa vie : son essence profonde est incompréhensible et cachée, et les apparences faciles et trompeuses.

400 En ce qui me concerne, je peux fort bien désirer être différent de ce que je suis : je peux trouver détestable ma façon d'être ordinaire et supplier Dieu de m'accorder une réformation complète, et d'excuser ma faiblesse naturelle ; mais je ne dois pas appeler cela « repentir », il me semble, pas plus que

405 la déception de n'être ni un ange ni Caton. Mes actions sont conformes à ce que je suis et à ma condition : elles sont réglées sur elle. Je ne peux mieux faire, et le repentir n'a rien à voir avec les choses qui ne sont pas en notre pouvoir – mais plutôt le regret. J'imagine quantité de natures plus élevées et

410 mieux réglées que la mienne, mais je n'améliore pas pour autant mes propres facultés, de même que ni mon bras ni mon esprit ne deviennent plus vigoureux parce que j'en ai imaginé d'autres qui l'étaient. Si le fait d'imaginer et de désirer une façon d'agir plus noble nous amenait à nous repentir de la nôtre,

415 nous aurions alors à nous repentir de nos actions les plus innocentes, car nous voyons bien qu'avec une meilleure nature elles auraient été conduites avec plus de perfection et de dignité – et alors nous souhaiterions qu'il en soit ainsi. Lorsque je réfléchis sur mes comportements de jeunesse et que je les

420 compare à ceux de ma vieillesse, je trouve qu'ils ont en général été conduits de la façon qui est la mienne, et que c'est tout ce

nous reconnaissons en nous, mais nous défendent d'en altérer le repos de notre âme. Ceux-ci nous font accroire qu'ils en ont grande déplaisance et remords au-dedans, mais d'amendement et correction, ni d'interruption, ils ne nous en font rien apparoir. Si n'est-ce pas guérison, si on ne se décharge du mal. Si la repentance pesait sur le plat de la balance, elle emporterait le péché. Je ne trouve aucune qualité si aisée à contrefaire que la dévotion, si on n'y conforme les mœurs et la vie ; son essence est abstruse[1] et occulte, les apparences faciles et pompeuses.

Quant à moi, je puis désirer en général être autre ; je puis condamner et me déplaire de ma forme universelle, et supplier Dieu pour mon entière réformation et pour l'excuse de ma faiblesse naturelle ; mais cela, je ne le dois nommer repentir, ce me semble, non plus que le déplaisir de n'être ni Ange, ni Caton[2]. Mes actions sont réglées, et conformes à ce que je suis et à ma condition. Je ne puis faire mieux, et le repentir ne touche pas proprement les choses qui ne sont pas en notre force, oui bien le regret. J'imagine infinies natures plus hautes et plus réglées que la mienne. Je n'amende pourtant mes facultés, comme ni mon bras, ni mon esprit ne deviennent plus vigoureux pour en concevoir un autre qui le soit. Si l'imaginer et désirer un agir plus noble que le nôtre produisait la repentance du nôtre, nous aurions à nous repentir de nos opérations plus innocentes ; d'autant que nous jugeons bien qu'en la nature plus excellente elles auraient été conduites d'une plus grande perfection et dignité ; et voudrions faire de même. Lorsque je consulte des déportements de ma jeunesse avec ma vieillesse, je trouve que je les ai communément conduits avec ordre, selon moi.

---

1. Abstruse : obscure.

2. Référence aux deux modèles de perfection, chrétien et antique, Caton l'Ancien (234-149 av. J.-C.) incarnant le vieux Romain vertueux.

dont je suis capable. Je ne me flatte pas : dans de semblables circonstances, je serais encore le même. Je ne peux présenter de taches, puisque c'est de leur teinte que je suis recouvert tout entier. Je ne connais pas de repentir superficiel, de repentir moyen et de repentir de cérémonie. Il faut qu'il m'atteigne de partout pour que je le nomme ainsi ; qu'il me prenne aux entrailles, et qu'il les affecte aussi profondément et aussi totalement que Dieu me voit.

[...]

C'est tout ce que peut ma résistance. Je ne me flatte pas : à circonstances pareilles, je serai toujours tel. Ce n'est pas mâchure [1], c'est plutôt une teinture universelle qui me tache. Je ne connais pas de repentance superficielle, moyenne, et de cérémonie. Il faut qu'elle me touche de toutes parts, avant que je la nomme ainsi, et qu'elle pince mes entrailles et les afflige autant profondément que Dieu me voit, et autant universellement.

[...]

---

1. Mâchure : tache.

Sur les voitures

[...]

Notre monde vient d'en découvrir un autre. Et qui peut nous garantir que c'est le dernier de ses frères, puisque les Démons, les Sibylles et nous-mêmes avons ignoré celui-là jusqu'à maintenant ? Il n'est pas moins grand, ni moins plein, ni moins 5 bien doté de membres ; mais il est si jeune et si enfant qu'on lui apprend encore son a, b, c. Il n'y a pas cinquante ans, il ne connaissait encore ni les lettres, ni les poids, ni les mesures, ni les vêtements, ni le blé, ni la vigne ; il était encore tout nu dans le giron de sa mère et ne vivait que grâce à elle. Si nous jugeons 10 bien de notre fin prochaine, comme Lucrèce le faisait pour la jeunesse de son temps, cet autre monde ne fera que venir au jour quand le nôtre en sortira. L'univers tombera en paralysie : l'un de ses membres sera perclus et l'autre en pleine vigueur.

J'ai bien peur que nous n'ayons grandement hâté son 15 déclin et sa ruine par notre contagion, et que nous lui ayons fait

Des coches [1]

Ce chapitre vaut à Montaigne sa réputation d'esprit éclairé : il y traite des malheurs de l'histoire de l'humanité en évoquant à nouveau l'opposition entre les Indiens, ici raffinés et incarnant les valeurs antiques, et les conquistadors espagnols, traîtres, cruels et avides.

[...]

Notre monde vient d'en trouver un autre (et qui nous répond si c'est le dernier de ses frères, puisque les Démons, les Sibylles, et nous, avons ignoré celui-ci jusqu'à cette heure ?) non moins grand, plein, et membru que lui : toutefois si nouveau et si enfant, qu'on lui apprend encore son a, b, c ; il n'y a pas cinquante ans qu'il ne savait ni lettres, ni poids, ni mesure, ni vêtements, ni blés, ni vignes. Il était encore tout nu, au giron [2], et ne vivait que des moyens de sa mère nourrice. Si nous concluons bien de notre fin [3], et ce poète de la jeunesse de son siècle [4], cet autre monde ne fera qu'entrer en lumière, quand le nôtre en sortira. L'univers tombera en paralysie ; l'un membre sera perclus [5], l'autre en vigueur.

Bien crains-je que nous aurons bien fort hâté sa déclinaison et sa ruine par notre contagion, et que nous lui aurons

---

1. Les coches sont de grands véhicules de transport. Ce titre entretient avec la fin du chapitre un rapport peu évident, même si Montaigne y évoque la richesse de la litière en or du dernier roi inca. Le fil directeur de l'ensemble est la dénonciation des ressorts hypocrites de domination d'un peuple par un autre.

2. Au giron : au sein.

3. Notre fin : la fin du monde chrétien prévue pour 1645 ou 1666 selon les prédicateurs.

4. Il s'agit de Lucrèce (98-55 av. J.-C.), auteur latin du *De la nature des choses*, que Montaigne cite juste avant ce passage.

5. Perclus : paralysé. Montaigne file la métaphore médicale en se fondant sur une cosmologie où tout déclin est compensé par une naissance.

payer bien cher nos idées et nos techniques. C'était un monde encore dans l'enfance, et pourtant nous ne l'avons pas dressé ni plié à nos règles par la seule vertu de notre valeur et de nos forces naturelles. Nous ne l'avons pas conquis par notre justice et notre bonté, ni subjugué par notre magnanimité. La plupart des réponses que les gens de ce monde-là nous ont faites et les négociations que nous avons menées avec eux ont montré qu'ils ne nous devaient rien en matière de clarté d'esprit naturelle et de pertinence. L'extraordinaire magnificence des villes de Cuzco et de Mexico, et parmi bien d'autres merveilles, les jardins de ce roi où tous les arbres, les fruits et les herbes, dans le même ordre et avec la même taille que dans un jardin ordinaire, étaient en or, de même que dans son cabinet de curiosités, toutes les sortes d'animaux qui naissent en son pays et dans ses mers, la beauté de leurs ouvrages en joaillerie, en plumes, en coton, ou dans la peinture – tout cela montre bien qu'ils n'étaient pas non plus moins habiles que nous. Mais quant à la dévotion, à l'observance des lois, la bonté, la libéralité, la franchise, il nous a été bien utile d'en avoir moins qu'eux : cet avantage les a perdus, ils se sont vendus et trahis eux-mêmes.

Quant à la hardiesse et au courage, à la fermeté, à la constance, à la résolution face à la douleur, à la faim et à la mort, je ne crains pas d'opposer les exemples que je trouve parmi eux aux plus fameux exemples des Anciens restés dans nos mémoires, dans ce monde-ci. En effet, si l'on tient compte du compréhensible étonnement de ces peuples-là de voir ainsi arriver inopinément des gens barbus, ayant un autre langage, une autre religion, différents dans leur aspect et leurs habitudes, venant d'un monde si éloigné et où ils n'avaient jamais su qu'il y eût de quelconques

bien cher vendu nos opinions et nos arts. C'était un monde enfant; si ne l'avons-nous pas fouetté et soumis à notre discipline par l'avantage de notre valeur et forces naturelles, ni ne l'avons pratiqué par notre justice et bonté, ni subjugué par notre magnanimité. La plupart de leurs réponses, et des négociations faites avec eux, témoignent qu'ils ne nous devaient rien en clarté d'esprit naturelle et en pertinence. L'épouvantable magnificence des villes de Cusco et de Mexico, et, entre plusieurs choses pareilles, le jardin de ce Roi, où tous les arbres, les fruits, et toutes les herbes, selon l'ordre et grandeur qu'ils ont en un jardin, étaient excellemment formées[1] en or; comme, en son cabinet, tous les animaux qui naissaient en son état et en ses mers; et la beauté de leurs ouvrages, en pierrerie, en plume, en coton, en la peinture, montrent qu'ils ne nous cédaient non plus en l'industrie. Mais quant à la dévotion, observance des lois, bonté, libéralité, loyauté, franchise, il nous a bien servi de n'en avoir pas tant qu'eux; ils se sont perdus par cet avantage, et vendus, et trahis eux-mêmes.

Quant à la hardiesse et courage, quant à la fermeté, constance, résolution contre les douleurs et la faim, et la mort, je ne craindrais pas d'opposer les exemples que je trouverais parmi eux aux plus fameux exemples anciens que nous ayons aux mémoires de notre monde par-deçà. Car, pour ceux qui les ont subjugués, qu'ils ôtent les ruses et batelages[2] de quoi ils se sont servis à les piper[3], et le juste étonnement qu'apportait à ces nations-là de voir arriver si inopinément des gens barbus, divers en langage, religion, en forme et en contenance, d'un endroit du monde si éloigné et où ils n'avaient

---

1. **Formées** : sculptées. Il s'agit des jardins du roi inca Huayana Capac qui régna au Pérou à la fin du XVe siècle.

2. **Batelages** : ruses dignes de bateleurs.

3. **Piper** : tromper.

habitations, montés sur de grands monstres inconnus, alors qu'ils n'avaient eux-mêmes, non seulement jamais vu de cheval, mais même de bête quelconque dressée à porter un homme ou d'autres charges ; si l'on tient compte du fait qu'ils ont été mis en présence de gens ayant une « peau » luisante et dure et une arme tranchante et resplendissante, eux qui pour le miracle de la lueur d'un miroir ou d'un couteau étaient prêts à échanger de grandes richesses en or ou en perles, et qui n'avaient aucun moyen, ni même le savoir nécessaire pour percer notre acier. Si l'on ajoute à cela la foudre et le tonnerre de nos pièces d'artillerie et de nos arquebuses, qui eussent été capables de troubler César lui-même, autant surpris et inexpérimenté qu'eux devant de telles armes. Si l'on considère que tout cela s'est fait contre des peuples nus, sauf dans les contrées où on avait inventé quelque tissu de coton, et qui étaient sans autres armes que des arcs, des pierres, des bâtons et des boucliers de bois, des peuples surpris sous prétexte d'amitié et de bonne foi, par la curiosité de voir des choses étrangères et inconnues… Si l'on tient compte enfin des ruses et des stratagèmes par lesquels ceux qui les ont soumis sont parvenus à les tromper, et que l'on mette ainsi de côté tout ce qui a donné aux conquérants un énorme avantage, on leur ôte du même coup ce qui leur a permis de remporter tant de victoires.

Quand je considère l'ardeur indomptable avec laquelle tant de milliers d'hommes, de femmes et d'enfants se sont exposés tant de fois à des dangers inévitables pour la défense de leurs dieux et de leur liberté, et cette noble obstination à supporter les pires extrémités et difficultés, et même la mort, plutôt que de se soumettre à la domination de ceux par qui ils ont été si honteusement trompés ; quand je vois que certains ont préféré se laisser mourir de faim étant faits prisonniers, plutôt que d'accepter de la nourriture des mains de leurs ennemis, si lâchement victorieux, je peux dire à l'avance que si on les avait attaqués

jamais su qu'il y eût habitation quelconque, montés sur des grands monstres inconnus, contre ceux qui n'avaient non seulement jamais vu de cheval, mais bête quelconque duite[1] à porter et soutenir homme ni autre charge ; garnis d'une peau luisante et dure, et d'une arme tranchante et resplendissante, contre ceux qui, pour le miracle de la lueur d'un miroir ou d'un couteau, allaient échangeant une grande richesse en or et en perles, et qui n'avaient ni science ni matière par où tout à loisir ils sussent percer notre acier ; ajoutez-y les foudres et tonnerres de nos pièces et arquebuses, capables de troubler César même, qui l'en eût surpris[2] autant inexpérimenté, et à cette heure[3], contre des peuples nus, si ce n'est où l'invention était arrivée de quelque tissu de coton, sans autres armes pour le plus que d'arcs, pierres, bâtons et boucliers de bois ; des peuples surpris, sous couleur d'amitié et de bonne foi, par la curiosité de voir des choses étrangères et inconnues : ôtez, dis-je, aux conquérants cette disparité, vous leur ôtez toute l'occasion de tant de victoires.

Quand je regarde à cette ardeur indomptable de quoi tant de milliers d'hommes, femmes et enfants, se présentent et rejettent à tant de fois aux dangers inévitables, pour la défense de leurs dieux et de leur liberté ; cette généreuse obstination de souffrir toutes extrémités et difficultés, et la mort, plus volontiers que de se soumettre à la domination de ceux de qui ils ont été si honteusement abusés, et aucuns choisissant plutôt de se laisser défaillir par faim et par jeûne, étant pris, que d'accepter le vivre des mains de leurs ennemis, si vilement victorieuses, je prévois que, à qui les eût attaqués pair

---

1. Allusion à l'étonnement des Indiens devant les chevaux, souligné par tous les témoignages.

2. Si on pouvait l'attaquer par surprise. Allusion à l'ignorance des Indiens de la métallurgie et de l'artillerie.

3. À cette heure : aujourd'hui.

d'égal à égal, en armes, en expérience et en nombre, le danger aurait été aussi grand, et même plus, qu'en toute autre parmi les guerres que nous connaissons.

Quel dommage qu'une si noble conquête ne soit pas tombée sous l'autorité d'Alexandre ou de ces anciens Grecs et Romains, et qu'une si grande mutation et transformation de tant d'empires et de peuples ne soit pas tombée dans des mains qui eussent doucement poli et amendé ce qu'il y avait là de sauvage, en confortant et en développant les bonnes semences que la Nature y avait produites, en mêlant non seulement à la culture des terres et à l'ornement des villes les techniques de ce monde-ci, dans la mesure où cela eût été nécessaire, mais aussi en mêlant les vertus grecques et romaines aux vertus originelles de ce pays! Comme cela eût été mieux, et quelle amélioration pour la terre entière, si les premiers exemples que nous avons donnés et nos premiers comportements là-bas avaient suscité chez ces peuples l'admiration et l'imitation de la vertu, s'ils avaient tissé entre eux et nous des relations d'alliance fraternelle! Comme il eût été facile alors de tirer profit d'âmes si neuves et si affamées d'apprendre, ayant pour la plupart de si belles dispositions naturelles!

Au contraire, nous avons exploité leur ignorance et leur inexpérience pour les amener plus facilement à la trahison, à la luxure, à la cupidité, et à toutes sortes d'inhumanités et de cruautés, à l'exemple et sur le modèle de nos propres mœurs! A-t-on jamais mis à ce prix l'intérêt du commerce et du profit? Tant de villes rasées, tant de peuples exterminés, passés au fil de l'épée, et la plus riche et la plus belle partie du monde bouleversée dans l'intérêt du négoce des perles et du poivre... Beau résultat! Jamais l'ambition, jamais les inimitiés ouvertes n'ont poussé les hommes les uns contre les autres à de si horribles hostilités et à des désastres aussi affreux.

à pair, et d'armes, et d'expérience, et de nombre, il y eût fait aussi dangereux, et plus, qu'en autre guerre que nous voyons.

Que n'est tombée sous Alexandre ou sous ces anciens Grecs et Romains une si noble conquête, et une si grande mutation et altération de tant d'empires et de peuples sous des mains qui eussent doucement poli et défriché ce qu'il y avait de sauvage, et eussent conforté et promu les bonnes semences que Nature y avait produites, mêlant non seulement à la culture des terres et ornement des villes les arts de deçà[1], en tant qu'elles y eussent été nécessaires, mais aussi mêlant les vertus Grecques et Romaines aux originelles du pays ! Quelle réparation eût-ce été, et quel amendement à toute cette machine, que les premiers exemples et déportements nôtres qui se sont présentés par-delà eussent appelé ces peuples à l'admiration et imitation de la vertu, et eussent dressé entre eux et nous une fraternelle société et intelligence ! Combien il eût été aisé de faire son profit d'âmes si neuves, si affamées d'apprentissage, ayant pour la plupart, de si beaux commencements naturels !

Au rebours, nous nous sommes servis de leur ignorance, et inexpérience à les plier plus facilement vers la trahison, luxure, avarice et vers toute sorte d'inhumanité et de cruauté, à l'exemple et patron de nos mœurs. Qui mit jamais à tel prix le service de la mercadence et du trafic ? Tant de villes rasées, tant de nations exterminées, tant de millions de peuples passés au fil de l'épée, et la plus riche et belle partie du monde bouleversée pour la négociation des perles et du poivre ! Mécaniques[2] victoires. Jamais l'ambition, jamais les inimitiés publiques ne poussèrent les hommes les uns contre les autres à si horribles hostilités et calamités si misérables[3].

---

1. De deçà : du Nouveau Monde.
2. Mécaniques : dignes de travailleurs manuels (les gens « mécaniques »), viles.
3. Dès 1542, Las Casas dénonçait les atrocités commises par les Espagnols au Nouveau Monde dans sa *Brevísima relación*, mais le ton de Montaigne reste ici original par rapport à ses sources comme *l'Histoire générale des Indes*, de Lopez de Gomara.

En longeant la côte à la recherche de leurs mines, des Espagnols abordèrent une contrée fertile, plaisante, et fort peuplée. Ils firent à ce peuple les déclarations habituelles : « Nous sommes des gens paisibles, arrivés là après un long
115 voyage, venant de la part du roi de Castille, le plus grand prince de la terre habitable, auquel le Pape, représentant de Dieu sur la terre, a donné autorité sur toutes les Indes. Si vous acceptez d'être tributaires de ce roi, vous serez très bien traités. Nous vous demandons des vivres pour notre nourriture et
120 l'or nécessaire pour nos médicaments. Vous devez aussi accepter la croyance en un seul Dieu et la vérité de notre religion, que nous vous conseillons d'adopter. » Et ils ajoutaient à cela quelques menaces.

Leur réponse fut celle-ci : « Quant à être des gens paisibles,
125 vous n'en avez pas l'allure, si toutefois vous l'êtes. Quant à votre roi, s'il a des choses à demander, c'est qu'il doit être indigent et nécessiteux ; et celui qui a fait cette répartition des terres doit être un homme aimant les dissensions, pour aller donner à quelqu'un quelque chose qui ne lui appartient pas, et le mettre
130 ainsi en conflit avec les anciens possesseurs. Quant aux vivres, nous vous en fournirons, mais de l'or, nous en avons peu, car c'est une chose à laquelle nous n'attachons aucune importance, puisqu'elle est inutile à notre vie, et que notre seul souci consiste à la passer heureusement et agréablement. Quant à l'idée d'un
135 seul Dieu, elle nous a intéressés mais nous ne voulons pas abandonner une religion qui nous a été utile si longtemps, et notre habitude est de ne prendre conseil que de nos amis et des gens

En côtoyant la mer à la quête de leurs mines, aucuns Espagnols prirent terre en une contrée fertile et plaisante, fort habitée, et firent à ce peuple leurs remontrances accoutumées[1] : Qu'ils étaient gens paisibles, venant de lointains voyages, envoyés de la part du Roi de Castille, le plus grand Prince de la terre habitable, auquel le Pape, représentant Dieu en terre, avait donné la principauté de toutes les Indes[2] ; que, s'ils voulaient lui être tributaires, ils seraient très bénignement traités ; leur demandaient des vivres pour leur nourriture et de l'or pour le besoin de quelque médecine ; leur remontraient au demeurant la créance d'un seul Dieu et la vérité de notre religion, laquelle ils leur conseillaient d'accepter, y ajoutant quelques menaces.

La réponse fut telle : Que, quant à être paisibles, ils n'en portaient pas la mine, s'ils l'étaient ; quant à leur Roi, puisqu'il demandait, il devait être indigent et nécessiteux ; et celui qui lui avait fait cette distribution, homme aimant dissension, d'aller donner à un tiers chose qui n'était pas sienne, pour le mettre en débat contre les anciens possesseurs ; quant aux vivres, qu'ils leur en fourniraient ; d'or, ils en avaient peu, et que c'était chose qu'ils mettaient en nulle estime, d'autant qu'elle était inutile au service de leur vie, là où tout leur soin regardait seulement à la passer heureusement et plaisamment ; pourtant, ce qu'ils en pourraient trouver, sauf ce qui était employé au service de leurs dieux, qu'ils le prissent hardiment ; quant à un seul Dieu, le discours leur en avait plu, mais qu'ils ne voulaient changer leur religion, s'en étant si utilement servis si longtemps, et qu'ils n'avaient accoutumé

---

1. Allusion au *requerimento*, sommation devant notaire faite par les Espagnols aux peuples du Nouveau Monde, les contraignant à adopter le christianisme et à payer tribut au roi d'Espagne.

2. Allusion au traité de Tordesillas (1492) qui partageait l'Amérique entre le Portugal et l'Espagne, après que le pape en eut donné une grande partie à la Castille, moyennant sa christianisation.

que nous connaissons. Quant aux menaces, c'est le signe d'une
faute de jugement que de menacer des gens dont la nature et
140   les ressources vous sont inconnues. En conséquence, dépêchez-
vous de quitter notre territoire, car nous n'avons pas l'habitude
d'être bienveillants envers des étrangers armés. Et dans le cas
contraire, on fera avec vous comme avec les autres... » Et ils
leur montraient les têtes d'hommes suppliciés qui entouraient
145   leur ville. Voilà un exemple des balbutiements de ces prétendus
« enfants » ! Mais quoi qu'il en soit, en cet endroit comme en
beaucoup d'autres où les Espagnols ne trouvèrent pas les marchandises qu'ils cherchaient, ils ne s'arrêtèrent pas et ne firent
pas d'incursion guerrière, quels que soient les autres avantages
150   qu'ils eussent pu en tirer : les « cannibales » dont j'ai parlé pourraient en témoigner.

Des deux plus puissants monarques de ce monde-là – et
peut-être même de celui-ci, étant rois de tant de rois – les derniers que les Espagnols chassèrent, l'un était le roi du Pérou. Il
155   fut pris au cours d'une bataille et soumis à une rançon tellement excessive qu'elle dépasse l'entendement : elle fut pourtant fidèlement payée ; il avait donné par son comportement
les signes d'un cœur franc, libre et ferme, et d'un esprit clair
et bien fait, et les vainqueurs en avaient déjà tiré un million
160   trois cent vingt cinq mille cinq cents onces d'or, sans compter l'argent et un tas d'autres choses, dont la valeur n'était pas
moindre – au point que leurs chevaux ne portaient plus que
des fers d'or massif. Il leur prit cependant l'envie de voir, au
prix de quelque trahison que ce fût, ce que pouvait contenir
165   encore le reste des trésors de ce roi, et de profiter pleinement
de ce qu'il avait conservé. On l'accusa donc avec de fausses
preuves, de vouloir soulever ses provinces pour recouvrer sa
liberté ; et par un beau jugement, rendu par ceux-là mêmes

prendre conseil que de leurs amis et connaissants ; quant aux menaces, c'était signe de faute de jugement d'aller menaçant ceux desquels la nature et les moyens étaient inconnus. Ainsi qu'ils se dépêchassent promptement de vider leur terre, car ils n'étaient pas accoutumés de prendre en bonne part les honnêtetés et remontrances de gens armés, et étrangers ; autrement, qu'on ferait d'eux comme de ces autres, leur montrant les têtes d'aucuns hommes justiciés autour de leur ville. Voilà un exemple de la balbutie de cette enfance. Mais tant il y a que ni en ce lieu-là, ni en plusieurs autres, où les Espagnols ne trouvèrent les marchandises qu'ils cherchaient, ils ne firent arrêt ni entreprise, quelque autre commodité qu'il y eût, témoin mes Cannibales [1].

Des deux les plus puissants monarques de ce monde-là [2], et à l'aventure de celui-ci, Rois de tant de Rois, les derniers qu'ils en chassèrent, celui du Pérou, ayant été pris en une bataille et mis à une rançon si excessive qu'elle surpasse toute créance, et celle-là fidèlement payée, et avoir donné par sa conversation signe d'un courage franc, libéral, et constant, et d'un entendement net et bien composé, il prit envie aux vainqueurs, après en avoir tiré un million trois cent vingt-cinq mille cinq cents pesant d'or, outre l'argent et autres choses qui ne montèrent pas moins (si que leurs chevaux n'allaient plus ferrés que d'or massif), de voir encore, au prix de quelque déloyauté que ce fût, quel pouvait être le reste des trésors de ce Roi, et jouir librement de ce qu'il avait réservé. On lui apposta une fausse accusation et preuve, qu'il desseignait de faire soulever ses provinces pour se remettre en liberté. Sur quoi, par beau jugement de ceux mêmes qui

---

1. **Mes Cannibales** : les Indiens Tupis, évoqués par Montaigne en I, 30, que l'ignorance des métaux précieux sauva des conquistadors.

2. Il s'agit d'Atahualpa au Pérou, exécuté en 1521, et de Cuauhtémoc, dernier roi aztèque, supplicié en 1533.

qui étaient les auteurs de cette machination, on le condam-
170   na à être pendu et étranglé publiquement, non sans lui avoir
évité d'être brûlé vif en lui administrant le baptême pour se
racheter lors de son supplice : traitement horrible et inouï, qu'il
supporta cependant sans s'effondrer, avec une contenance et
des paroles d'une tournure et d'une gravité vraiment royales.
175   Et pour endormir les peuples stupéfaits et abasourdis par un
traitement aussi exceptionnel, on simula un grand deuil, et on
ordonna que lui soient faites de somptueuses funérailles.

L'autre roi, celui de Mexico : il avait longtemps défendu sa ville
assiégée, et montré pendant ce siège tout ce que peuvent l'endu-
180   rance et la persévérance, telles que jamais un prince et un peuple
n'en montrèrent. Mais il était tombé vivant, pour son malheur,
entre les mains de ses ennemis, ayant capitulé sous condition
d'être traité comme un roi (et d'ailleurs il ne leur fit rien voir dans
sa prison qui fût indigne de ce titre). Comme les Espagnols ne
185   trouvaient pas après cette victoire tout l'or qu'ils s'étaient promis,
et après avoir tout remué et tout fouillé, ils essayèrent d'en obtenir des nouvelles en appliquant les plus terribles tortures aux
prisonniers qu'ils détenaient. Mais ne parvenant à rien, en face
de gens plus forts que les pires de leurs traitements, ils furent pris
190   d'une telle rage que contrairement à la parole donnée, et en dépit du droit humain le plus élémentaire, ils condamnèrent le roi
lui-même et l'un des principaux personnages de sa cour à la torture, l'un en présence de l'autre. Ce grand personnage, succom-
bant à la douleur, et entouré de brasiers ardents, tourna sur la
195   fin un regard pitoyable vers son maître, comme pour lui demander
pardon de ce qu'il n'en pouvait plus ; alors le roi, plantant fièrement
et carrément son regard dans le sien, pour lui reprocher sa lâcheté et
sa pusillanimité, lui dit seulement ces mots, d'une voix rude et
ferme : « Et moi ? Crois-tu donc que je sois dans mon bain ? Suis-je
200   vraiment plus à l'aise que toi ? » L'autre succomba sur le coup à ses
douleurs, et mourut sur place. Le roi, à demi brûlé, fut enlevé de là.

lui avaient dressé cette trahison, on le condamna à être pendu et étranglé publiquement : lui ayant fait racheter le tourment d'être brûlé tout vif par le baptême qu'on lui donna au supplice même. Accident horrible et inouï, qu'il souffrit pourtant sans se démentir ni de contenance, ni de parole, d'une forme et gravité vraiment royale. Et puis, pour endormir les peuples étonnés et transis de chose si étrange, on contrefit un grand deuil de sa mort, et lui ordonna-t-on des somptueuses funérailles.

L'autre, Roi de Mexico, ayant longtemps défendu sa ville assiégée et montré en ce siège tout ce que peut et la souffrance et la persévérance, si onques prince et peuple le montra, et son malheur l'ayant rendu vif entre les mains des ennemis, avec capitulation[1] d'être traité en Roi (aussi ne leur fit-il rien voir, en la prison, indigne de ce titre) ; ne trouvant point après cette victoire tout l'or qu'ils s'étaient promis, quand ils eurent tout remué et tout fouillé, ils se mirent à en chercher des nouvelles par les plus âpres gênes de quoi ils se purent aviser, sur les prisonniers qu'ils tenaient. Mais, pour n'avoir rien profité, trouvant des courages plus forts que leurs tourments, ils en vinrent enfin à telle rage que, contre leur foi et contre tout droit des gens, ils condamnèrent le Roi même et l'un des principaux seigneurs de sa cour à la gêne en présence l'un de l'autre. Ce seigneur, se trouvant forcé de la douleur, environné de brasiers ardents, tourna sur la fin piteusement sa vue vers son maître, comme pour lui demander merci de ce qu'il n'en pouvait plus. Le Roi, plantant fièrement et rigoureusement les yeux sur lui, pour reproche de sa lâcheté et pusillanimité, lui dit seulement ces mots, d'une voix rude et ferme : « Et moi, suis-je dans un bain, suis-je pas plus à mon aise que toi ? » Celui-là, soudain après, succomba aux douleurs, et mourut sur la place. Le Roi, à demi rôti, fut emporté de là,

---

1. **Capitulation** : promesse par pacte.

Ce ne fut pourtant pas par pitié, car quelle pitié toucha jamais des âmes aussi barbares ? Pour obtenir un éventuel renseignement sur quelque vase d'or à piller, ces gens étaient capables de faire périr par le feu un homme, même un roi, si grand soit-il par son destin et sa valeur ! Mais c'est que sa constance rendait en vérité de plus en plus honteuse leur cruauté. Ils le pendirent par la suite, quand il tenta courageusement de se délivrer par les armes d'une aussi longue captivité et de sa sujétion : il se donna ainsi une fin digne d'un prince d'une si grande qualité.

Une autre fois, ils firent brûler vifs ensemble, dans un même brasier, quatre cent soixante personnes, quatre cents hommes du peuple et soixante autres pris parmi les principaux seigneurs d'une province, qui étaient simplement prisonniers de guerre. C'est d'eux-mêmes que nous tenons ces récits ; car ils ne se contentent pas de les avouer, ils s'en vantent, et les publient ! Serait-ce donc pour témoigner de leur souci de justice, ou de leur zèle envers la religion ? Certes non. Ce sont des procédés trop contraires, trop opposés à une si sainte fin. S'ils avaient eu pour but de propager notre foi, ils auraient compris que cela ne se fait pas par la possession des territoires, mais des hommes ; et ils se seraient bien contentés des meurtres que causent les nécessités de la guerre sans y ajouter une telle boucherie comme s'il s'agissait de bêtes sauvages, et si générale, autant qu'ils ont pu y parvenir par le fer et le feu, n'en ayant volontairement conservé que le nombre nécessaire pour en faire de misérables esclaves, à travailler et servir dans leurs mines. Au point que plusieurs de leurs chefs, d'ailleurs souvent déconsidérés et détestés, ont été punis de mort sur les lieux de leurs conquêtes, par ordre des rois de Castille, offensés à juste titre par l'horreur de leur comportement.

non tant par pitié (car quelle pitié toucha jamais des âmes si barbares qui, pour la douteuse information de quelque vase d'or à piller, fissent griller devant leurs yeux un homme, non qu'un Roi si grand et en fortune et en mérite?) mais ce fut que sa constance rendait de plus en plus honteuse leur cruauté. Ils le pendirent depuis, ayant courageusement entrepris de se délivrer par armes d'une si longue captivité et sujétion, où il fit sa fin digne d'un magnanime prince.

À une autre fois, ils mirent brûler pour un coup, en même feu, quatre cent soixante hommes tout vifs, les quatre cents du commun peuple, les soixante des principaux seigneurs d'une province, prisonniers de guerre simplement. Nous tenons d'eux-mêmes ces narrations, car ils ne les avouent pas seulement, ils s'en vantent, et les prêchent[1]. Serait-ce pour témoignage de leur justice, ou zèle envers la religion? Certes, ce sont voies trop diverses et ennemies d'une si sainte fin. S'ils se fussent proposés d'étendre notre foi, ils eussent considéré que ce n'est pas en possession de terres qu'elle s'amplifie, mais en possession d'hommes, et se fussent trop contentés des meurtres que la nécessité de la guerre apporte, sans y mêler indifféremment une boucherie, comme sur des bêtes sauvages, universelle, autant que le fer et le feu y ont pu atteindre, n'en ayant conservé par leur dessein qu'autant qu'ils en ont voulu faire de misérables esclaves pour l'ouvrage et service de leurs minières; si que plusieurs des chefs ont été punis à mort, sur les lieux de leur conquête, par ordonnance des Rois de Castille, justement offensés de l'horreur de leurs déportements et quasi tous désestimés et mal-voulus[2].

---

1. Allusion à Lopez de Gomara, auteur de *l'Histoire générale des Indes* (à laquelle Montaigne emprunte beaucoup), qui était le chapelain de Cortés.

2. Certains conquistadors (Almagro, Pizarro) furent condamnés pour leur barbarie par les représentants de Charles Quint au Pérou. Cortés lui-même mourut disgracié.

Dieu a fort justement permis que ces grands pillages soient engloutis par la mer pendant leur transport, ou à la suite de guerres intestines pendant lesquelles ils se sont entre-tués, et
235 la plupart de ces gens ont été enterrés en ces lieux sans qu'ils aient pu retirer aucun fruit de leur victoire.

Le butin ainsi amassé, même placé entre les mains d'un prince économe et sage, répond fort peu à l'espérance qu'on en donna à ses prédécesseurs, et à la première abondance de
240 richesses qu'on découvrit d'abord : même si on en tira beaucoup, ce n'était rien en effet par rapport à ce que l'on pouvait en attendre. C'est que l'usage de la monnaie était entièrement inconnu là-bas, et que par conséquent tout l'or qu'ils possédaient fut trouvé entassé, ne servant qu'à la parade et
245 aux démonstrations, comme un meuble conservé de père en fils par des rois puissants, qui exploitaient toujours complètement leurs mines pour accumuler un grand monceau de vases et de statues destinés à l'ornement de leurs palais et de leurs temples. Chez nous, au contraire, l'or est employé pour
250 la monnaie et le commerce : nous en faisons de menus morceaux, nous lui donnons mille formes, nous le répandons et le dispersons. Pouvons-nous imaginer un instant que nos rois aient ainsi amoncelé tout l'or qu'ils auraient trouvé au cours des siècles, pour le garder à ne rien faire ?
255 Les habitants du royaume de Mexico étaient plus civilisés et plus avancés dans leurs techniques que ne l'étaient ceux des autres nations de là-bas. C'est pourquoi ils pensaient, comme nous, que l'univers était proche de sa fin ; et ils en prirent pour signe la désolation que nous y avons apportée. Ils croyaient que l'être du
260 monde se divise en cinq âges marqués par cinq soleils successifs, dont les quatre premiers avaient déjà fait leur temps, et que celui qui les éclairait était le cinquième. Le premier périt avec toutes les autres créatures dans une inondation universelle. Le second, par la chute du ciel sur la terre, qui étouffa tous les êtres vivants :

Dieu a méritoirement permis que ces grands pillages se soient absorbés par la mer en les transportant, ou par les guerres intestines de quoi ils se sont mangés entre eux, et la plupart s'enterrèrent sur les lieux, sans aucun fruit de leur victoire.

Quant à ce que la recette, et entre les mains d'un prince ménager, et prudent[1], répond si peu à l'espérance qu'on en donna à ses prédécesseurs, et à cette première abondance de richesses qu'on rencontra à l'abord de ces nouvelles terres (car encore qu'on en retire beaucoup, nous voyons que ce n'est rien au prix de ce qui s'en devait attendre), c'est que l'usage de la monnaie était entièrement inconnu, et que par conséquent leur or se trouva tout assemblé, n'étant en autre service que de montre et de parade, comme un meuble réservé de père en fils par plusieurs puissants Rois qui épuisaient toujours leurs mines pour faire ce grand monceau de vases et statues à l'ornement de leurs palais et de leurs temples, au lieu que notre or est tout en emploite et en commerce. Nous le menuisons et altérons en mille formes, l'épandons et dispersons. Imaginons que nos Rois amoncelassent ainsi tout l'or qu'ils pourraient trouver en plusieurs siècles, et le gardassent immobile.

Ceux du Royaume de Mexico étaient aucunement[2] plus civilisés et plus artistes que n'étaient les autres nations de là. Aussi jugeaient-ils, ainsi que nous, que l'univers fût proche de sa fin, et en prirent pour signe la désolation que nous y apportâmes. Ils croyaient que l'être du monde se départ en cinq âges et en la vie de cinq soleils consécutifs, desquels les quatre avaient déjà fourni leur temps, et que celui qui leur éclairait était le cinquième. Le premier périt avec toutes les autres créatures par universelle inondation d'eaux. Le second, par la chute du ciel sur nous, qui étouffa toute chose vivante,

---

1. Il s'agit de Philippe II d'Espagne (1527-1598), surnommé « le Prudent ».
2. Aucunement : un peu.

265   ils situent à cet âge l'existence des géants, dont ils firent voir des ossements aux Espagnols, et d'après lesquels la taille de ces hommes devait faire environ vingt paumes. Le troisième périt par le feu, qui embrasa et consuma tout. Le quatrième, sous l'effet d'une agitation de l'air et du vent, qui abattit même plu-

270   sieurs montagnes ; les hommes n'en moururent point, mais furent changés en singes (jusqu'où peut aller la crédulité humaine !). Après la mort de ce quatrième soleil, le monde fut vingt-cinq ans dans de perpétuelles ténèbres ; à la quinzième année de cette période, l'homme fut créé, ainsi qu'une femme, et ils refirent la race

275   humaine. Dix ans plus tard, un certain jour, le soleil nouvellement créé leur apparut, et le compte de leurs années commence depuis ce jour-là. Le troisième jour depuis son apparition, les dieux anciens moururent, et les nouveaux sont nés depuis lors, petit à petit. L'auteur où j'ai pris cela ne m'a rien appris sur la façon dont

280   ils pensent que ce dernier soleil périra à son tour. Mais le nombre de leurs années comptées depuis le quatrième changement rejoint la grande conjonction des astres qui se produisit il y a huit cents ans, d'après les estimations des astrologues, et provoqua plusieurs grands changements et nouveautés dans le monde.

285   Á propos de la pompe et de la magnificence, qui m'ont amené à parler de tout cela, ni la Grèce, ni Rome, ni l'Égypte ne peuvent, tant du point de vue de l'utilité que de la difficulté, comparer aucun de ses ouvrages d'art au chemin que l'on peut voir au Pérou, construit par les rois de ce pays, de-

290   puis la ville de Quito jusqu'à celle de Cuzco, long de trois cent lieues, droit, uni, large de vingt-cinq pas, pavé et revêtu de chaque côté de belles et hautes murailles, le long desquelles,

auquel âge ils assignent les géants[1], et en firent voir aux
Espagnols des ossements, à la proportion desquels la stature
des hommes revenait à vingt paumes de hauteur. Le troisième, par feu, qui embrasa et consuma tout. Le quatrième,
par une émotion d'air et de vent qui abattit jusqu'à plusieurs
montagnes ; les hommes n'en moururent point, mais ils furent changés en magots (quelles impressions[2] ne souffre la lâcheté[3] de l'humaine créance !) ; après la mort de ce quatrième
Soleil, le monde fut vingt-cinq ans en perpétuelles ténèbres,
au quinzième desquels fut créé un homme et une femme qui
refirent l'humaine race ; dix ans après, à certain de leurs jours,
le Soleil parut nouvellement créé ; et commence, depuis, le
compte de leurs années par ce jour-là. Le troisième jour de sa
création, moururent les Dieux anciens ; les nouveaux sont nés
depuis, du jour à la journée. Ce qu'ils estiment de la manière
que ce dernier Soleil périra, mon auteur n'en a rien appris.
Mais leur nombre de ce quatrième changement rencontre à
cette grande conjonction des astres[4] qui produisit, il y a huit
cents tant d'ans, selon que les Astrologiens estiment, plusieurs grandes altérations et nouveautés au monde.

Quant à la pompe et magnificence, par où je suis entré en
ce propos, ni Grèce, ni Rome, ni Égypte ne peut, soit en utilité, ou difficulté, ou noblesse, comparer aucun de ses ouvrages
au chemin qui se voit au Pérou, dressé par les Rois du pays,
depuis la ville de Quito jusqu'à celle de Cusco (il y a trois cents
lieues), droit, uni, large de vingt-cinq pas, pavé, revêtu de
côté et d'autre de belles et hautes murailles, et le long d'icelles,

---

1. D'après la Bible, une race de géants aurait survécu au déluge.

2. **Impressions** : imaginations.

3. **Lâcheté** : relâchement.

4. La rencontre de plusieurs planètes au même point du zodiaque : la « grande
conjonction », celle de Saturne et Jupiter au Bélier qui a lieu tous les 795 ans,
était perçue comme le moment d'événements importants pour l'humanité
(tremblements de terre, pestes et autres calamités).

à l'intérieur, coulent constamment deux beaux ruisseaux bordés de beaux arbres nommés « mollis ». Quand ils ont rencon-
295 tré des montagnes et des rochers, ils les ont taillés et aplanis, et ils ont comblé les fondrières avec de la pierre et de la
chaux. À chaque étape il y a de beaux palais garnis de vivres,
de vêtements, d'armes, tant pour les voyageurs que pour les
armées qui ont à y passer. Dans l'appréciation que j'ai faite
300 de l'ouvrage, j'ai tenu compte de la difficulté, qui est particulièrement importante en ces contrées. Ils bâtissaient avec
des pierres carrées qui ne faisaient pas moins de dix pieds de
côté, et ils n'avaient d'autre moyen de les charrier qu'à la force
de leurs bras, en les traînant. Ils ne connaissaient pas l'art des
305 échafaudages, et ne disposaient pas de moyens plus élaborés
que celui qui consiste à faire une levée de terre contre leur
bâtiment, au fur et à mesure de sa construction, et l'enlever
ensuite.

Et pour en revenir à nos voitures... À leur place, et à la place
310 de tout autre moyen de transport, ils se faisaient porter par
des hommes, sur leurs épaules. Le dernier roi du Pérou, le jour
où il fut fait prisonnier, était ainsi porté sur des brancards en
or, assis sur une chaise en or, au milieu de son armée en bataille. Et à chaque porteur que l'on tuait pour le faire tomber
315 (car on voulait le prendre vivant), un autre prenait la place
du mort, si bien qu'on ne put jamais le jeter à bas, quelque
massacre que l'on fît de ces gens-là, jusqu'au moment où un
cavalier alla le saisir à bras-le-corps et le jeta à terre.

par le dedans, deux ruisseaux pérennes, bordés de beaux arbres, qu'ils nomment Molly. Où ils ont trouvé des montagnes et rochers, ils les ont taillés et aplanis, et comblé les fondrières de pierre et chaux. Au chef de chaque journée, il y a de beaux palais fournis de vivres, de vêtements et d'armes, tant pour les voyageurs que pour les armées qui ont à y passer. En l'estimation de cet ouvrage, j'ai compté la difficulté, qui est particulièrement considérable en ce lieu-là. Ils ne bâtissaient point de moindres pierres que de dix pieds en carré; ils n'avaient autre moyen de charrier qu'à force de bras, en traînant leur charge; et pas seulement l'art d'échafauder, n'y sachant autre finesse que de hausser autant de terre contre leur bâtiment, comme il s'élève, pour l'ôter après.

Retombons à nos coches. En leur place, et de toute autre voiture, ils se faisaient porter par les hommes et sur leurs épaules. Ce dernier Roi du Pérou, le jour qu'il fut pris, était ainsi porté sur des brancards d'or et assis dans une chaise d'or, au milieu de sa bataille. Autant qu'on tuait de ces porteurs pour le faire choir à bas (car on le voulait prendre vif), autant d'autres, et à l'envi, prenaient la place des morts, de façon qu'on ne le put onques abattre, quelque meurtre qu'on fit de ces gens-là, jusqu'à ce qu'un homme de cheval l'alla saisir au corps et l'avala[1] par terre.

---

[1]. Selon la légende, c'est Pizarro lui-même qui aurait tiré le roi Inca Atahualpa par sa robe hors de sa chaise à porteurs.

ANTHOLOGIE

SUR

LA QUESTION DE L'HOMME

Vaste question que celle de l'homme prise dans l'immensité des genres de l'argumentation, arrimée elle-même à toutes les formes littéraires! L'anthologie suivante, forcément partielle et partiale, propose des réponses d'écrivains et d'artistes à la question de l'humanité confrontée à sa place dans l'Univers (miniature des Limbourg), à son organisation sociale, puis à ses aspirations spirituelles et, pour finir, à l'inhumanité des camps de concentration ainsi qu'à la lutte contre le totalitarisme (photo de Robert Capa). Chacun de ces créateurs atteste d'un regard personnel, ancré dans une époque, mais touchant aussi à l'universel puisque tous s'interrogent sur ce qui fonde l'humanité de notre être, de notre essence si particulière et pourtant partagée.

■ L'homme et le cosmos

Jusqu'à la fin du Moyen Âge, l'homme est pensé dans ses liens avec le cosmos. «L'homme anatomique», miniature tirée des *Très Riches Heures du duc de Berry*, montre l'homme uni à la totalité du cosmos et au monde par son corps. L'invention du portrait à partir du XVe siècle et l'individualisme de la Renaissance sont le signe de la rupture de l'harmonie médiévale entre l'homme et l'univers. C'est alors l'époque de la recherche anatomique sur un corps progressivement vidé de sa substance sacrée. Mais cette transition qui sépare l'être humain du cosmos, des autres et de lui-même reste la condition nécessaire du contrôle des hommes sur la nature qui les constitue (comment fonctionne le corps) et l'entoure (comment fonctionne le monde).

MINIATURE → 2ᵉ de couverture

LES FRÈRES DE LIMBOURG ♦ «L'Homme anatomique ou l'Homme
zodiacal», *Très Riches Heures du duc de Berry,* (vers 1411-1416).

*Ce chef-d'œuvre des manuscrits enluminés rend compte de la vision
cosmologique de l'homme à l'époque médiévale, qui mêle médecine et
astrologie, et qui croit fermement à l'influence des astres sur l'homme : les
différentes parties du corps sont reliées aux douze signes du zodiaque,
reproduits sur la mandorle qui l'entoure. L'originalité de cette miniature
réside dans le dédoublement du corps en deux figures placées dos à dos :
de face, le caractère féminin associé à la blondeur et proche des Grâces
antiques ; de dos, le caractère masculin, brun forcément... Ces corps
expriment une grande liberté et la joie qu'elle suscite.*

*Dans chaque coin, des inscriptions latines décrivent les propriétés de
chaque signe selon les quatre complexions (chaud, froid, sec, humide), les
quatre tempéraments (colérique, mélancolique, sanguin, flegmatique) et
les quatre points cardinaux : ainsi, en haut à gauche, le Bélier, le Lion et
le Sagittaire sont chauds et secs, colériques, masculins, orientaux ; en haut
à droite, le Taureau, la Vierge et le Capricorne sont froids et secs,
mélancoliques, féminins, occidentaux ; en bas à gauche, les Gémeaux, le
Verseau et la Balance sont chauds et humides, masculins, sanguins,
méridionaux ; et en bas à droite, le Cancer, le Scorpion et les Poissons sont
froids et humides, flegmatiques, féminins, septentrionaux.*

■ L'homme et la société

Même si, depuis l'Antiquité (et non depuis Hobbes à qui l'on
attribue faussement le fameux *Homo homini lupus*), l'« homme est
un loup pour l'homme » (Plaute, *Asinaria*), il est présenté comme
un être social dont le rapport au droit, au pouvoir et aux autres a
suscité maintes réflexions contradictoires et polémiques.

Le droit

TRAITÉ DE PHILOSOPHIE POLITIQUE

JEAN-JACQUES ROUSSEAU ♦ *Discours sur l'origine et les fondements de l'inégalité parmi les hommes* (1754), seconde partie.

Dans son Discours sur l'origine de l'inégalité, *Rousseau fonde l'anthropologie moderne : sa réflexion, d'un niveau d'abstraction élevé, fait de l'état de nature une hypothèse scientifique destinée à faire comprendre l'évolution de l'espèce humaine. Pour lui, la propriété n'est pas un besoin naturel, mais le résultat d'une évolution sociale et psychologique. Elle demeure la condition et la fin du politique, ce qu'exprime bien la célèbre ouverture de la seconde partie du* Discours.

Le premier qui, ayant enclos un terrain, s'avisa de dire : *Ceci est à moi*, et trouva des gens assez simples pour le croire, fut le vrai fondateur de la société civile. Que de crimes, de guerres, de meurtres, que de misères et d'horreurs n'eut point épargnés au genre humain
5　celui qui, arrachant les pieux ou comblant le fossé, eût crié à ses semblables : Gardez-vous d'écouter cet imposteur ; vous êtes perdus, si vous oubliez que les fruits sont à tous, et que la terre n'est à personne. Mais il y a grande apparence, qu'alors les choses en étaient déjà venues au point de ne pouvoir plus durer comme elles
10　étaient ; car cette idée de propriété, dépendant de beaucoup d'idées antérieures qui n'ont pu naître que successivement, ne se forma pas tout d'un coup dans l'esprit humain. Il fallut faire bien des progrès, acquérir bien de l'industrie et des lumières, les transmettre et les augmenter d'âge en âge, avant que d'arriver à ce dernier terme de
15　l'état de nature. Reprenons donc les choses de plus haut et tâchons de rassembler sous un seul point de vue cette lente succession d'événements et de connaissances, dans leur ordre le plus naturel.

Le premier sentiment de l'homme fut celui de son existence, son premier soin celui de sa conservation. Les productions de
20　la terre lui fournissaient tous les secours nécessaires, l'instinct le porta à en faire usage. La faim, d'autres appétits lui faisant éprouver tour à tour diverses manières d'exister, il y en eut une qui

l'invita à perpétuer son espèce ; et ce penchant aveugle, dépourvu de tout sentiment du cœur, ne produisait qu'un acte purement animal. Le besoin satisfait, les deux sexes ne se reconnaissaient plus, et l'enfant même n'était plus rien à la mère sitôt qu'il pouvait se passer d'elle.

Telle fut la condition de l'homme naissant ; telle fut la vie d'un animal borné d'abord aux pures sensations, et profitant à peine des dons que lui offrait la nature, loin de songer à lui rien arracher ; mais il se présenta bientôt des difficultés, il fallut apprendre à les vaincre : la hauteur des arbres qui l'empêchait d'atteindre à leurs fruits, la concurrence des animaux qui cherchaient à s'en nourrir, la férocité de ceux qui en voulaient à sa propre vie, tout l'obligea de s'appliquer aux exercices du corps ; il fallut se rendre agile, vite à la course, vigoureux au combat. Les armes naturelles qui sont les branches d'arbres et les pierres, se trouvèrent bientôt sous sa main. Il apprit à surmonter les obstacles de la nature, à combattre au besoin les autres animaux, à disputer sa subsistance aux hommes mêmes, ou à se dédommager de ce qu'il fallait céder au plus fort.

À mesure que le genre humain s'étendit, les peines se multiplièrent avec les hommes. La différence des terrains, des climats, des saisons, put les forcer à en mettre dans leurs manières de vivre. Des années stériles, des hivers longs et rudes, des étés brûlants qui consument tout, exigèrent d'eux une nouvelle industrie. Le long de la mer, et des rivières, ils inventèrent la ligne et l'hameçon, et devinrent pêcheurs et ichtyophages [1]. Dans les forêts ils se firent des arcs et des flèches, et devinrent chasseurs et guerriers. Dans les pays froids, ils se couvrirent des peaux des bêtes qu'ils avaient tuées. Le tonnerre, un volcan, ou quelque heureux hasard, leur fit connaître le feu, nouvelle ressource contre la rigueur de l'hiver : ils apprirent à conserver cet élément, puis à le reproduire, et enfin à préparer les viandes qu'auparavant ils dévoraient crues.

---

1. Ichtyophages : qui se nourrissent de poissons.

Texte 2

ARTICLE DE DICTIONNAIRE PHILOSOPHIQUE

VOLTAIRE ♦ Article « Homme », *Questions sur l'Encyclopédie* (1770).

Voltaire donne ici une caricature tenace de la pensée de Rousseau à laquelle il répond de manière polémique, en lui opposant que « toutes les races d'hommes ont toujours vécu en société ».

Tous les hommes qu'on a découverts dans les pays les plus incultes et les plus affreux, vivent en société comme les castors, les fourmis, les abeilles, et plusieurs autres espèces d'animaux. On n'a jamais vu de pays où ils vécussent séparés, où le mâle ne se joignît à la femelle que
5 par hasard, et l'abandonnât le moment d'après par dégoût ; où la mère méconnut ses enfants après les avoir élevés, où l'on vécût sans famille et sans aucune société. Quelques mauvais plaisants ont abusé de leur esprit jusqu'au point de hasarder le paradoxe étonnant que l'homme est originairement fait pour vivre seul comme un loup-cervier[1], et que
10 c'est la société qui a dépravé la nature. Autant vaudrait-il dire que dans la mer les harengs sont originairement faits pour nager isolés, et que c'est par un excès de corruption qu'ils passent en troupe de la mer Glaciale sur nos côtes. Qu'anciennement les grues volaient en l'air chacune à part, et que par une violation du droit naturel elles ont pris
15 le parti de voyager en compagnie.

[...] Le même auteur ennemi de la société[2], semblable au renard sans queue, qui voulait que tous ses confrères se coupassent la queue, s'exprime ainsi d'un style magistral : « Le premier qui ayant enclos un terrain s'avisa de dire *Ceci est à moi* et trouva des gens assez simples
20 pour le croire, fut le vrai fondateur de la société civile. Que de crimes, de guerres, de meurtres, que de misères et d'horreurs n'eût point épargnés au genre humain celui qui, arrachant les pieux ou comblant le fossé, eût crié à ses semblables : "Gardez-vous d'écouter cet imposteur, vous êtes perdus si vous oubliez que les fruits sont à tous,
25 et que la terre n'est à personne !" »

---

1. Loup-cervier : lynx.

2. Il s'agit de Rousseau, dont Voltaire cite la seconde partie du *Discours sur l'origine et les fondements de l'inégalité parmi les hommes.*

Ainsi, selon ce beau philosophe, un voleur, un destructeur aurait été le bienfaiteur du genre humain, et il aurait fallu punir un honnête homme qui aurait dit à ses enfants : « Imitons notre voisin, il a enclos son champ, les bêtes ne viendront plus le ravager ; son terrain deviendra plus fertile ; travaillons le nôtre comme il a travaillé le sien, il nous aidera et nous l'aiderons. Chaque famille cultivant son enclos, nous serons mieux nourris, plus sains, plus paisibles, moins malheureux. Nous tâcherons d'établir une justice distributive qui consolera notre pauvre espèce, et nous vaudrons mieux que les renards et les fouines à qui cet extravagant veut nous faire ressembler. »

Ce discours ne serait-il pas plus sensé et plus honnête que celui du fou sauvage qui voulait détruire le verger du bonhomme ?

Quelle est donc l'espèce de philosophie qui fait dire des choses que le sens commun réprouve du fond de la Chine jusqu'au Canada ? N'est-ce pas celle d'un gueux[1] qui voudrait que tous les riches fussent volés par les pauvres, afin de mieux établir l'union fraternelle entre les hommes ?

Le pouvoir

DÉCLAMATION[2]

ÉTIENNE DE LA BOÉTIE ♦ *Discours de la servitude volontaire* (1576).

Ce réquisitoire contre la tyrannie, appelé aussi le Contr'un, *propose à l'homme une sorte de cure de désintoxication pour qu'il se délivre de l'addiction à la servitude par la désobéissance passive, laquelle, paradoxalement, doit rétablir une obéissance libre.*

Pauvres et misérables peuples insensés, nations opiniâtres en votre mal et aveugles en votre bien, vous vous laissez emporter devant vous le plus beau et le plus clair de votre revenu, piller vos

---

1. Gueux : pauvre. Allusion injurieuse à Rousseau.

2. La déclamation est un discours littéraire sur une thèse politique qui est mise à l'épreuve, « essayée » dans le sens montaignien.

champs, voler vos maisons et les dépouiller des meubles anciens et

5 paternels ! Vous vivez de sorte que vous ne vous pouvez vous vanter que rien soit à vous ; et semblerait que meshui[1] ce vous serait grand heur[2] de tenir à ferme vos biens, vos familles et vos vies ; et tout ce dégât, ce malheur, cette ruine, vous vient, non pas des ennemis, mais certes oui bien de l'ennemi, et de celui que vous faites si grand qu'il

10 est, pour lequel vous allez si courageusement à la guerre, pour la grandeur duquel vous ne refusez point de présenter à la mort vos personnes. Celui qui vous maîtrise tant n'a que deux yeux, n'a que deux mains, n'a qu'un corps, et n'a autre chose que ce qu'a le moindre homme du grand et infini nombre de nos villes, sinon que

15 l'avantage que vous lui faites pour vous détruire. D'où a-t-il pris tant d'yeux, dont il vous épie, si vous ne les lui baillez[3] ? Comment a-t-il tant de mains pour vous frapper, s'il ne les prend de vous ? Les pieds dont il foule vos cités, d'où les a-t-il, s'ils ne sont des vôtres ? Comment a-t-il aucun[4] pouvoir sur vous, que par vous ? Comment

20 vous oserait-il courir sus[5], s'il n'avait intelligence avec vous ? Que vous pourrait-il faire, si vous n'étiez receleurs du larron qui vous pille, complices du meurtrier qui vous tue et traîtres à vous-mêmes ? Vous semez vos fruits, afin qu'il en fasse le dégât ; vous meublez et remplissez vos maisons, afin de fournir à ses pilleries ; vous

25 nourrissez[6] vos filles, afin que, pour le mieux qu'il leur saurait faire, il les mène en ses guerres, qu'il les conduise à la boucherie, qu'il les fasse ministres de ses convoitises, et les exécuteurs de ses vengeances ; vous rompez à la peine vos personnes, afin qu'il se puisse mignarder[7] en ses délices et se vautrer dans les sales et vilains plaisirs ; vous vous

30 affaiblissez, afin de le rendre plus fort et roide[8] à vous tenir plus

---

1. **Meshui** : désormais.

2. **Grand heur** : grand bonheur.

3. **Baillez** : donnez.

4. **Aucun** : quelque.

5. **Courir sus** : assaillir.

6. **Nourrissez** : élevez.

7. **Mignarder** : se délecter.

8. **Roide** : rude.

courte la bride ; et de tant d'indignités, que les bêtes mêmes ou ne les sentiraient point, ou ne l'endureraient point, vous pouvez vous en délivrer si vous l'essayez, non pas de vous en délivrer, mais seulement de le vouloir faire. Soyez résolus de ne servir plus, et vous voilà libres. Je ne veux pas que vous le poussiez ou l'ébranliez, mais seulement ne le soutenez plus, et vous le verrez, comme un grand colosse à qui on a dérobé sa base, de son poids même se fondre en bas et se rompre.

Les autres : les colonisés, les femmes

CONTE PHILOSOPHIQUE

DENIS DIDEROT ♦ *Supplément au Voyage de Bougainville* (1772).

Diderot présente son récit comme un ajout au journal de voyage du navigateur Bougainville, publié en 1771. Ici, un vieillard indigène apostrophe les explorateurs français sur le point de repartir de Tahiti : suivant une rhétorique de l'outrance qui était la règle dans le théâtre de Diderot, ces adieux du vieillard à Bougainville font le procès de la colonisation et fondent le thème littéraire du bon sauvage.

Il était père d'une famille nombreuse. À l'arrivée des Européens, il laissa tomber des regards de dédain sur eux, sans marquer ni étonnement, ni frayeur, ni curiosité. Ils l'abordèrent ; il leur tourna le dos et se retira dans sa cabane. Son silence et son souci ne décelaient que trop sa pensée ; il gémissait en lui-même sur les beaux jours de son pays éclipsés. Au départ de Bougainville, lorsque les habitants accouraient en foule sur le rivage, s'attachaient à ses vêtements, serraient ses camarades entre leurs bras et pleuraient, ce vieillard s'avança d'un air sévère et dit :

« Pleurez, malheureux Tahitiens, pleurez ; mais que ce soit de l'arrivée, et non du départ de ces hommes ambitieux et méchants : un jour, vous les connaîtrez mieux. Un jour, ils reviendront, le morceau de bois [1] que vous voyez attaché à la ceinture de celui-ci dans une main, et le fer qui pend au côté de celui-là dans l'autre,

---

1. Il s'agit du crucifix.

15 vous enchaîner, vous égorger ou vous assujettir à leurs extravagances
et à leurs vices. Un jour vous servirez sous eux, aussi corrompus,
aussi vils, aussi malheureux qu'eux. Mais je me console. Je touche à
la fin de ma carrière [1] ; et la calamité que je vous annonce, je ne la
verrai point. Ô Tahitiens, ô mes amis, vous auriez un moyen
d'échapper à un funeste avenir ; mais j'aimerais mieux mourir que
20 de vous en donner le conseil ; qu'ils s'éloignent et qu'ils vivent. »

Puis s'adressant à Bougainville, il ajouta : « Et toi, chef des
brigands qui t'obéissent, écarte promptement ton vaisseau de notre
rive : nous sommes innocents, nous sommes heureux, et tu ne peux
que nuire à notre bonheur. Nous suivons le pur instinct de la
25 nature, et tu as tenté d'effacer de nos âmes son caractère. Ici tout est
à tous ; et tu nous as prêché je ne sais quelle distinction du tien et
du mien. Nos filles et nos femmes nous sont communes, tu as
partagé ce privilège avec nous, et tu es venu allumer en elles des
fureurs inconnues. Elles sont devenues folles dans tes bras, tu es
30 devenu féroce entre les leurs. Elles ont commencé à se haïr ; vous
vous êtes égorgés pour elles ; et elles nous sont revenues teintes de
votre sang. Nous sommes libres, et voilà que tu as enfoui dans notre
terre le titre de notre futur esclavage. Tu n'es ni un dieu, ni un
démon. Qui es-tu donc, pour faire des esclaves ? Orou, toi qui
35 entends la langue de ces hommes-là, dis-nous à tous, comme tu me
l'as dit à moi, ce qu'ils ont écrit sur cette lame de métal : *Ce pays est
à nous.* Ce pays est à toi ! et pourquoi ? parce que tu y as mis le pied !
Si un Tahitien débarquait un jour sur vos côtes, et qu'il gravât sur
une de vos pierres ou sur l'écorce d'un de vos arbres : *Ce pays*
40 *appartient aux habitants de Tahiti*, qu'en penserais-tu ? Tu es le plus
fort, et qu'est-ce que cela fait ? Lorsqu'on t'a enlevé une des
méprisables bagatelles dont ton bâtiment est rempli, tu t'es récrié,
tu t'es vengé et dans le même instant tu as projeté au fond de ton
cœur le vol de toute une contrée ! Tu n'es pas esclave, tu souffrirais
45 plutôt la mort que de l'être, et tu veux nous asservir ! Tu crois donc
que le Tahitien ne sait pas défendre sa liberté et mourir. Celui dont

---

1. **À la fin de ma carrière** : à la fin de ma vie.

tu veux t'emparer comme de la brute, le Tahitien, est ton frère. Vous êtes deux enfants de la nature, quel droit as-tu sur lui qu'il n'ait pas sur toi ? Tu es venu, nous sommes-nous jetés sur ta personne ? avons-nous pillé ton vaisseau ? t'avons-nous saisi et exposé aux flèches de nos ennemis ? t'avons-nous associé dans nos champs au travail de nos animaux ? Nous avons respecté notre image en toi. Laisse-nous nos mœurs, elles sont plus sages et plus honnêtes que les tiennes. Nous ne voulons point troquer ce que tu appelles notre ignorance contre tes inutiles lumières. Tout ce qui nous est nécessaire et bon, nous le possédons. Sommes-nous dignes de mépris parce que nous n'avons pas su nous faire des besoins superflus ? Lorsque nous avons faim, nous avons de quoi manger ; lorsque nous avons froid, nous avons de quoi nous vêtir. Tu es entré dans nos cabanes, qu'y manque-t-il à ton avis ? Poursuis jusqu'où tu voudras ce que tu appelles commodités de la vie, mais permets à des êtres sensés de s'arrêter, lorsqu'ils n'auraient à obtenir, de la continuité de leurs pénibles efforts, que des biens imaginaires. Si tu nous persuades de franchir l'étroite limite du besoin, quand finirons-nous de travailler, quand jouirons- nous ?

ESSAI

SIMONE DE BEAUVOIR ♦ *Le Deuxième Sexe* (1949), tome II, *L'Expérience vécue*, Paris, © Éditions Gallimard, 1949, p. 14-15.

Dans ce premier essai féministe, l'auteure définit la femme autrement que comme « l'éternel féminin ». Sans s'en tenir à la notion d'égalité, elle montre la condition subalterne dans laquelle a souvent été tenu le « deuxième sexe », formé pour cela dès la petite enfance : « On ne naît pas femme : on le devient ».

Lorsque l'enfant grandit, il lutte de deux façons contre le délaissement originel. Il essaie de nier la séparation : il se blottit dans les bras de sa mère, il recherche sa chaleur vivante, il réclame ses caresses. Et il essaie de se faire justifier par le suffrage d'autrui. Les adultes lui apparaissent comme des dieux : ils ont le pouvoir de lui conférer l'être. Il éprouve la magie du regard qui le métamorphose tantôt en un délicieux petit ange, tantôt en monstre. Ces deux modes de défense ne s'excluent pas : au contraire ils se complètent et se pénètrent. Quand la séduction réussit, le sentiment de justification

10 trouve une confirmation charnelle dans les baisers et les caresses reçus : c'est une même heureuse passivité que l'enfant connaît dans le giron de sa mère et sous ses yeux bienveillants. Il n'y a pas pendant les trois ou quatre premières années de différence entre l'attitude des filles et celle des garçons ; ils tentent tous de perpétuer l'heureux état

15 qui a précédé le sevrage ; chez ceux-ci autant que celles-là on rencontre des conduites de séduction et de parade : ils sont aussi désireux que leurs sœurs de plaire, de provoquer des sourires, de se faire admirer.

Il est plus satisfaisant de nier le déchirement que de le surmonter,
20 plus radical d'être perdu au cœur du Tout que de se faire pétrifier par la conscience d'autrui : la fusion charnelle crée une aliénation plus profonde que toute démission sous le regard d'autrui. La séduction, la parade représentent un stade plus complexe, moins facile, que le simple abandon dans les bras maternels. La magie du regard adulte
25 est capricieuse ; l'enfant prétend être invisible, ses parents entrent dans le jeu, ils le cherchent à tâtons ; ils rient et puis brusquement ils déclarent : « Tu nous ennuies, tu n'es pas invisible du tout ». Une phrase de l'enfant a amusé, il la répète : cette fois, on hausse les épaules. Dans ce monde aussi incertain, aussi imprévisible que
30 l'univers de Kafka, on trébuche à chaque pas. C'est pourquoi tant d'enfants ont peur de grandir ; ils se désespèrent si leurs parents cessent de les prendre sur leurs genoux, de les admettre dans leur lit ; à travers la frustration physique ils éprouvent de plus en plus cruellement le délaissement dont l'être humain ne prend jamais
35 conscience qu'avec angoisses.

C'est ici que les petites filles vont d'abord apparaître comme privilégiées. Un second sevrage, moins brutal, plus lent que le premier, soustrait le corps de la mère aux étreintes de l'enfant ; mais c'est aux garçons surtout qu'on refuse peu à peu baisers et caresses ;
40 quant à la fille, on continue de la cajoler, on lui permet de vivre dans les jupes de sa mère, le père la prend sur ses genoux et flatte ses

cheveux ; on l'habille avec des robes douces comme des baisers, on est indulgent à ses larmes et à ses caprices, on la coiffe avec soin, on s'amuse de ses mines et de ses coquetteries : des contacts charnels et des regards complaisants la protègent contre l'angoisse de la solitude. Au petit garçon, au contraire, on va interdire même la coquetterie, ses manœuvres de séduction, ses comédies agacent. « Un homme ne demande pas qu'on l'embrasse... Un homme ne se regarde pas dans les glaces... Un homme ne pleure pas », lui dit-on. On veut qu'il soit un « petit homme » ; c'est en s'affranchissant des adultes qu'il obtiendra leur suffrage. Il plaira en ne paraissant pas chercher à plaire.

■ L'homme et l'esprit

La vie intérieure de l'homme occupe une place primordiale dans la littérature, quelle que soit son idéologie ou sa forme : saisir le mouvement de l'esprit et le sens de l'existence permet de se confronter à la grande question de la mort.

La vision chrétienne

APOLOGIE CHRÉTIENNE

BLAISE PASCAL ♦ *Pensées* (1670).

Parmi les fragments de l'apologie du christianisme entreprise par Pascal, le fragment 126 fait du divertissement, non pas le plaisir mondain, mais le fait, pour l'homme, de se détourner (sens étymologique) de l'ennui existentiel et de la pensée de sa condition. Pascal ne conseille pas de fuir le divertissement, il constate sa nécessité.

Divertissement.

Quand je m'y suis mis quelquefois à considérer les diverses agitations des hommes et les périls et les peines où ils s'exposent dans la cour, dans la guerre, d'où naissent tant de querelles, de passions, d'entreprises hardies et souvent mauvaises, j'ai dit souvent que tout le malheur des hommes vient d'une seule chose, qui est de ne savoir pas demeurer en repos dans une chambre. Un homme qui a assez de bien pour vivre, s'il savait demeurer chez soi avec plaisir, n'en sortirait pas pour aller sur la mer ou au siège d'une place, ou n'achèterait une 10 charge à l'armée si cher que parce qu'on trouverait insupportable de ne bouger de la ville, et on ne recherche les conversations et les divertissements des jeux que parce qu'on ne peut demeurer chez soi avec plaisir.

Mais quand j'ai pensé de plus près et qu'après avoir trouvé la 15 cause de tous nos malheurs, j'ai voulu en découvrir les raisons, j'ai trouvé qu'il y en a une bien effective, qui consiste dans le malheur naturel de notre condition faible et mortelle, et si misérable que rien ne peut nous consoler lorsque nous y pensons de près.

Quelque condition qu'on se figure où l'on assemble tous les 20 biens qui peuvent nous appartenir, la royauté est le plus beau poste du monde, et cependant qu'on s'en[1] imagine accompagné de toutes les satisfactions qui peuvent le toucher. S'il est sans divertissement, et qu'on le laisse considérer et faire réflexion sur ce qu'il est, cette félicité languissante ne le soutiendra point ; il tombera par nécessité 25 dans les vues qui le menacent des révoltes qui peuvent arriver et enfin de la mort et des maladies qui sont inévitables, de sorte que s'il est sans ce qu'on appelle divertissement, le voilà malheureux, et plus malheureux que le moindre de ses sujets qui joue et se divertit.

De là vient que le jeu et la conversation des femmes, la guerre, 30 les grands emplois sont si recherchés. Ce n'est pas qu'il y ait en effet du bonheur, ni qu'on s'imagine que la vraie béatitude soit d'avoir l'argent qu'on peut gagner au jeu, ou dans le lièvre qu'on court ; on n'en voudrait pas s'il était offert. Ce n'est pas cet usage mol et paisible et qui nous laisse penser à notre malheureuse condition 35 qu'on recherche ni les dangers de la guerre, ni la peine des emplois, mais c'est le tracas qui nous détourne d'y penser et nous divertit.

---

1. En représente « un roi ». Il faut donc comprendre : « qu'on s'imagine un roi accompagné de toutes les satisfactions ».

De là vient que les hommes aiment tant le bruit et le remuement. De là vient que la prison est un supplice si horrible, de là vient que le plaisir de la solitude est une chose incompréhensible. Et c'est enfin le plus grand sujet de félicité de la condition des rois, de ce qu'on essaie sans cesse à les divertir et à leur procurer toutes sortes de plaisirs.

L'absurdité de l'existence

ROMAN PHILOSOPHIQUE

JEAN-PAUL SARTRE ♦ *La Nausée* (1938), Paris, © Éditions Gallimard, coll. «Folio», 1938, p. 181-182.

Sartre exprime des sentiments métaphysiques sous forme romanesque par le biais du journal intime d'Antoine Roquentin. Le personnage sent en lui un détachement face à la réalité : la nausée est cette prise de conscience angoissée de l'absurdité de l'existence. Le texte suivant marque le point culminant du récit, lorsque Roquentin découvre la cause de la nausée : la contingence[1].

Donc j'étais tout à l'heure au Jardin public. La racine du marronnier s'enfonçait dans la terre, juste au-dessous de mon banc. Je ne me rappelais plus que c'était une racine. Les mots s'étaient évanouis et, avec eux, la signification des choses, leurs modes d'emploi, les faibles repères que les hommes ont tracés à leur surface. J'étais assis, un peu voûté, la tête basse, seul en face de cette masse noire et noueuse, entièrement brute et qui me faisait peur. Et puis j'ai eu cette illumination.

Ça m'a coupé le souffle. Jamais, avant ces derniers jours, je n'avais pressenti ce que voulait dire «exister». J'étais comme les autres, comme ceux qui se promènent au bord de la mer dans leurs habits de printemps. Je disais comme eux «la mer *est* verte; ce point blanc

---

1. Contingence: possibilité qu'une chose se produise ou ne se produise pas. La contingence s'oppose au déterminisme.

là-haut, *c'est* une mouette », mais je ne sentais pas que ça existait, que la mouette était une « mouette-existante » ; à l'ordinaire l'existence se cache. Elle est là, autour de nous, en nous, elle est *nous*, on ne peut pas dire deux mots sans parler d'elle et, finalement, on ne la touche pas. Quand je croyais y penser, il faut croire que je ne pensais rien, j'avais la tête vide, ou tout juste un mot dans la tête, le mot « être ». Ou alors, je pensais... comment dire ? Je pensais l'*appartenance*, je me disais que la mer appartenait à la classe des objets verts ou que le vert faisait partie des qualités de la mer. Même quand je regardais les choses, j'étais à cent lieues de songer qu'elles existaient : elles m'apparaissaient comme un décor. Je les prenais dans mes mains, elles me servaient d'outils, je prévoyais leurs résistances. Mais tout ça se passait à la surface. Si l'on m'avait demandé ce que c'était que l'existence, j'aurais répondu de bonne foi que ça n'était rien, tout juste une forme vide qui venait s'ajouter aux choses du dehors, sans rien changer à leur nature. Et puis voilà : tout d'un coup, c'était là, c'était clair comme le jour : l'existence s'était soudain dévoilée. Elle avait perdu son allure inoffensive de catégorie abstraite : c'était la pâte même des choses, cette racine était pétrie dans de l'existence. Ou plutôt la racine, les grilles du jardin, le banc, le gazon rare de la pelouse, tout ça s'était évanoui ; la diversité des choses, leur individualité n'était qu'une apparence, un vernis. Ce vernis avait fondu, il restait des masses monstrueuses et molles, en désordre – nues, d'une effrayante et obscène nudité.

Je me gardais de faire le moindre mouvement, mais je n'avais pas besoin de bouger pour voir, derrière les arbres, les colonnes bleues et le lampadaire du kiosque à musique, et la Velléda[1], au milieu d'un massif de lauriers. Tous ces objets... comment dire ? Ils m'incommodaient ; j'aurais souhaité qu'ils existassent moins fort, d'une façon plus sèche, plus abstraite, avec plus de retenue. Le marronnier se pressait contre mes yeux. Une rouille verte le couvrait jusqu'à mi-hauteur ; l'écorce, noire et boursouflée, semblait de cuir bouilli. Le petit bruit d'eau de la fontaine Masqueret se coulait dans mes oreilles et s'y faisait un nid, les emplissait de soupirs ; mes

---

1. La Velléda : sculpture représentant une prêtresse germanique.

narines débordaient d'une odeur verte et putride. Toutes choses, doucement, tendrement, se laissaient aller à l'existence comme ces femmes lasses qui s'abandonnent au rire et disent : « C'est bon de rire » d'une voix mouillée ; elles s'étalaient, les unes en face des autres, elles se faisaient l'abjecte confidence de leur existence. Je compris qu'il n'y avait pas de milieu entre l'inexistence et cette abondance pâmée. Si l'on existait, il fallait exister jusque-là, jusqu'à la moisissure, à la boursouflure, à l'obscénité.

Mourir ou vivre ?

ROMAN

FRANÇOIS-RENÉ DE CHATEAUBRIAND ◆ *René* (1805).

Roman inspiré de l'enfance de Chateaubriand, René *atteint souvent la poésie lyrique pour décrire le déchirement d'une âme entre l'infini de ses aspirations et la certitude que la réalité ne peut les combler.* René *témoigne ici d'une vision pessimiste et désespérée de l'homme en songeant au suicide.*

Mais comment exprimer cette foule de sensations fugitives que j'éprouvais dans mes promenades ? Les sons que rendent les passions dans le vide d'un cœur solitaire ressemblent au murmure que les vents et les eaux font entendre dans le silence d'un désert : on en jouit, mais on ne peut les peindre.

L'automne me surprit au milieu de ces incertitudes : j'entrai avec ravissement dans les mois des tempêtes. Tantôt j'aurais voulu être un de ces guerriers errant au milieu des vents, des nuages et des fantômes ; tantôt j'enviais jusqu'au sort du pâtre que je voyais réchauffer ses mains à l'humble feu de broussailles qu'il avait allumé au coin d'un bois. J'écoutais ses chants mélancoliques, qui me rappelaient que dans tout pays le chant naturel de l'homme est triste, lors même qu'il exprime le bonheur. Notre cœur est un instrument incomplet, une lyre où il manque des cordes et où nous sommes forcés de rendre les accents de la joie sur le ton consacré aux soupirs.

Le jour, je m'égarais sur de grandes bruyères terminées par des forêts. Qu'il fallait peu de chose à ma rêverie ! Une feuille séchée que le vent chassait devant moi, une cabane dont la fumée s'élevait dans la cime dépouillée des arbres, la mousse qui tremblait au souffle du nord sur le tronc d'un chêne, une roche écartée, un étang désert où le jonc flétri murmurait ! Le clocher solitaire s'élevant au loin dans la vallée a souvent attiré mes regards ; souvent j'ai suivi des yeux les oiseaux de passage qui volaient au-dessus de ma tête. Je me figurais les bords ignorés, les climats lointains où ils se rendent ; j'aurais voulu être sur leurs ailes. Un secret instinct me tourmentait ; je sentais que je n'étais moi-même qu'un voyageur, mais une voix du ciel semblait me dire : « Homme, la saison de ta migration n'est pas encore venue ; attends que le vent de la mort se lève, alors tu déploieras ton vol vers ces régions inconnues que ton cœur demande. »

Levez-vous vite, orages désirés, qui devez emporter René dans les espaces d'une autre vie ! Ainsi disant, je marchais à grands pas, le visage enflammé, le vent sifflant dans ma chevelure, ne sentant ni pluie, ni frimas, enchanté, tourmenté et comme possédé par le démon de mon cœur.

La nuit, lorsque l'aquilon[1] ébranlait ma chaumière, que les pluies tombaient en torrent sur mon toit, qu'à travers ma fenêtre je voyais la lune sillonner les nuages amoncelés, comme un pâle vaisseau qui laboure les vagues, il me semblait que la vie redoublait au fond de mon cœur, que j'aurais la puissance de créer des mondes. Ah ! Si j'avais pu faire partager à une autre les transports que j'éprouvais ! Ô Dieu ! Si tu m'avais donné une femme selon mes désirs ; si, comme à notre premier père, tu m'eusses amené par la main une Ève tirée de moi-même... Beauté céleste ! Je me serais prosterné devant toi, puis, te prenant dans mes bras, j'aurais prié l'Éternel de te donner le reste de ma vie.

Hélas ! J'étais seul, seul sur la terre ! Une langueur secrète s'emparait de mon corps. Ce dégoût de la vie que j'avais ressenti dès mon enfance revenait avec une force nouvelle. Bientôt mon cœur

---

1. Aquilon : vent du nord.

ne fournit plus d'aliment à ma pensée, et je ne m'apercevais de mon existence que par un profond sentiment d'ennui.

Je luttai quelque temps contre mon mal, mais avec indifférence et sans avoir la ferme résolution de le vaincre. Enfin, ne pouvant trouver de remède à cette étrange blessure de mon cœur, qui n'était nulle part et qui était partout, je résolus de quitter la vie.

PROSE LYRIQUE

ANDRÉ GIDE ♦ *Les Nourritures terrestres* (1897), Paris, © Éditions Gallimard, coll. «Folio», 1917-1936, p. 23-25.

Gide voyait dans Les Nourritures terrestres, *« manuel d'évasion, de délivrance »*, non seulement une glorification lyrique du désir, mais une « apologie du dénuement » dans la lignée de l'Évangile qui appelle à la réalisation de soi dans l'oubli de soi, clé paradoxale du bonheur de l'homme.*

Nathanaël [1] je t'enseignerai la ferveur.

Nos actes s'attachent à nous comme sa lueur au phosphore. Ils nous consument, il est vrai, mais ils nous font notre splendeur.

Et si notre âme a valu quelque chose, c'est qu'elle a brûlé plus ardemment que quelques autres.

Je vous ai vus, grands champs baignés de la blancheur de l'aube ; lacs bleus, je me suis baigné dans vos flots – et que chaque caresse de l'air riant m'ait fait sourire, voilà ce que je ne me lasserai pas de te redire, Nathanaël. Je t'enseignerai la ferveur.

Si j'avais su des choses plus belles, c'est celles-là que je t'aurais dites – celles-là, certes, et non pas d'autres.

Tu ne m'as pas enseigné la sagesse, Ménalque. Pas la sagesse, mais l'amour.

J'eus pour Ménalque plus que de l'amitié, Nathanaël, et à peine moins que de l'amour. Je l'aimais aussi comme un frère.

Ménalque est dangereux ; crains-le ; il se fait réprouver par les sages, mais ne se fait pas craindre par les enfants. Il leur apprend à

---

1. Plusieurs personnages, dont Ménalque, adressent une révélation à Nathanaël, « petit pâtre » imaginaire.

n'aimer plus seulement leur famille et, lentement, à la quitter; il rend
leur cœur malade d'un désir d'aigres fruits sauvages et soucieux
20 d'étrange amour. Ah! Ménalque, avec toi j'aurais voulu courir encore
sur d'autres routes. Mais tu haïssais la faiblesse et prétendais
m'apprendre à te quitter.

Il y a d'étranges possibilités dans chaque homme. Le présent
serait plein de tous les avenirs, si le passé n'y projetait déjà une
25 histoire. Mais, hélas! Un unique passé propose un unique avenir –
le projette devant nous, comme un point infini sur l'espace.

On est sûr de ne jamais faire que ce que l'on est incapable de
comprendre. Comprendre, c'est se sentir capable de faire. Assumer
le plus possible d'humanité, voilà la bonne formule.

30 Formes diverses de la vie; toutes vous me parûtes belles. (Ce
que je te dis là, c'est ce que me disait Ménalque.)

J'espère bien avoir connu toutes les passions et tous les vices; au
moins les ai-je favorisés. Tout mon être s'est précipité vers toutes les
croyances; et j'étais si fou certains soirs que je croyais presque à
35 mon âme, tant je la sentais près de m'échapper de mon corps, –me
disait encore Ménalque.

Et notre vie aura été devant nous comme ce verre plein d'eau
glacée, ce verre humide que tiennent les mains d'un fiévreux, qui
veut boire, et qui boit tout d'un trait sachant bien qu'il devrait
40 attendre, mais ne pouvant pas repousser ce verre délicieux à ses
lèvres, tant est fraîche cette eau, tant l'altère la cuisson de la fièvre.

◼ Aux frontières de l'humanité

Au XXe siècle, face à la violence de la Grande Guerre, des tota-
litarismes, des camps de concentration et des génocides, apparaît
une littérature de témoignage difficile à définir. En effet, peut-on
raconter ce que le traumatisme fait souvent taire? Comment est-il
possible, littérairement ou artistiquement, de rendre compte du
pire? Comment écrire et créer à partir d'événements historiques
qui ont poussé jusqu'au bout la logique de déshumanisation? La

romancière Marguerite Duras et le photographe Robert Capa expriment ces tensions insolubles, l'une à travers la vision d'un corps individuel souffrant, l'autre par une représentation du destin collectif en marche.

RÉCIT AUTOBIOGRAPHIQUE

MARGUERITE DURAS ♦ *La Douleur* (1985), Paris, © P.O.L., 1985, p. 66-70.

Marguerite Duras écrit ce texte à la Libération quand son mari, Robert Antelme, revient des camps et alors qu'elle aime un autre homme. L'extrait suivant interroge la frontière entre l'humain et l'inhumain par sa description clinique et poignante du corps malade et de la dégradation du rescapé, réduit à une « forme sur le divan ».

Le docteur est arrivé. Il s'est arrêté net, la main sur la poignée, très pâle. Il nous a regardés puis il a regardé la forme sur le divan. Il ne comprenait pas. Et puis il a compris : cette forme n'était pas encore morte, elle flottait entre la vie et la mort et on l'avait appelé, lui, le docteur, pour qu'il essaye de la faire vivre encore. Le docteur est entré. Il est allé jusqu'à la forme et la forme lui a souri. Ce docteur viendra plusieurs fois par jour pendant trois semaines, à toute heure du jour et de la nuit. Dès que la peur était trop grande, on l'appelait, il venait. Il a sauvé Robert L. Il a été lui aussi emporté par la passion de sauver Robert L. de la mort. Il a réussi.

Nous avons sorti le clafoutis de la maison pendant qu'il dormait. Le lendemain la fièvre était là, il n'a plus parlé d'aucune nourriture.

S'il avait mangé dès le retour du camp, son estomac se serait déchiré sous le poids de la nourriture, ou bien le poids de celle-ci aurait appuyé sur le cœur qui lui, au contraire, dans la caverne de sa maigreur était devenu énorme : il battait si vite qu'on n'aurait pas pu compter ses pulsations, qu'on n'aurait pas pu dire qu'il battait à proprement parler mais qu'il tremblait comme sous l'effet de l'épouvante. Non, il ne pouvait pas manger sans mourir. Or il ne pouvait plus rester encore sans manger sans en mourir. C'était là la difficulté.

La lutte a commencé très vite avec la mort. Il fallait y aller doux avec elle, avec délicatesse, tact, doigté. Elle le cernait de tous les côtés. Mais tout de même il y avait encore un moyen de l'atteindre
25 lui, ce n'était pas grand, cette ouverture par où communiquer avec lui mais la vie était quand même en lui, à peine une écharde, mais une écharde quand même. La mort montait à l'assaut. 39,5 le premier jour. Puis 40. Puis 41. La mort s'essoufflait. 41 : le cœur vibrait comme une corde de violon. 41, toujours, mais il vibre. Le
30 cœur, pensions-nous, le cœur va s'arrêter. Toujours 41. La mort, à coups de boutoir, frappe, mais le cœur est sourd. Ce n'est pas possible, le cœur va s'arrêter. Non.

De la bouillie, avait dit le docteur, par cuillers à café. Six ou sept fois par jour on lui donnait de la bouillie. Une cuiller à café de
35 bouillie l'étouffait, il s'accrochait à nos mains, il cherchait l'air et retombait sur son lit. Mais il avalait. De même six à sept fois par jour il demandait à faire. On le soulevait en le prenant par-dessous les genoux et sous les bras. Il devait peser entre trente-sept et trente-huit kilos : l'os, la peau, le foie, les intestins, la cervelle, le poumon,
40 tout compris : trente-huit kilos répartis sur un corps d'un mètre soixante-dix-huit. On le posait sur le seau hygiénique sur le bord duquel on disposait un petit coussin : là où les articulations jouaient à nu sous la peau, la peau était à vif. [...] Une fois assis sur son seau,
45 il faisait d'un seul coup, dans un glou-glou énorme, inattendu, démesuré. Ce que se retenait de faire le cœur, l'anus ne pouvait pas le retenir, il lâchait son contenu. Tout, ou presque, lâchait son contenu, même les doigts qui ne retenaient plus les ongles, qui les lâchaient à leur tour. Le cœur, lui, continuait à retenir son contenu. Le cœur. Et la tête. Hagarde, mais sublime, seule, elle sortait de ce
50 charnier, elle émergeait, se souvenait, racontait, reconnaissait, réclamait. Parlait. Parlait. La tête tenait au corps par le cou comme d'habitude les têtes tiennent, mais ce cou était tellement réduit – on en faisait le tour d'une seule main – tellement desséché qu'on se demandait comment la vie y passait, une cuiller à café de bouillie y
55 passait à grand-peine et le bouchait. Au commencement le cou faisait un angle droit avec l'épaule. En haut, le cou pénétrait à

l'intérieur du squelette, il collait en haut des mâchoires, s'enroulait autour des ligaments comme un lierre. Au travers on voyait se dessiner les vertèbres, les carotides, les nerfs, le pharynx et passer le sang : la peau était devenue du papier à cigarettes. Il faisait donc cette chose gluante vert sombre qui bouillonnait, merde que personne n'avait encore vue. Lorsqu'il l'avait faite on le recouchait, il était anéanti, les yeux mi-clos, longtemps.

Pendant dix-sept jours, l'aspect de cette merde resta le même. Elle était inhumaine. Elle le séparait de nous plus que la fièvre, plus que la maigreur, les doigts désonglés, les traces de coups des S.S. On lui donnait de la bouillie jaune d'or, bouillie pour nourrisson et elle ressortait de lui vert sombre comme de la vase de marécage. Le seau hygiénique fermé on entendait les bulles lorsqu'elles crevaient à la surface. Elle aurait pu rappeler – glaireuse et gluante – un gros crachat. Dès qu'elle sortait, la chambre s'emplissait d'une odeur qui n'était pas celle de la putréfaction, du cadavre – y avait-il d'ailleurs encore dans son corps matière à cadavre – mais plutôt celle d'un humus végétal, l'odeur des feuilles mortes, celle des sous-bois trop épais. C'était là en effet une odeur sombre, épaisse comme le reflet de cette nuit épaisse de laquelle il émergeait et que nous ne connaîtrions jamais. (*Je m'appuyais aux persiennes, la rue sous mes yeux passait, et comme ils ne savaient pas ce qui arrivait dans la chambre, j'avais envie de leur dire que dans cette chambre au-dessus d'eux, un homme était revenu des camps allemands, vivant.*)

PHOTOGRAPHIE → 3ᵉ de couverture

ROBERT CAPA ♦ *Réfugiés espagnols conduits vers un camp entre Argelès-sur-Mer et le Barcarès* (mars 1939).

Au verso de la photo figure une légende dactylographiée sur papier collé : des miliciens démobilisés des Brigades internationales passent à pied la frontière française, sous la conduite d'un gendarme français, tandis que la guerre civile espagnole touche à sa fin. Quand ils ont quitté le sol qu'ils avaient aidé à défendre contre les troupes insurgées de Franco, ils ont crié : Ya volveremos *(« Nous reviendrons ! »).*

Cette photo de Robert Capa illustre le destin collectif de l'homme en lutte contre le totalitarisme et le pouvoir dictatorial. Contenu tout entier dans ce cri : Ya volveremos, surgit l'ample et tenace mouvement collectif de l'homme vers la liberté, comme une respiration possible au sein de l'asservissement. Telle est la leçon pleine d'espoir de Capa.

Le contexte historique des *Essais*

Montaigne a surtout connu le versant sombre du xvie siècle : celui des g[u]
civiles, les «guerres de Religion» qui, de 1562 à 1598, plongent la France
le fanatisme religieux, les massacres, les assassinats, la peur, la haine
violence. Même s'il n'écrit pas l'histoire contemporaine, Montaigne n'e
étranger à son déroulement : les Essais témoignent d'une tension en
culture savante héritée de l'humanisme et la barbarie de ces guerres.

LE TEMPS DES CONFLITS

1 • Sous Henri II et François II (1548-1560)

La **Réforme** est un mouvement religieux issu de la pensée de Jean Calvin, pour qui la nature humaine est entièrement corrompue et radicalement incapable de faire le bien par elle-même. Face à elle, l'Église catholique organise la Contre-Réforme ou Réforme catholique autour de trois mesures : la réunion du concile de Trente (1545-1563), la création de l'Inquisition (1542) et la fondation de la Compagnie de Jésus (1540). Se convertir à la religion réformée est puni par la loi. Lorsqu'en 1559 les calvinistes établissent l'Église réformée de France, les dénonciations se multiplient, les condamnés sont brûlés, bannis, contraints d'abjurer et leurs biens sont confisqués.

• En juin 1548, de Poitiers à Bord[
le peuple se révolte contre le po[
royal qui vient d'instaurer la ga[
un impôt indirect sur le sel. Le li[
nant général de Guyenne est m[
cré par la foule à Bordeaux et [
exceptionnel – certains notab[
rallient aux paysans. Henri II e[
le connétable de Montmor[
qui réprime la révolte avec [
dureté impitoyable dont Monta[
témoigne en I, 24.

• Les troubles économiques contribuent à l'inquiétude spirituelle du te[
L'ordre moral s'instaure : propagande réformée et répression religieuse se su[
posent aux conflits sociaux.

2 • Les guerres civiles de Religion (1562-1598)

Catherine de Médicis, devenue reine en 1560, vise la concorde religieus[
maintenant un difficile équilibre entre les trois forces alors en jeu : le ro[
Navarre, calviniste ; le duc de Guise, catholique zélé ; et Montmorency, ca[
lique modéré. Quarante ans durant, chefs catholiques et protestants v[
s'opposer pour conquérir le pouvoir, plus que pour des motifs religi[

érance civile échoue et les violences armées débouchent sur huit guerres
de Religion.

es troubles de la Ligue (1585-1598)

ernière période des guerres civiles se complique avec un problème de succes-
en juin 1584, Henri de Navarre, réformé, devient l'héritier du trône. Cet enjeu
que se traduit par la violence (le massacre de la Saint-Barthélemy en 1572) et la
nce de la Sainte Ligue, utopie mystique animée par une quête de purification
le et spirituelle. Processions pénitentielles, confréries religieuses, réforme du
é, lutte contre la sorcellerie et croisades contre les Turcs s'amplifient.

roi Henri III, qui s'efforce de reprendre le royaume en main et de rétablir son
ité face aux ligueurs, fait assassiner le duc de Guise et son frère le cardinal le
ine en 1588, mais il est poignardé en 1589 par le moine ligueur Jacques
ent.

catholiques sont alors partagés entre les « Zélés », qui refusent un roi réfor-
et les « Politiques », favorables à Henri de Navarre : la légende d'Henri IV com-
ce à se forger durant ses années de lutte pour le trône. Il finit par se convertir
st sacré roi de France en 1594. Désormais, les chefs ligueurs doivent se rési-
à la tolérance : le 30 avril 1598, l'édit de Nantes fixe la coexistence entre les
essions catholique et réformée jusqu'à sa révocation en 1685.

CRISE DE L'HUMANISME

La crise de l'État

s guerres civiles témoignent de la fragilité du pouvoir royal que les théoriciens
tiques interrogent. Après la Saint-Barthélemy, les plus hardis, les monarcho-
ques[1], remettent en cause la légitimité du roi lorsqu'il devient tyrannique, et
ndent la souveraineté du peuple et le devoir de juste violence.

les suscitent aussi des débats sur le partage de la souveraineté entre les états
éraux, le Conseil et le roi, en particulier lors des états de Blois (1576-1577) où
ent catholiques et réformés.

our contrer ces débats, se met en place une défense de la souveraineté royale
sortira victorieuse de la crise : les notions de raison d'État et de punition

onarchomaque : combattant de la monarchie (du latin *monarchia*, « monarchie » et
rec *makhê*, « combat »).

préventive sont développées par les partisans d'un pouvoir fort et absolu •
le désordre et la guerre civile.

2 • La fin des certitudes

• La découverte du Nouveau Monde, les travaux de Copernic et de Galilée •
sent l'impression d'instabilité des connaissances : le monde fixe des Ancie•
bouleversé, coutumes et lois ne paraissent plus si naturelles ni universel•
relativité est adoptée en toutes choses : le sens immédiatement clair s•
désormais inaccessible.

• L'autorité des Anciens en matière scientifique, tout comme les autres forn•
dogmatisme religieux ou philosophique, est contestée au nom de la vérité, d•
périence et de la pratique. C'est un tournant important de la pensée modern•
en niant tout principe, recherche une méthode fondée sur l'expérience particu•

3 • L'entrée dans l'ère baroque

• Après quarante années de conflits, la confiance en l'homme qui caractéris•
Renaissance n'est plus unanime : ses faiblesses et son inconstance en font le •
de la Fortune. Tels sont les motifs privilégiés par l'esthétique baroque obsédé•
l'angoisse de l'homme face à son néant. Elle valorise tout ce qui touche la se•
lité : mouvements, métaphores, contrastes forts, bigarrures et métissages d•
composition peu rationnelle.

• Le baroque cherche néanmoins à rendre l'homme plus fort en soulignar•
voies à suivre pour son salut : représenter la mort permet de montrer la vanit•
plaisirs ; porter attention à l'individu et au monde qu'il perçoit, observer les r•
vements contradictoires du moi comme le fait Montaigne, voilà qui renfor•
valeur de ce qui est particulier.

vie et l'œuvre de Montaigne

ssible de dissocier Montaigne de ses *Essais, comme lui-même nous* once : «*Je suis moi-même la matière de mon livre*». De sa vie, retenons né le 28 février 1533, aîné d'une famille de huit enfants, il bénéficie d'une tion privilégiée car il hérite des biens et du titre de son père.

MATIÈRE DES *ESSAIS*

e milieu familial

el Eyquem, seigneur de Montaigne, appartient à une famille de riches mar-ds qui acquiert en 1497 la terre noble de Montaigne, en Périgord. Son père, e, abandonne le premier la fonction de commerçant, prend part aux guerres lie et accomplit une carrière honorifique qui culmine à la mairie de Bordeaux 54. Ce père catholique demande à son fils Michel de lui traduire la *Théologie relle* de Raymond Sebond, dont le livre II, 12 garde la trace. Si les *Essais* témoi-t du véritable culte que Montaigne vouait à son père (voir I, 26), la figure de ère en est quasiment absente.

La formation intellectuelle

taigne reçoit une éducation humaniste très soignée : il parle couramment le qu'un précepteur lui a enseigné avant le français, il est pensionnaire au col-de Guyenne à Bordeaux, où il se passionne pour la littérature antique et joue s les tragédies néolatines de ses professeurs. À cette culture humaniste, ute une connaissance du droit. Il est féru d'histoire et de poésie : «L'histoire, t plus mon gibier ou la poésie que j'aime d'une particulière inclination» (I, 26). prend aussi beaucoup de ses expériences mondaines à Paris, selon son prin-e qu'il «se tire une merveilleuse clarté pour le jugement humain de la fréquen-on du monde» (I, 26).

Une vie politiquement active

ontaigne est nommé conseiller à la Cour des aides de Périgueux, puis au par-ent de Bordeaux en 1557. Il y rencontre en 1558 Étienne de La Boétie, son aîné trois ans, avec lequel il noue une amitié légendaire : il est impressionné par sa sonnalité «à l'antique», son intelligence et sa rigueur morale. La Boétie a déjà it plusieurs ouvrages, dont un recueil de vers et son *Discours de la*

servitude volontaire, signe d'audace politique et de liberté d'esprit. Le 18 août
sa mort prématurée affecte Montaigne qui s'attachera à publier ses œu
En 1565, il épouse Françoise de La Chassaigne : de cette union, seule Léonor s

• En juin 1568, la mort de son père est une autre épreuve qui lui permet cepe
de quitter ses fonctions judiciaires. Le 24 juillet 1570, il cède sa charge de con
et décide de vivre de ses rentes dans son château de Montaigne : il commer
1572 l'écriture des *Essais*, ce qui ne l'empêchera pas de devenir maire de Bord
de 1581 à 1585 et de mener une intense vie politique.

• En 1574, il participe au siège de Fontenay-le-Comte, tenu par les protestan
1577, il devient gentilhomme de la chambre du roi de Navarre ; en 1578, il a
servi d'intermédiaire dans une négociation entre le roi de Navarre et le d
Guise. Il effectue entre 1580 et 1581 un long voyage en Europe dont témoign
Journal de voyage (publication posthume en 1774) : il reçoit par une bulle po
cale l'honneur d'être citoyen romain et s'assure de l'approbation du Saint-S
pour ses *Essais*. En 1583, il joue un rôle de négociateur entre les partis d'Henri
d'Henri de Navarre. Lorsqu'en 1589 Henri de Navarre est reconnu comme le
cesseur du roi, Montaigne est appelé à son service.

• Il meurt le 13 septembre 1592 à 59 ans, chez lui, et non comme il l'aurait vo
« plutôt à cheval que dans un lit » (III, 9). Selon l'usage de la haute nobless
famille fait déposer son cœur dans l'église Saint-Michel de Montaigne et inhu
son corps à Bordeaux.

LES *ESSAIS*, L'ŒUVRE DE TOUTE UNE VIE

1 • Entre 1572 et 1580

• La retraite de Montaigne en 1571 a donné lieu à de nombreuses interprétati
déception du monde, reprise de *l'otium cum litteris*[1] des Anciens ou ambit
déçues. La fermeté et l'optimisme de cette décision frappent puisque, entre d
guerres de Religion, Montaigne espère « repos et sécurité »... Il se promet d'ag
dir son château et de se consacrer à l'étude : sa fameuse « librairie » au plaf
gravé de sentences sur la faiblesse de l'homme compte au moins 1 000 li
(beaucoup en latin, mais aussi en français, en italien, des traductions d'aut
grecs, des historiens, des moralistes et des philosophes).

---

1. Otium cum litteris : retraite studieuse pratiquée par les lettrés.

572, ses écrits sont une série de compilations suivies de leçons. Mais, dans
e II, centré sur le thème de l'inconstance de l'homme (titre de II, 1),
aigne rapporte l'expérience de la découverte faite en lui-même de ce
ɔmène.

artir de 1576, il ne craint plus de s'explorer et d'exposer ses propres opi-
d'autant qu'il fait deux expériences capitales : la « maladie de la pierre »
ues néphrétiques), annoncée de manière très théâtrale (« je suis aux prises
la pire de toutes les maladies, la plus soudaine, la plus douloureuse, la plus
elle et la plus irrémédiable », II, 37) et qui a des répercutions profondes sur
nduite et son jugement ; et le scepticisme après sa lecture des *Hypotyposes*
oniennes de Sextus Empiricus. Il adopte alors la devise « Que sais-je ? » et la
rapper sur sa médaille avec la formule pyrrhonienne « Je suspends mon
ment ». Il critique le dogmatisme, approfondit son étude de l'homme et
ut s'affranchit des doctrines étrangères, d'où une orientation plus person-
qui justifie l'avis « Au Lecteur » de 1580, date de la première publication des
premiers livres des *Essais*. Montaigne quitte ensuite son château et entre-
d son grand voyage, en principe destiné à se soigner : il passe par Paris et
ente son livre à Henri III.

La maturité des *Essais*, entre 1580 et 1588

lant la période de troubles où il est maire de Bordeaux, Montaigne continue
vailler à ses deux premiers livres (1582, deuxième édition à Bordeaux ; 1587,
velle édition à Paris, encore enrichie) et aux treize essais du troisième livre.
Essais deviennent le réceptacle de sa vie (ses goûts et ses habitudes), mais
i d'une philosophie morale personnelle : il transforme le précepte ancien
vre la nature » en « suivre *sa* nature ». En 1588, les *Essais* sont terminés : la
uième édition comprend les trois livres avec des additions considérables, les
ɔngeails ».

L'époque de la relecture

8 est aussi l'année de sa rencontre avec Marie Le Jars de Gournay, sa
e d'alliance ». Jusqu'à sa mort, Montaigne relit et annote « l'exemplaire
Bordeaux », c'est-à-dire son propre exemplaire imprimé de 1588. Marie de
rnay édite en 1595 cet exemplaire annoté par Montaigne et augmenté
n tiers. L'élaboration d'une phrase fameuse des *Essais* révèle le travail de

réécriture de l'auteur. Ne parvenant pas à donner les raisons de son amiti[...]
La Boétie, Montaigne écrit avant 1580 : « Si on me presse de dire pourq[...]
l'aimais, je sens que cela ne se peut exprimer » ; après 1588, il ajoute en m[...]
« qu'en répondant : Par ce que c'était lui » ; puis, plus tard, d'une autre er[...]
équilibre la formule : « Par ce que c'était moi. » Preuve d'une écriture en [...]
tuel mouvement...

nvention des *Essais*,
seul livre au monde de son espèce »

VENTION D'UN GENRE

Qu'est-ce que l'essai pour Montaigne ?

le terme d'*essai* désigne aujourd'hui un genre de la littérature d'idées, c'est rande partie grâce à Montaigne. À son époque, **l'essai n'est pas une catégo-ittéraire** et lui-même parle des « chapitres » de son livre. Le mot n'apparaît ; le texte comme titre de l'ouvrage qu'après 1580.

:tymologie latine du terme, *exagium,* qui signifie « pesée », est à rapprocher du e *exigere*, « examiner, évaluer ». Cette opération peut porter sur un objet (faire ai d'un instrument pour tester son efficacité) ou sur le sujet qui l'accomplit : value alors les capacités de celui qui exécute une action. Montaigne **croise les x sens** : il fait l'essai de son jugement, de ses facultés naturelles ou du fruit de études. Ce qui sert de sujet à l'essai n'est pas examiné pour son intérêt propre, s pour ce qu'il révèle des aptitudes de celui qui l'a produit. **Peu importe le :t** : on peut faire l'essai de son jugement sur toute chose.

Quelles conséquences en tirer ?

s conséquences principales en découlent.

e connaissance de soi

Montaigne faisant l'essai de ses facultés intellectuelles, son texte recèle tou-rs des informations **autant sur lui que sur son sujet** : son autoportrait est tôt direct, tantôt indirect. N'écrit-il pas, dans « Au lecteur », « car c'est moi que >eins » ? Ce qui est affirmé dans les *Essais*, même avec des arguments convain-ts, repose sur les seules opinions d'un homme qui ne revendique aucune orité et ne prétend pas transmettre des vérités irrécusables. Il **témoigne** sim-ment de ce qu'il croit vrai, de ses doutes, de ses refus, de ses convictions per-nelles.

l invite ainsi le lecteur à évaluer la pertinence de ses propos et, éventuellement, es approuver, sans être trompé par l'autorité que se donne généralement le ʋoir. **Pas de prêt-à-penser ni de vérité toute faite dans les *Essais*,** mais les «humeurs» ou les «fantaisies» d'un «homme de la commune sorte» (II, 1⁻) revendique une existence «basse et sans lustre» (et n'affirme pas être un m⸱ à suivre), mais **unique**. Plus encore : comme Montaigne se relit incessamme⸱ fait de nombreux ajouts, ce n'est plus son portrait que l'on saisit, mais son re⸱ **sur lui-même**. Son identité en devient insaisissable.

Une écriture particulière

• Montaigne écrit en suivant le rythme de son esprit qui fait le «cheval écha⸱ (I, 8) : il ne compose pas une autobiographie, ni ne cherche à ordonner log⸱ ment une trame narrative. Il va «à sauts et à gambades» (III, 9), dans plus⸱ langues, **sans carcan intellectuel, ni esthétique**. S'il a commencé la réda⸱ des *Essais* par des notes de lecture et des commentaires, son opinion finit par⸱ envahir : faire l'essai de son jugement suppose une totale liberté.

• Voilà pourquoi son ouvrage n'est pas un texte clos, ni abouti, ni achevé : **l'⸱ n'a pas de loi** et ne se définit, ni par son objet (le «passage» [III, 2] que Monta⸱ veut peindre n'est pas maîtrisable), ni par des qualités esthétiques. Ce q⸱ signifie pas qu'il écrit n'importe comment et n'importe quoi ! Il s'efforce bien⸱ d'écrire et de penser juste, mais il donne ses productions pour approximative⸱ toujours susceptibles d'être réexaminées. Il réussit à inscrire le doute et le c⸱ gement, non en formules figées, mais en énoncés instables. **L'enquête pe⸱ tuelle est inscrite dans l'écriture même** : telle est l'originalité des *Essais*.

Une esthétique maniériste

• Les *Essais* relèvent de l'esthétique maniériste, c'est-à-dire d'un art qui met ⸱ **cent sur le travail de l'artiste plutôt que sur l'objet réalisé**. Le maniéri⸱ exhibe les opérations de composition, de stylisation ou même de déformation⸱ lesquelles l'artiste marque sa singularité.

• La **métaphore des grotesques**, «qui sont peintures fantasques, n'ayant g⸱ qu'en la variété et étrangeté» (I, 27), en est l'emblème. La subjectivité de l'é⸱ vain, les imperfections de son texte, les digressions, l'ironie et tous les effets⸱ mise à distance constituent le maniérisme des *Essais*.

3 • Un genre philosophique ?

• Avec Montaigne, l'essai est devenu la forme textuelle d'une **philosop⸱ pyrrhonienne**, c'est-à-dire issue des *Hypotyposes pyrrhoniennes* de Sex⸱

ricus : il n'y a **pas de vérité**, il n'y a **que des opinions**. Sa démarche intellec-
vise, non la vérité, mais la conscience qu'on ne peut l'atteindre : on appelle
quête la **zététique**.

ssai relève aussi chez Montaigne d'une philosophie du devenir, puisqu'il est
urs en mouvement et susceptible d'être remanié. Rien n'y est dogmatique,
est problématique et reste en suspens, suivant la devise pyrrhonienne : «**Je
ends mon jugement**».

refus de théoriser se traduit par un **style concret et** des **images surpre-
es** : «Les hommes ne s'enflent que de vent, et se manient à bonds, comme
ballons» (III, 12). Son texte, fondé sur une démarche philosophique qui
nce celle des Lumières, reste difficile à enfermer dans un genre et même dans
omaine : dans les librairies, on le trouve indifféremment aux rayons littérature
hilosophie.

E « MARQUETERIE MAL JOINTE »

La structure des *Essais*

squ'au XXe siècle, les critiques ont repris les termes de Montaigne qui qualifie
Essais de «fagotage de tant diverses pièces» (II, 37) ou de «marqueterie mal
te» (III, 9), supposant que les chapitres suivaient l'ordre chronologique de leur
position. Michel Butor, le premier, s'est interrogé sur la structure du texte de
, qui comprend les deux premiers livres, autour du *Discours de la servitude
ntaire* de La Boétie, **sorte de tombeau**[1] à la mémoire de son ami, qui aurait dû
rer à la fin du chapitre «De l'amitié» (I, 27). Le *Discours* est bientôt retiré mais
placé par 29 sonnets au centre du recueil, qui finalement n'y figureront pas.
te intention première fait des *Essais* un **cadre pour les écrits de l'ami mort**.

e n'est pourtant pas seulement la mort qui est au centre des *Essais* : au début
hapitre «De l'amitié», Montaigne exprime son désir d'y placer le *Discours* «à
nneur de la liberté contre les tyrans», c'est-à-dire de donner une **leçon de
rté et de fraternité**. L'ensemble (et en particulier le deuxième livre dont le
pitre central s'intitule «De la liberté de conscience») résonne de cet appel à
mancipation qui préside à l'écriture et à la démarche de l'essai. Et si, pour finir,
e *Discours*, ni les sonnets ne sont insérés, Montaigne ne supprimera jamais ces

Tombeau : au sens figuré, œuvre littéraire consacrée à la mémoire d'un mort.

annonces : preuve que les *Essais* de 1580 s'organisent bien autour de ces ouv
simplement désignés précisément au milieu du premier livre.

• L'édition de 1588 comprend, outre les ajouts, un troisième livre dont les
longs chapitres (quand le livre I en comprend 57 et le II, 37) offrent une autr
piration : celle de l'**expérience**, titre du dernier chapitre, emblématique de
l'œuvre et soulignant l'importance du corps, le plaisir de la vie concrète et le
heur d'une liberté fondée sur l'autonomie issue de l'essai pyrrhonien.

2 • Une œuvre ouverte aux autres

• Même si les *Essais* sont d'une facture libre et inédite, ils mêlent des **empru**
divers genres connus à la Renaissance : compilations, commentaires, le
adages[1], épîtres ou *moralia*[2], forment la rhapsodie de ce texte-monstre qu
jours établit un **dialogue avec les autres**, auteurs antiques, contemporai
ami mort.

• Montaigne fait de l'écriture un **lieu** ouvert **de discussion** : son « art de conf
(titre du chapitre 8 du livre III) est une conversation amicale et une manièr
conduire sa pensée qui « fortifie notre esprit ». Pour cette raison, il a besoin
lecteur ami, appelé à ratifier ses propos, c'est-à-dire à les passer à « l'étam
(I, 26), au filtre de son jugement.

---

1. Adage : proverbe, formule dont le
modèle a été donné à la Renaissance par les
4151 *Adages* d'Érasme (1536).

2. *Moralia* : textes appartenant à la
littérature morale sur le modèle des *Moralia*
de Plutarque, traduit en français en 1572.

e sais-je ? La sagesse de Montaigne

DÉAL HUMANISTE

es voix antiques

XVIᵉ siècle, les *Essais* apparaissent comme une **somme humaniste de la** sse antique et «puent un peu à l'étranger» (III, 5): les emprunts directs et cts aux ouvrages latins et grecs fondent leur écriture et même la critique de voir transmis par les voix antiques vient de Socrate.

constance des hommes, la diversité des mœurs, les rapports de l'individu le monde sont des thèmes hérités de Sénèque, Plutarque ou Cicéron. En bon aniste, Montaigne **puise dans le fonds antique** les catégories morales, philo- iques et politiques qu'il s'approprie et personnalise.

Une philosophie en tension

pendant, les *Essais* ne sont pas une synthèse du savoir antique: ils n'en tirent n savoir tout fait, mais mettent en évidence des **tensions et** des **problèmes**. , le chapitre «De l'amitié» qui reprend un thème classique traité, entre s, par Aristote et Cicéron, est-il aussi le plus personnel parce que Montaigne nnaît que les matériaux hérités sont **insuffisants** pour exprimer une expé- e intime.

tte tension crée un écart entre ses réflexions personnelles et la culture huma- hérité, décelable dans la formule paradoxale: «Je ne dis les autres, sinon d'autant plus me dire» (I, 26). La sagesse de Montaigne réside dans **deux** ences sans cesse mises en tension: le désir d'affranchissement et le désir de iance mutuelle, la liberté et le débat permanent avec autrui.

PYRRHONISME

La critique d'un «savoir pédantesque» (I, 25)

e sa lecture des *Hypotyposes pyrrhoniennes*, Montaigne retient le refus des itudes qu'il applique à tous les domaines du savoir. Les chapitres 25 et 26 du mier livre, consacrés à l'acquisition et au bon usage du savoir, tentent d'**éclai- les rapports entre la culture et l'homme**: il faut s'émanciper intellectuelle- nt de l'autorité des dogmes.

• L'essentiel est dans «la façon de se prendre aux sciences» (I, 25), c'est-
dans le **rapport au savoir** : tout savoir, y compris humaniste, doit être mis à
et peu importe qu'il soit vaste, original, pratique ou théorique. Seul comp
assujettissement au jugement. Comme Socrate, le sage doit écouter l'enfa
l'ignorant : leur dialogue permet l'essai du jugement de l'un comme de l'au

2 • Le procès des illusions

• Le doute pyrrhonien lui-même n'est pas une certitude : il s'efface devant
religieuse, qui ne relève pas de la philosophie, centrée sur la condition hun
Montaigne refuse en cela une pédagogie routinière et les schémas préfabr
qui empêchent la pensée.

• Cet **acharnement contre les doctrines**, qui peuvent inciter à la violence co
en témoignent les guerres de Religion, vise à **détruire** toutes les illusions
croyances. Seule doit rester la sagesse humaine, consciente de ses limites ; c
à la foi religieuse, elle demeure en dehors de l'enquête philosophique.

LA CONFIANCE DANS LA NATURE

1 • La liberté

• La fonction critique des *Essais* ne se limite pas à signaler et à déplorer la faib
humaine, elle vise à l'**acceptation de soi et du monde**. L'originalité des *E*
réside surtout dans l'invitation à «se régler» selon sa nature, sans suivre de l
morale préétablie puisque «nature est un doux guide» (III, 13).

• La vertu doit alors se trouver en soi, en refusant toute forme d'aliénation, p
réflexion et l'essai du jugement. L'éthique chez Montaigne prend la forme
retour sur soi et d'un **retour à soi** : accéder à son être naturel, à sa «comple
naturelle» (II, 8), fonde la liberté de l'homme qui, par son expérience personn
acquiert des repères sûrs pour régler sa propre vie. Rien n'est généralisab
universel : chacun doit trouver en lui sa sagesse et la droiture morale, sans que
ne lui soit imposé de l'extérieur.

2 • La fidélité à soi

• Cette conception de l'autonomie par fidélité à soi est le contraire d'une ac
tation passive de soi. L'essai du jugement doit finir par assurer la maîtrise de
de ses qualités morales comme de sa condition physique : «Avez-vous su méc

nier votre vie ? Vous avez fait la plus grande besogne de toutes » (III, 13), écrit
aigne, signifiant que, par la méditation et la volonté, l'esprit est déterminant
tout placer sous le contrôle de l'**arbitrage intérieur**.

omme doit donc trouver en lui, sans recette ni règle à appliquer, une sagesse
e fondée sur la conscience de soi et une réflexion active et systématique. Et
ne l'homme est «plein d'inanité et de fadaise» (III, 9), Montaigne l'invite à
ndiquer le droit à l'erreur, contre une sagesse qui viserait à fixer une fois pour
e une cohérence humaine. Accepter la condition humaine nécessite cette
té à l'inconstance constitutive de l'homme : le seul repère stable reste l'**essai
anent du jugement**.

L'homme, cet inconstant
dans une « branloire perenne »

L'INCONSTANCE DE L'HOMME

1 • La « branloire pérenne »

• « Du repentir » (III, 2) s'ouvre sur cette **image** toute **baroque du mouve**
incessant, d'une métamorphose continuelle : la balançoire perpét
L'inconstance fonde le monde dans lequel l'homme évolue, provoquant u
tige, l'homme étant lui-même inconstant, tout comme ses pensées qui ne
que des opinions, susceptibles de changer de façon aléatoire.

• Face à cette « branloire », point de cauchemar ni d'amertume chez Monta
mais une **fantaisie** revendiquée **et** un **jeu** joyeux : l'inconstance du monde e
finie variété des comportements humains sont sources d'une **gaieté** qui n'e
pas l'exploration philosophique. Les inventaires satiriques des bêtises huma
prêtent bien souvent à sourire.

2 • L'incompétence humaine

• Montaigne met en avant « la misère de l'homme », ce dont se souvie
Pascal. Son instabilité, ses sens trompeurs, sa faiblesse physique et intellect
constitutive sont constatés : « Nous n'avons aucune communication à l'
parce que toute humaine nature est toujours au milieu entre le naître et le m
rir, ne baillant[1] de soi qu'une obscure apparence et ombre, et une incertair
débile[2] opinion » (II, 12).

• Mais, précisément, Montaigne constate, presque sans juger, ce qu'es
homme : ni ange, ni bête, mais « un sujet merveilleusement vain, diver
ondoyant » (I, 1). Là réside sa **singularité de philosophe qui ne prescrit rien**,
n'est l'usage par chacun de son jugement particulier, et qui accepte la faibl
humaine au point d'écrire sur soi, bien conscient de sa propre ignorance.

---

1. Ne baillant : ne donnant.   **2. Débile :** faible.

IGNITÉ DE L'HOMME

a tolérance

.ceptation d'autrui découle logiquement de ce constat de la relativité univer-
En des temps de conflits violents, Montaigne tire une précoce leçon de
ance qui le conduit à **dénoncer** la torture, l'obscurantisme, le colonialisme et
forme de fanatisme. Ainsi, l'examen critique de la notion de barbarie dans
cannibales » (I, 30) invalide tout préjugé ethnocentrique.

quer les Tupinambas, souligner leur cannibalisme dès le titre, et leur faire
des propos très sensés contre la société française est un signe provocateur,
que et d'une grande force subversive dont Montesquieu s'inspirera dans ses
s persanes (1721). Il s'agit avant tout de mener à une réflexion et à un examen
nscience : personne n'a de leçon à donner aux autres dont la différence doit
ntraire susciter le respect.

La foi en la nature humaine

dignité de l'homme chez Montaigne provient de la continuité de son appren-
ge : son âme « est toujours en apprentissage et en épreuve » (III, 2), dans l'en-
e comme dans l'âge adulte. C'est le sens de « De l'institution des enfants »
: l'originalité réside dans la **formation du maître**, **plutôt que** dans celle **de**
`ant : la voie toute pyrrhonienne pour être un homme libre et digne de ce nom
:ssite de préserver une **curiosité perpétuelle**.

:tte idée repose sur le présupposé optimiste, dans l'esprit de la Renaissance,
n homme non déformé par le dogmatisme reste toujours curieux d'ap-
dre et de s'améliorer : telle est la foi en la nature humaine que l'on retrouvera
s l'*Émile* (1762) de Rousseau.

RIRE SUR L'HOMME

Une écriture singulière

J XVIᵉ siècle, écrire sur l'homme en français – ce qui est encore en élaboration –
voie à la théologie, Dieu ayant créé l'homme à son image. Le péché originel en
un être faible, mais le maître éventuel d'un monde qui reste à comprendre.
tant de cette nature faillible, les écrits de la Renaissance accentuent, tantôt la
ère de l'homme (il doit donc prendre conscience de la nécessité du salut de

son âme), tantôt sa dignité qui l'élève spirituellement et le fait accéder
valeurs humaines (bonté, vertu, etc.). C'est l'idée même d'humanisme.

• Montaigne **mêle les deux aspects** mais, contrairement aux discours d
temps, il refuse les considérations générales sur l'espèce humaine, et pre
d'explorer **un** individu, lui-même, **identifiant l'observateur de l'homme et
jet observé**. Chez lui, l'écriture de soi (pratique très nouvelle) est aussi une
ture sur l'homme : « Je m'étudie plus qu'autre objet. C'est ma métaphysique
ma physique » (III, 13). En publiant son texte, il fait de l'auto-examen privé
plus un moyen de se connaître, mais un objectif à partager avec son lecteur

2 • Le lecteur nécessaire

• Les *Essais* requièrent un lecteur diligent et actif qui élabore le sens du texte
qu'ils ne sont pas le monologue d'un individu, mais recherchent le dialog
« conférence » (III, 8), c'est-à-dire la discussion entre deux personnes. Mont
exige la **collaboration critique d'un lecteur qui fait l'essai de son jugemen
le texte qu'il lit** : l'« embrouilleure » (III, 9) de son écriture, son ironie et ses
doxes sont autant de moyens d'alerter sa vigilance et de l'inviter au libre exa

• Cette nécessaire connivence vise à permettre au lecteur de ratifier ou non c
lui est proposé en exerçant sa liberté critique. Le pyrrhonisme de Monta
fonde ce **pacte de lecture** : au lecteur-partenaire de faire du texte une mati
ses propres essais ! Et c'est même à ce prix que les *Essais* ont du sens et ne son
les « excréments d'un vieil esprit » (III, 9).

lisères de l'homme | SUJET D'ÉCRIT 1 |

jet d'étude : La question de l'homme dans les genres de l'argumentation.

OCUMENTS

'ASCAL, « **Le divertissement** » *Pensées* (1670) → ANTHOLOGIE TEXTE 6, P. 267

)IDEROT, *Supplément au Voyage de Bougainville* (1772) → ANTHOLOGIE TEXTE 4, P. 263

:HATEAUBRIAND, *René* (1805) → ANTHOLOGIE TEXTE 8, P. 271

.ARTRE, *La Nausée* (1938) → ANTHOLOGIE TEXTE 7, P. 269

UESTIONS SUR LE CORPUS

Quelle est la thèse commune à ces quatre textes ? Vous justifierez votre réponse
identifiant avec précision, dans chaque texte, l'endroit où elle est formulée.

Quels procédés le locuteur emploie-t-il pour rendre compte de la misère de
omme dans ces extraits ? Vous indiquerez en particulier quel type d'argumen-
tion est utilisé.

RAVAUX D'ÉCRITURE

ommentaire (séries générales)

us ferez le commentaire du texte de Diderot (anthologie, texte 4, p. 263).

ommentaire (séries technologiques)

us ferez le commentaire du texte de Diderot (anthologie, texte 4, p. 263)
1 vous aidant des pistes de lecture suivantes :
Quels vices de la civilisation sont soulignés par le locuteur ?
En quoi ce discours présente-t-il une condamnation de la tyrannie ?

issertation

ur Cicéron, un discours persuasif doit réunir ces trois fonctions : *docere* (ins-
uire, expliquer), *delectare* (plaire) et *movere* (émouvoir). Pensez-vous qu'une
rgumentation doive remplir ces trois conditions pour être efficace ?

'ous répondrez à cette question dans un devoir structuré, en vous appuyant sur
es textes du corpus et sur vos lectures personnelles.

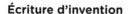

Écriture d'invention

Un lecteur de *René* (anthologie, texte 8, p. 271) s'étonne que la beauté de la n[...] et la conscience de la brièveté de la vie n'engagent pas le locuteur à profiter j[...] sement du moment présent. Il décide de l'en convaincre dans une lettre.

Vous écrirez cette lettre en respectant les contraintes de la forme épistolaire [...] proposant au moins trois arguments.

loge de la liberté critique
ans les *Essais* | SUJET D'ÉCRIT 2 |

jet d'étude : La question de l'homme dans les genres de l'argumentation.

OCUMENTS

MONTAIGNE, *Essais* I, 8, « **De l'oisiveté** » → P. 15, l. 1-36

MONTAIGNE, *Essais* I, 24, « **Du pédantisme** », de : « Nous savons dire : Cicéron ainsi » à la fin de l'essai → P. 31-35, l. 153-209

MONTAIGNE, *Essais* I, 25, « **De l'institution des enfants** », de : « **Qu'il ne lui mande pas seulement compte des mots de sa leçon** » à : « **ce sont autant de uvelles matières** » → P. 41-49, l. 62-148

MONTAIGNE, *Essais* III, 6, « **Des coches** » du début à : « **calamités si misérables** » P. 233-239, l. 1-100

UESTIONS SUR LE CORPUS

Sur quels arguments se fonde l'éloge de la liberté critique dans ces textes ?

Comment Montaigne manifeste-t-il sa liberté critique dans son écriture ?

RAVAUX D'ÉCRITURE

ommentaire (séries générales)

ous ferez le commentaire de l'extrait du chapitre I, 25 (p. 41-49, l. 62-148).

ommentaire (séries technologiques)

ous ferez le commentaire de l'extrait du chapitre I, 25 (p. 41-49, l. 62-148) en vous dant des pistes de lecture suivantes :

Comment s'effectue l'appropriation des connaissances par l'élève ?

En quoi réside la liberté critique dans l'éducation défendue dans ce texte ?

Dans quelle mesure cette méthode peut-elle rendre compte de l'écriture et de composition des *Essais* par Montaigne ?

Dissertation

Pensez-vous comme Montaigne que l'éducation doit transmettre « plu
mœurs et l'entendement que la science » et que « le gain de notre étude, c'e
être devenu meilleur et plus sage » ?

Vous répondrez à cette question dans un devoir structuré, en vous appuyar
les textes du corpus et sur vos lectures personnelles.

Écriture d'invention

Sous forme d'une scène de théâtre, vous écrirez un dialogue entre le maître
haité par Montaigne dans « De l'institution des enfants », et son (ou sa) jeune
de douze ans. Vous veillerez à reprendre au moins trois opinions de Montaign
l'éducation en respectant les contraintes de l'écriture théâtrale.

fraternité entre les hommes

| SUJET D'ORAL 1 |

ONTAIGNE, *Essais*, I, 27, « De L'amitié »
damidas Corinthien avait deux amis [...] aussi faisait-il au devoir de l'amitié. »
91-99

JESTION

elle vision des rapports humains propose ici Montaigne ? Comment la défend-il ?

ar vous aider à répondre
omment s'organise l'argumentation de Montaigne dans cet extrait ? De quoi se compose-
e ?
quoi s'oppose l'amitié véritable selon Montaigne ?
ur quoi se fonde cette amitié « qui possède l'âme » ?

OMME À L'ENTRETIEN

Comment la question du rapport aux autres est-elle abordée dans cet extrait
comment l'est-elle plus généralement dans les *Essais* ?

Quels effets produit le récit de la rencontre entre Montaigne et La Boétie ?

Quels sont les procédés mis en œuvre pour évoquer la fusion des âmes que
opose la véritable amitié ?

En quoi cette vision de la vie en société est-elle porteuse d'espoir ? Que néces-
e-t-elle chez les hommes ?

Pourquoi, à votre avis, ces quelques pages de « De l'amitié » sont-elles restées
neuses dans l'histoire de la littérature ?

Écrire sur soi

| SUJET D'ORAL

• **MONTAIGNE**, *Essais*, III, 2, « Du repentir »

« Les autres forment l'homme [...] Peu d'hommes ont été admirés par leurs domestiques. » → p. 203-215

QUESTION

Comment Montaigne justifie-t-il l'originalité de son projet d'écrire sur soi ?

Pour vous aider à répondre

a Quelles critiques sur son œuvre Montaigne anticipe-t-il ?
b Par quels arguments réfute-t-il le repentir ?
c Comment défend-il les valeurs humaines qui lui importent ?

COMME À L'ENTRETIEN

1 Comment Montaigne tente-t-il de « réciter » l'homme, de le décrire ? Quel de vue adopte-t-il ?

2 Pourquoi Montaigne multiplie-t-il les images dépréciatives pour évoque œuvre ?

3 En quoi les *Essais* sont-ils liés à la personnalité de leur auteur ?

4 Quelle définition de l'essai pouvez-vous retirer de votre lecture des *Essais*

5 Quel est, à votre avis, le lecteur idéal des *Essais* ? Quelle relation Monta entretient-il avec lui ?

Michel Magnien,
spécialiste de Montaigne,
répond à nos questions

...el Magnien est professeur de littérature française du XVIᵉ siècle à l'université de la
...onne nouvelle et co-éditeur des Essais *dans la Bibliothèque de la Pléiade (2007).*

...n vous, quels sont les aspects essentiels de la vision de l'homme
...propose Montaigne dans ses *Essais* ?

...renant appui sur le fameux traité de Pic de la Mirandole (*De la dignité de ...me*), on a pris pour habitude de dire qu'en opposition avec l'époque qui l'a ...édée, la Renaissance se caractérise avant tout par la volonté de placer ...mme au centre, au centre de la Création comme au centre des réflexions de ...manité pensante. La pensée des hommes de la Renaissance se serait ainsi ...gressivement libérée de l'emprise de la théologie pour se laïciser et refaire de ...mme, comme le voulait Protagoras, « la mesure de toute chose ».

...*Essais* interviennent toutefois dans la phase finale de cette évolution, durant ...u'on s'accorde à appeler « l'automne de la Renaissance », marqué, en raison ...atrocités mêmes des guerres civiles au milieu desquelles écrit Montaigne, par ...remise en question du bel enthousiasme qu'avait pu manifester en France le ...au Seizième siècle » (en gros sous le règne de François Iᵉʳ). Modestement, ...ntaigne a tout d'abord prétendu se peindre lui-même, homme bien particu-...dans ses *Essais* en deux livres de 1580 (c'est ce que proclame son célèbre « Avis ...ecteur ») ; puis, à travers soi, il a voulu dans ses *Essais* en trois livres (après 1588) ...ndre « l'humaine condition », comme il le dit si superbement au début du cha-...e 2 du livre III.

...is, fût-il roi (« Et au plus eslevé throne du monde, si ne sommes assis que sus ...tre cul », III, 13), cet homme n'a plus grand-chose à voir avec le maître de la ...ation mis en place par Pic de la Mirandole ou magnifié dans sa perfection quasi ...ine par Léonard de Vinci (voir la fameuse quadrature du corps humain). Pour ...ntaigne, l'homme, tout homme, et lui le premier, est pétri de contradictions ...mpli d'incertitudes : « Certes, c'est un subject merveilleusement vain, divers et ondoyant, que l'homme. Il est malaisé d'y fonder jugement constant et unifo[rme] (I, 10) ; ou encore : « L'homme, en tout et par tout, n'est que rapiessement et [bi]-rure » (II, 20). À l'image du monde qui l'abrite, « branloire perenne » qui va et [vient] sans cesse (III, 2), l'homme est donc, pour Montaigne, à la fois essentielle[ment] inconstant et insaisissable.

Or, malgré cette infirmité native qui le place au plus bas de l'échelle des êt[res] bien en dessous de la plupart des animaux, nous assène l'*Apologie de Ray*[mond] *Sebond* (II, 12) –, l'homme se croit, pire, se proclame (et ce sont les philosoph[es qui] sont ici visés) le centre de la Création. Et Montaigne ne manque pas une occ[asion] de se moquer des prétentions des philosophes qui affirment la prééminen[ce de] l'homme sur tous les autres êtres peuplant notre terre : « Oyez braver ce pauv[re] calamiteux animal » (II, 12). Oui, il le redit encore un peu plus loin dans cette m[ême] *Apologie*, si importante pour la question de l'homme : « C'est tousjours l'ho[mme] foyble, calamiteux et misérable » qu'il nous donne à voir, dans ses tentatives [déri-] soires pour s'élever au-dessus de sa condition.

Pourtant, on n'a pas tort de classer Montaigne au nombre des « humanist[es]. C'est là l'un des paradoxes les plus féconds des *Essais* qui en présentent t[ant.] Montaigne a beau dénoncer le « cuyder », l'orgueil insupportable de l'Homme [tel] qu'il évoque des hommes (avec un petit *h*), dès qu'il croise des individus, [des] individualités plutôt, comme le montre son *Journal de voyage* en Italie (1580-1[581], il s'y intéresse et se plaît à les approcher, à découvrir leurs manières de pens[er,] d'agir en vue, justement, de mettre les siennes propres en perspective, de ré[flé-] chir à ce qui le fait homme. À la toute fin de ses *Essais* en trois livres, au bou[t du] chapitre capital « De l'expérience », il pourra ainsi affirmer tout à trac en [une] superbe formule : « Il n'est rien si beau et légitime que de *faire bien l'homm*[e et] deuëment, ny science si ardue que de bien et naturellement sçavoir vivre c[ette] vie ; et de nos maladies la plus sauvage, c'est mespriser nostre estre » (III, 13).

Si l'homme plein de lui-même, incarné par le philosophe, irrite Montaign[e et] attire ses *lazzis*, l'homme simplement homme attire au contraire toute sa sym[pa-] thie et son intérêt, et en particulier l'homme souffrant, qu'il s'incarne sous [les] traits de l'Indien torturé, du mendiant misérable qui se poste à sa porte, [des] paysans atteints de la peste et si sagement résignés devant la mort, ou c[elui] d'une pauvre sorcière à qui il faudrait bien plutôt donner de l'ellébore que d[e la] faire brûler vive.

ais donc volontiers qu'il y a au moins deux « hommes » dans les *Essais* : celui,
ait, maître prétendu de la nature et de lui-même que présentent les auteurs
ités – qu'ils soient théologiens ou philosophes antiques et contemporains –,
ne dans lequel Montaigne ne peut se reconnaître et que, partant, il
amne ; et l'être fait de chair et de sang, faillible et souffrant, qu'il côtoie dans
e quotidienne, mais aussi au cours de ses longues lectures au sein de la
irie », et pour lequel il dit sa sympathie mêlée, quand il le faut, de compassion.

sez-vous que les *Essais* manifestent le regret d'un idéal humaniste homme ?

me je viens de le dire, et comme l'a si bien montré Géralde Nakam, les *Essais*
le reflet, le « miroir » de leur époque, une époque d'une violence inouïe où la
on autorise les pires crimes et cruautés. Être le témoin, parfois direct (la
te bordelaise de 1548 en I, 24), de ces atrocités sans nombre, comme l'a été
taigne à plus d'un titre, en tant que simple particulier et en tant que magis-
puis maire de Bordeaux, n'a pas été sans influence sur sa vision de l'homme,
ermettant de voir la noirceur sans fond qui caractérise les individus dès qu'ils
parre sur autrui. C'est ainsi qu'il écrit « De la cruauté » (II, 11), chapitre parti-
rement courageux où il s'en prend à la procédure judiciaire de son temps qui
grait à l'instruction la mise à la torture des accusés, ou qu'il proteste en I, 31 et
contre la cupidité criminelle des conquistadors.

Montaigne, assurément, il n'y a plus d'idéal humaniste de l'homme, car,
ate mis à part, et peut-être aussi le général thébain Épaminondas, il n'y a
ais eu d'homme idéal, et il n'y en aura certainement plus à son époque, qu'il
irrémédiablement « corrompue », « gastée ».

t sûr que sa culture et ses lectures fournissent à Montaigne nombre de grands
mes, auxquels il consacre même un chapitre (II, 36), sans oublier les femmes
es (II, 35). Mais ces nobles figures, capables d'une grandeur d'âme qui font
neur à l'humanité appartiennent irrémédiablement pour lui à un passé révolu
seule la lecture des historiens anciens et de son cher Plutarque lui permet de
naître.

e sais pas si Montaigne manifeste un « regret » de ces grandeurs passées, mais il
te assurément un regard très pessimiste sur l'homme moderne, capable des
ietés les plus honteuses et des crimes les plus atroces, si on n'essaye pas d'éveiller
peu sa conscience, ce qui, bien entendu, est l'objectif principal des *Essais*…

À votre avis, en quoi les *Essais* peuvent-ils nous parler aujourd'hu

Nous vivons dans l'ère «post-moderne» qui serait marquée par la «fin de toire»: plus d'idéologies, plus de repères. Toutes proportions gardées – période qu'a connue Montaigne est infiniment plus tragique que la nôt France, du moins) –. Montaigne est lui aussi témoin à son époque d'un effo ment généralisé des repères puisqu'au nom d'une religion de charité et de f nité, on commet les pires atrocités. Or, au milieu de ce chaos, Montaigne tra route, suit son chemin d'honnête homme qui, en dépit de son scepticism sans doute plutôt à cause de lui, sait où, en gros, sont le bien et le mal, et com il faut se comporter pour échapper à la folie collective, en se retirant dan «arrière-boutique, toute sienne, toute franche» (I, 39). Ce que nous offre *Essais*, c'est une sagesse pratique, une éthique sans prétention, quotidienn cheminement paisible vers la bonne vie, qu'elle soit publique ou privée.

Lui qui a expérimenté «la desloyauté, la tyrannie, la cruauté, qui sont noz fa ordinaires» (I, 31) est là pour nous rappeler qu'il n'existe aucune certitude, e notre mission d'homme est justement de toujours chercher, remettre en c enquêter afin de ne pas errer, et surtout de ne pas nuire à autrui, soit par ignor soit par méchanceté. Son relativisme salutaire n'est pas une démission: à ses y la fin ne saurait jamais justifier les moyens, et il n'excusera jamais les fautes mo commises par les grands. Si la raison d'État exige des crimes, il invitera d'au moins scrupuleux que lui, à s'en charger (III, 1 et III, 10). Car il existe pour Monta un socle de valeurs irréfragables, dont la plus haute est la «foy», la fidélité à la p donnée. D'où son horreur du mensonge (I, 9), car «nous ne sommes hommes e nous tenons les uns aux autres que par la parole». Oui, Montaigne le rappelle cesse, nous sommes des êtres de parole. Dans le monde actuel où tout chang toute certitude semble évanouie, Montaigne est là pour nous avertir que, si vacille, il faut d'autant plus tenir sa parole. Il met ainsi en avant une éthique de l' neur d'essence aristocratique, bien entendu, car il est très fier d'être gentilhom de la chambre du roi Henri III, mais surtout, pour notre siècle à nous, une éthiqu la responsabilité individuelle qui doit encore parler à chacun.

Quel passage ou quelle phrase des *Essais* préférez-vous, et p quelle raison ?

Si c'est vraiment une seule phrase ou même un seul passage qu'il me faut désig ici, il m'est quasiment impossible de répondre tant j'affectionne de pages

s, que ce soit, pour moi qui ai beaucoup travaillé sur La Boétie, le chapitre « De
tié », dont sans doute la plus fameuse page des *Essais*, page sublime sur leur
ontre et la fusion de leurs âmes (« En l'amitié dequoy je parle, elles se meslent
nfondent l'une en l'autre, d'un melange si universel, qu'elles effacent et ne
uvent pas la couture qui les a jointes… ») ; ou bien, comme j'ai aussi beaucoup
ié la rhétorique des *Essais*, de nombreux et savoureux passages métadiscur-
où Montaigne rabaisse non sans coquetterie son travail de composition
me au chapitre « De l'oisiveté » ou son usage des citations en III, 9) ; ou encore
où il fait montre de ses goûts littéraires, l'« allure poétique à saut et à gam-
s » (III, 9) et le style « soldatesque » (I, 26).

puisqu'il faut bien faire un choix, je l'arrêterai aujourd'hui sur un passage qui
lus a le mérite d'être en relation avec la thématique de cet ouvrage : sur le
ut du chapitre « Du repentir » (III, 2), évoqué au début de cet entretien, que je
eux jamais relire sans une profonde émotion, un frémissement un peu sem-
le à celui qu'on ressent en écoutant de très beaux passages de Bach ou de
thoven, car il me semble concentrer en quelques lignes toutes les vertus et
e la puissance du verbe montaignien, de cet incroyable « style coupé » (voir
essus p. 203).

assage où le « petit homme » se décrit, non plus monté sur son « petit cheval »
me au chapitre II, 6, mais intégré à la grande respiration des êtres et des
ses (même les pyramides finissent par changer…), et où, en dépit de ses
auts, de son insignifiance et de son irréductible singularité, il entend poser
érêt de sa quête et de son propos. Noyé dans le grand tourbillon du temps, un
re universel », c'est-à-dire un représentant de l'humanité dans son ensemble,
nd ici la parole pour « réciter » l'homme, pour tenter d'évoquer ce qu'est
mme, dans sa fragilité, ses doutes surtout, et ses contradictions. Mais – fait
ital –, il ne parle plus *ex cathedra*, ne prétend plus en remontrer à quiconque :
nte juste de dire ce qu'il est, et ce qu'il ressent pour dessiller les yeux de ses
génères, de ses pairs, de ses frères, afin qu'ils prennent conscience qu'ils sont
aussi au monde. Plus que des droits, cela leur donne surtout des devoirs, au
mier rang desquels, figure, bien entendu, celui de « faire bien l'homme », c'est-
ire de se comporter en êtres humains doués d'un cœur (plus que d'une raison)
curieux de découvrir ce qu'ils sont pour mieux apprendre à connaître et à
récier leurs semblables.

ception graphique de la maquette : c-album, Jean-Baptiste Taisne, Rachel Pfleger (texte) ; iane Tiberghien (dossier) • Mise en pages : Chesteroc Ltd • Suivi éditorial : Luce Canus.

Achevé d'imprimer par Grafica Veneta à Trebaseleghe - Italie
Dépôt légal : 93802-3/02 - Novembre 2012